KB198134

한국 고전시가의 정체성

김 학 성(金學成)

서울대학교 문리대 국어국문학과 졸업
동 대학원 문학박사
원광대학교 및 전주대학교 교수 역임

현재 성균관대학교 국어국문학과 교수, 어문학부장,
한국시가학회 회장

저 서

『한국 고전시가의 연구』(원광대출판국, 1985)
『국문학의 탐구』(성균관대출판부, 1987)
『한국 고시가의 거시적 탐구』(집문당, 1997) 등

대동문화연구총서 21

한국 고전시가의 정체성

1판 1쇄 인쇄 2002년 2월 5일
1판 1쇄 발행 2002년 2월 20일
지 은 이 | 김 학 성
편 집 인 | 김 시 업
대동문화연구원 TEL (02) 760-0785~6
전자우편 : ddmh@speed.skku.ac.kr

펴 낸 이 | 심 윤 종
펴 낸 곳 | 성균관대학교 출판부
등 록 | 1975년 5월 21일 제1-0217호
주 소 | 110-745 서울시 종로구 명륜동 3가 53
대표전화 | (02) 760-1252~4
팩시밀리 | (02) 762-7452
홈페이지 | www7.skku.ac.kr/skkupress
전자우편 | wook@skku.ac.kr

값 17,000원

ISBN 89-7986-485-X 94810
ISBN 89-7986-275-X 94080(세트)

대동문화연구총서 21

한국 고전시가의 정체성

김 학 성 지음

成均館大學校 大東文化研究院

머리말

근자에 나는 국문학 연구에 있어서 정체성 문제에 깊은 관심을 가지고 있었다. 국문학은 단순히 세계 속의 어디에서나 쉽게 찾아볼 수 있는 그저 그런 문학의 하나가 아니라 서구와는 물론 판이하게 다르고, 같은 동양문화권인 중국이나 일본과도 다른 우리 민족 고유의 문학이라는 너무도 당연한 사실에 눈뜨기 시작한 것이다.

사실 나는 이번이 네번째 저술이지만 세번째까지는 국문학 연구를 왜 해야 하는지, 그리고 어떻게 해야 하는지에 대한 학문적 태도와 시각에 대한 근본적 성찰 없이 그저 그때 그때의 편의에 따라 맹목적으로 수행해 왔던 것이 사실이다. 그런 연유로 국문학을 국문학으로서 바라보지 않고 세계보편문학의 하나일 뿐이라는 명분아래 우리 국문학의 자료를 서구적 방법과 이론에 기대어 자의적으로 해석하고 설명하기에 급급해 왔던 것이다. 물론 그래서는 안 된다는 막연한 자각은 늘 갖고 있었으며 우리 문학은 우리 문학에 맞는 방법론적 시각을 바탕으로 이해되고 해석되어야 한다는 생각은 한시도 버린 적이 없었다.

그러나 그러한 생각을 가슴으로는 뜨겁게 가진다 할지라도 냉철한 이성적 머리로 실천하는 일은 결코 쉽지 않음을 이번에 펴내는 네번째 저술을 통해 새삼스레 절감해야 했다. 우선 이 저술에서는 국문학 가운데 나의 주 관심사인 고전시가의 정체성을 파악해내는 이념이나 방법이 어떠해야 하는지에 대한 기초적인 성찰에서부터 시작하여, 향가를 풍월도적인 패러다임으로 접근해야 그 정체성 파악이 가능함을 보이고, 시조와 가사 및 잡가는 장르적 정체성이 무엇인가를 따지는 일에 초점을 두었으며, 「용비어천가」는 서사시가 아닌 서정시로, 그리고 동아시아 시학을 바탕으로 읽어야 그 정체성 해명이 가능함을 텍스트 읽기의 수준에서 보인 것이다. 그리고 마지막으로 구비문학을 대상으로 민족미학적 정체성이 무엇일까를 탐색해 보았고, 국문학도의 나아갈 길이 무엇인가를 성찰해본 것이다. 이러한 작업들을 통해 저자가 얻은 것은 국문학의 정체성 탐색이 얼마나 지난한 작업인가에 대한 깨달음이었다.

우리의 고전문학—특히 상층의 고급문학의 경우—은 중국문학과 변별되는 고유의 정체성이 무엇인가에 대한 의문에 시달려 왔으며, 근현대문학의 경우 일본과 서구문학에서 얼마나 독자성을 갖느냐에 대한 물음에서 자유롭지 못한 것이 사실이다. 이러한 물음들에 대한 대처 방안은 우리 문학의 고유성과 정체성을 발견해 내어 증명해 보이는 일이 최선의 답안이 될 터인데, 우리는 이러한 답안 만들기에 과연 얼마나 심혈을 기울여 왔던가를 끝없이 되묻게 하고 그런 점에서 우리 스스로를 한없이 부끄럽게 한다.

국문학에서의 민족적 정체성 발견은 우리 민족의 존재 증명이면서 우리 민족의 가치 발견이다. 그런 면에서 우리는 영국의 민족주의 담론의 형성에서 셰익스피어 문학의 가치 발굴이 기여한 공로를 아무리 강조해도 지나치지 않을 것이다. 일개 런던 극장의 단역 배우이자 대본 작가였던 그를 영국의 민족시인으로 탈바꿈시켜서 얻어낸 영국의 문화적 정체성은 "셰익스피어는 영국적이고 영국적인 것은 셰익스피어다"라는 명제가 성립할 정도로 그의 문학을 민족적 우월성을 보증

하는 증표로까지 끌어올리는 가치발견으로 나아갔으며, 그리하여 마침내는 "인도를 다 줘도 셰익스피어와는 바꾸지 않겠다"는 민족적 자부심으로까지 이어질 수 있었던 것이다. 이는 백인 식민지주의자의 오만에 찬 발언이기도 하지만, 그만큼 문학에서의 정체성 발견은 문화적 자부심으로 이어진다는 생생한 증거가 되는 것이다.

이제 우리는 국문학에서의 셰익스피어 발견에 심혈을 기울여야 할 때라고 생각한다. 송강 정철의 두 미인곡(美人曲)이 동방의 「이소(離騷)」라 했지만, 「이소」를 수용한 면보다 그것을 넘어 민족적 감수성과 미학을 드러낸 측면이 훨씬 강하게 자리하고 있다. 문제는 우리가 그러한 가치를 어느 수준으로 어떻게 발견해내느냐가 보다 중요함에도 불구하고, 송강의 여러 작품을 통한 민족미학적 정체성을 발견해내는 작업은 아직 나오지 않고 있다. 이러한 정체성 탐색의 작업들이 앞으로 지속적으로 심도 있게 축적될 때 한국의 셰익스피어는 발견되지 않겠는가!

그러한 날이 하루 속히 앞당겨지기를 기대하면서 이 책을 세상에 내놓는다. 이 책이 그러한 기대가 현실로 다가오는데 작은 주춧돌이 되었으면 그보다 더한 보람이 없을 것이다. 그러나 의욕보다는 결실이 턱없이 부족한 것이어서 한편으로 부끄러운 마음을 지울 수가 없다. 내 역량이 그것 밖에 안되니 하는 수 없고, 동학들의 준엄한 질정을 바라마지 않는다. 한 가지 부기할 것은 여기에 실린 글들은 대부분 학술지에 최근에 발표한 것들로, 모두 우리 고전시가의 정체성 발견과 맥이 닿는 것이기에 한 데 모아 엮으면서 제목도 정체성과 관련하여 다소 손질하고 글의 내용도 부분적으로 수정 보완을 거친 것이 많음을 밝혀둔다. 아울러 혹시 앞으로 해당 논문이 참고의 자료로 소용될 때는 여기에 실린 글이 확정본으로 활용되기를 희망한다.

끝으로 이 책이 대동문화 연구총서로 세상에 나올 수 있게 물심양면의 지원을 아끼지 않은 김시업 원장께 진심으로 감사드리고, 아울러 교정의 수고를 해준 한영규 박사와 색인 작업을 도운 육민수 군에게도 고마움을 전하고 싶다.

월드컵이 열리는 2002년을 맞으며
춘당서실(春塘書室)에서
저자 씀

차 례

제1부 연구시각과 율격탐색

I 고전시가 연구 방법의 정체성

II 한국시가 율격의 정체성 — 백영의 율격론을 중심으로

Ⅰ. 고전시가 연구 방법의 정체성

1. 머리말 — 21세기에 살아남기

'사람다움' 또는 '인간적인 것'에 대한 탐구와 실현을 문제삼는 인문학은 새로운 세기의 출발 지점에 서 있는 우리들에게 심각한 위기의 담론으로 인식되고 있다. 응용위주의 현대학문의 추세와 수요자 중심의 교육정책, 그리고 국가와 사회 전반에 걸친 구조적 위기 담론의 확산으로 인해 인문학은 현재 그 방향을 상실하고 표류하는 것이나 아닌지 무척 우려된다. 이러한 위기 의식은 우리 문화의 정체성 상실이라는 지점에서 한층 증폭되어 나타난다.

위기의 담론이나 정체성 담론은 이미 여러 차례 논의된 바이지만 이제는 그 '위기'라는 용어에 대한 거부감마저 이는 지경이 되었다. 그 이유는 논의의 결과가 언제나 심정적으로 동의를 이끌어 내는데 그치고 실제적 대응책이 뚜렷하게 마련되지 않는다는 것 때문일 것이다. 인문학은 주어진 목표를 다루는 수단적인 성격을 넘어 항상 목적 자체의 정당성과 의미를 묻고 있다는 점에서 비판적이며 반성적인 성격을 갖지 않을 수 없다. 이에 우리 모두는 21세기의 출발 지점에 서 있는 우리 삶의 기반과 현실을 비판적으로 반성할 필요가 있으며, 실천적인 인문학적 대응을 강구해야 할 것이다.

굳이 분석적인 조명을 가하지 않더라도 우리 삶의 현실이 국제화, 세계화라는 이름의 물결을 타고 우리 것, 우리말, 우리 문화의 중심부를 남에게 자리를 내주고 있음은 충분히 공감할 수 있을 것이다. 한편으로 문화적 정체성의 문제를 염두에 두면, 개항의 요구와 함께 들려온 서양 함대의 포성, 즉 양요(洋擾)의 시기에 행해진 문화재 침탈이 오늘날 외규장각 도서 반환이라는 외교 문제로 대두되어 논의된다는 점이 역사적인 아이러니로 다가서기도 한다.

사뮤엘 헌팅턴의 『문명의 충돌』[1])은 우리에게 다음의 두 가지 독후감을 안겨준다. 하나는 서구문명의 문화적 침략과 영향력에 의한 비서구문명권의 위기의식의 촉발이고, 다른 하나는 한국문화를 중국문화의 부속물쯤으로 보는 문화적 편견에 대한 대응책이다. 그는 이 책에서 서구문명의 오만과 독단성을 여러 차례 언급하면서 서구문명의 세계화는 조직적 폭력에 의해 비서구적 문명에 파괴적인 영향력을 미쳤다고 말하고 있지만, 서구문명 자체를 보편문명이라 생각하는 독단이 틈틈이 엿보이고, 비서구문명 특히 중국 일본을 중심으로 하는 아시아적 가치—유교자본주의를 바탕으로 한—와의 문명 충돌을 미리 상정하여 그에 대한 파괴적 도전과 경계를 늦추지 않고 있다. 이 책의 소개와 때맞춰 한국을 비롯한 아시아의 신생 5룡은 IMF여파로 이미 추락하는 용이 되었고, 일본도 침체의 늪에 빠지게 되었다. 즉 서구문명의 기선을 제압하는 공세에 아시아적 가치는 용트림 한번 제대로 해보지 못하고 궤멸당하고 만 형국이 된 것이다. 이제 마지막으로 중국만 무너뜨리면 아시아적 가치는 완전히 종말을 고하고, 팍스-아메리카나라는 이름의 서구 문명의 독주에 의한 문화획일화가 이루어지고, 그것이 보편문명이라는 이름으로 나설 판이다. 그런 만큼 21세기는 한국이 포함된 동양문명의 이데올로기, 즉 아시아적 가치가 과연 살아남을 수 있을까라는 절대절명의 위기의 시대에 봉착하게 된 것이다. 다른 또 하나는 헌팅턴(그는 서구를 대변하는 세계인의 눈이라 할 것임)이 한국문화의 독자성을 인정하지 않으며, 일본문화와 대립되는 중국문화에 내포되어 있는 변두리 문화 정도로 인식한다는 점

1) 사무엘 헌팅턴(이희재 역), 『문명의 충돌』, 김영사, 1997 참조.

이다. 이는 우리로 하여금 우리문화의 고유성과 정체성을 스스로 증명해 보이라는 요구에 다름 아니다. 사뮤엘 헌팅턴의 『문명의 충돌』은 우리에게 타문화에로 종속되거나 환원될 수 없는 문화적 정체성 확립의 길이 21세기에 우리가 우리로서 살아남을 수 있는 유일한 돌파구라는 것을 깨닫게 해준다.

이런 발상은 경우에 따라서는 세계화 추세에 반하는 고루한 국수주의로 매도되기도 한다. 그러나 문화강대국에서의 국수주의는 문화침략으로 나아가지만 문화약소국에서의 그것은 침략에 대한 자기방어의 안간힘이다. 그런 점에서 문화약소국은 국수주의를 할래야 할 힘이 없는 것이다. 따라서 위기에 대한 진단이나 정체성 찾기의 성과물을 추구하는 것은 아무리 강조해도 지나치지 않다. 지금까지 이러한 위기의 진단[2)]은 너무도 추상적으로 진행되어 왔다. 아시아적 가치의 위기, 인문학의 위기, 국학의 위기 등등 이들은 서로 복잡하게 얽힌 문제인데도 구체적인 문제로 실감하기에는 너무 추상적이다.

그런 점에서 고전시가연구에 있어서의 이념과 방법이라는 구체적인 문제를 이러한 위기의식과 결부시킬 때 그 해결점과 성과는 실질적인 것으로 나타날 수 있다. 고전시가에 국한한 문제가 따로 있는 것이 아니라 그것은 국문학, 국학, 아시아학에 걸친 인문학 전체의 통합적 해결과제이기 때문이다.

---

2) 이러한 위기 의식의 대응책으로 국문학 교육의 위기라는 측면에 초점을 맞추어 그에 대한 방안을 모색한 시도는 있었다. 「국어국문학의 정체성과 유연성」이라는 기획 주제 아래 국어국문학회에서 개최한 제 43회 전국 국어국문학 학술대회(2000. 5)가 그것이다.

2. 고전시가 연구 '왜' 하는가?
—연구의 이념 문제

모든 유용한 일에는 동기와 목적이 있듯이 고전시가의 연구도 그저 분주히 연구만 하면 되는 것은 아니다. 그것은 연구자의 확고한 이념, 곧 왜 그런 연구를 해야만 하는지에 대한 근본적 물음에서 연구가 이뤄져야 의미 있는 성과물을 낳을 수 있을 것임은 군말을 필요로 하지 않는다. '연구 이념'과 '방법론' 또한 별개의 것이 아닌 까닭에, 이 둘이 연구자에 의해 일원적으로 통합될 때, 우리 국문학 연구의 전체적인 방향이 정상적인 궤도에 진입할 수 있을 것이다. 현재 고전시가의 연구는 연구의 자유를 한껏 누리고 있긴 하지만 우리가 그것을 왜 해야하는지에 대한 근본적 물음 없이 연구자 개인의 그때 그때의 필요와 편의 혹은 기호에 따라 방만하게 진행되어 온 감이 없지 않다. 방향성을 상실한 연구의 자유는 연구방법의 다양성을 내세워 자기 방어를 하기도 하지만 결국은 허무한 결과를 남길 것이다.

돌이켜 보건대 현시점의 고전시가 연구는 하나의 연구 이념과 방법론에 따른 체계적이고 종합적인 결과물을 기대하기가 무척 곤란한 실정이다. 체계적이고 종합적인 성과물을 기대한다면 우리 모두가 현시점에서 자성의 시간을 갖는 것도 매우 긴요한 일이라 생각된다. 따라서 체계적이고 종합적인 성과물에 대한 기대는 최종적인 목표인 까닭에 당장 가시적인 효과는 얻을 수 없다하더라도, 이 시점에서 시가 연구의 이념이 어떠해야 하며 그 방안은 무엇인지를 점검할 필요는 있을 것이다. 이에 여기서는 21세기를 여는 현시점에서 우리가 왜 고전시가 연구를 해야하는지에 대한 근본적인 물음을 던져보고, 그러한 물음에 바탕하여 모든 연구가 시작되어야 함을 강조해 보려한다.

국문학이 인문학의 한 분과라는 점에서 앞서 지적한 바와 같이 인문학적 성격, 즉 비판적이며 반성적인 성격을 지닌다는 점 또한 자명하다. 우리의 연구가 보다 합목적적이며 실천적인 성격을 획득하기 위해서는 지난날을 돌이켜 보는 연구사적인 비판과 반성이 따라야 할 것이다. 무릇 '이념적인 것'이란 동시에 항상 '실천적인 것'의 계기를 자기 자신 안에 지니기 마련이다. 이러한 비판적 작업은 국문학 연구를 수행하는 우리가 서 있는 현재의 지반을 역사 속에 상대화시켜 보는 작업이며, 그런 만큼 반성적인 성격을 띨 수밖에 없다.

고전시가 연구사는 국문학 연구사와 맥락을 같이하지만 주로 시가 연구에 초점을 맞춰 더듬어 보면 우리의 고전시가 연구사는 연구 이념 및 방법론의 성향에 따라 대략 다음과 같은 3단계 과정을 거쳐왔다고 생각된다.

1단계 : 도남, 가람 등으로 대표되는 감성적 민족주의 혹은 실증주의적 연구 방법이 주류를 형성하던 시기로서, 이 시기 시가 문학의 연구 이념은 시대적 요청에 따른 민족주의에 기초하고 있으나 객관적 방법론과의 연계성이 확보되었다고 보기 힘들다. 심정만 앞서고 그 구체적 성과가 관념적 수준에 머물러 개념의 모호성이 노정되던 시기였다. 다행스런 것은 실증주의 연구 방법론이 주류를 이룸으로써 국문학적 자료의 발굴이 대부분 이루어졌다는 점이다. 그러나 실증주의 그 자체가 지닌 이념의 부재는 여전히 문제점으로 지적된다. 이는 제1세대의 연구자들에 의해 이루어진 대부분의 연구 성과물들이 지닌 한계로 지적될 것이다. 물론 그 당시는 자료를 발굴하고 소개하는 것만으로도 민족적 사명을 다하는 것이었는지도 모른다.

그러나 연구자의 이념이나 목적의식 없이 대상자료를 실증적으로 보여주는 것으로 모든 연구가 끝나고 있다는 점은 비판되어야 마땅하다. 같은 실증주의에서 출발했더라도 도남의 경우처럼 우리 민족 시가의 특질론을 전개하여 실증주의의 극복을 위한 노력이 기울여지기도 했다. 그러나 도남의 경우에 있어서도 열정적 민족주의에로의 경도가 우리 문학의 특질에 대한 논의를 관념적 이념론에 머무르게 함으로써 현재적 객관성 확보가 어려운 지점도 눈에 띈다. 가령 도남의 시가문학에 관한 논고에 국한해 볼 경우, 「한국시가형태의 기본이념」에서 10구체 향가에서 얻어진 전대절·후소절의 형식으로부터 우리 시가형태의 기본 이념을 추출하여 '형식의 이념'이라 한 것[3]은 개념의 모호성을 지닌 것으로 비판될 수 있다.

2단계 : 서구방법론을 비롯한 다양한 연구 이론 틀의 원용과 모색기로서, 이 시기는 정병욱, 김열규, 황패강 등에 의해 서구 신비평, 원형비평, 문화인류학, 정신분석학, 현상학, 해석학, 구조주의, 기호학, 문학사회학, 수용이론 등 적용 또는 원용 가능한 거의 모든 연구 방법론이 우리 시가문학 연구에 시도되는 특징을 보인다. 1단계의 실증주의적 방법론의 한계를 감안할 때, 2단계에 들어서 외래방법론의 직수입으로 방향전환을 하게 된 사정은 이해되지만, 한편으로는 왜 그런 이론 틀을 빌어 연구해야 되는지에 대한 문제의식의 빈곤, 연구자의 무정견 등이 노정된 바 이는 냉철하게 비판되어야 할 것이다. 문제는 지금도 이러한 여파가 존속되고 있다는 것인데 이는 더 우려되는 바이다. 백영(정병욱)의 경우, 실증주의와 반실증주의라는 양축이 연구의 근간을 이루며 때로는 독자적으로, 때로는 상호보완적인 것으로 병존하여 나타남을 보게 된다.

백영의 실증주의는 1단계의 연구국면의 충실한 계승인 바 그의 「형태론」이나 「서지론」 등은 든든한 실증주의의 기초 없이는 불가능한 것이었다고 생각된다.[4] 그러나 백영이 취한 반실증주의적 방법의 추

---

3) 도남은 이것을 중국의 한시에서 발견되는 대구법에 의한 규제미와는 대립되는 우리 민족 특유의 비규제의 미학이 낳은 특수성으로 설명한 바 있다.

4) 백영의 이러한 연구 방법론에 대한 상론은 필자가 「정병욱의 시가연구」, 『백강서수생박사 환갑기념논총 한국시가연구』, 형설출판사, 1981에서 상론한 바 있다.

구는 비록 그것이 초창기 연구자들이 보여주었던 민족사관이나 실증주의의 질곡에서 벗어나기 위한 비판과 반발로 이루어졌다 하더라도 그 방법론의 도입에는 상당한 문제점이 따름도 사실이다. 고루해진 실증주의적 학풍에 대한 반실증주의의 기수로서의 선도적 역할에도 불구하고 우리 문학의 토양 위에서 구축된 자생적 연구방법이 아니었다는 점에서 서구적 방법론의 원용과 적용은 일정한 무리가 따르고 있다 하겠다. 이런 가운데서도 1단계와 2단계의 거점을 이어주는 무애(양주동)의 『고가연구』와 2단계에서 지속된 모산(심재완)의 『역대시조전서』 및 『시조의 문헌적 연구』 등은 실증적 해석 및 자료집의 완성이란 점에서 특기되어야 할 것이다.

3단계 : 연구인력의 확대에 따른 연구의 다양성 확보기로서, 조동일에 의한 자득적 방법론의 모색과 거시 비교문학적 탐구, 김대행에 의한 텍스트 언어의 의미 찾기, 김흥규에 의한 역사성 속의 의의 찾기, 성기옥에 의한 구조와 미학의 통합적 해석 모색 등이 주목된다. 연구인력의 확대에 따라 연구 역량이 축적되고 성과물 또한 다양하게 도출되는 현재적 단계라 하겠다. 이 3단계는 연구 방법에 있어 우리 고전시가의 텍스트 정체성과 가치 발견으로 나아가려는 긍정적 방향으로의 노력이 경주되지만 아직 현재적 위기의식이나 미래에 대한 전망에 기초한 확고한 이념적 경지까지 나아갔다고 하기에는 미흡하다 할 것이다.

조동일의 경우, 고전시가를 포함하여 그가 추구한 연구방법은 연구이념적 차원보다는 방법론적 모색의 측면이 강하고, 이념적 차원에서 이해해 볼 경우, 그것은 전쟁과 극심한 이데올로기적 대립을 겪은 세대의 세계인식, 즉 자아와 세계의 대립이라는 현상적 인식 체계로 비춰지기도 한다. 비교문학적 차원에서 제3세계의 문화·정신적 연대와 이에 대한 비교문학적 탐색은 우리의 시야를 확장시켜준다는 점에서 가치있는 것임에 틀림없지만, 타산지석의 방법보다는 주체적 각성에 의한 세계 인식은 여전히 유효하며 그 무엇보다 앞선 당위적 가치이기 때문에 민족문학 및 문화의 정체성 파악에 전력할 필요가 있다. 이(理)와 기(氣)의 대립은 대립으로 끝나는 현상이 아니므로 태극(太極)을 향한 조화로운 운행 질서로 이해될 가능성을 열어놓아야 하겠기 때문이다.[5)]

이러한 현재적 연구 성과를 바탕으로 진행되는 학문 후속세대의 왕성한 연구 풍토는 우리 시가 문학 연구의 앞날을 밝게 해주는 매우 고무적인 현상으로 받아들여진다. 앞으로 학문 후속세대의 연구가 보다 바람직한 연구 성과를 내기 위해서라도 지금까지의 3단계에 걸친 연구 경험은 비판적으로 점검되어야 하며, 이러한 반성 위에서 새로운 세기에 살아남기 위한 제 4단계로의 연구 방향 전환이 절실히 요청되는 시점이 아닌가 생각된다. 그 방향 전환은 다음과 같은 세 가지 각도에서 가늠해 볼 수 있을 것이다. 다음의 세 가지 연구 방법은 그것이 기존의 연구에 부재했다는 것은 아니며, 우리가 고전시가를 왜 연구해야 하는가 하는 근본 물음에 대한 답으로 항상 연구의 중심에서 있어야 하고 또 앞으로의 연구가 보다 폭넓고 심도 깊게 이루어져야 한다는 의미로 제시해 본다.

1) 미래의 전망과 올바른 방향 정립을 위하여

사이버문화 · 영상문화 · 정보문화의 시대로 집약되는 21세기의 세계화 시대에 이미 낡을대로 낡은 고전시가 연구는 '왜' 해야 하는 것

---

5) 기본적으로 서양의 문화정신은 대립적 발전론에 의한 변증법으로 설명될 수 있으며, 동양의 문화정신은 이와는 달리 음양의 조화와 상생론에 바탕하고 있다는 점에서 그러하다. 이런 특성의 차이를 고려하는데 소홀하여 우리 문학 텍스트를 설명함에 있어 갈등과 대립체계로 해명하는 경향을 흔히 보이는데, 이러한 방법적 이해는 서구이론에 편승한, 그리하여 우리의 정체성 파악과는 거리가 있는 설명방식에 빠져들 가능성이 크다고 하겠다.

인가? 이에 대한 답은 간단하다. 아무리 시대가 변해도 그 시대를 헤쳐나가는 지혜는 '현재와 연관된 과거에서 찾아질 수 있는 것'이라는 평범한 진리를 떠올리면 그 답은 쉽게 찾아질 것이다. '미래는 앞에 있지 않고 뒤에 있다'라는 어느 종족의 경험적 지혜가 곧 그 해답이 될 것이다. 고전의 연구는 과거의 자산으로 끝나는 것이 아니라 위기의 시대, 불확정의 시대라 할 현재와 미래를 살아가는 우리들에게 삶의 지표를 마련해 주어야 한다. 따라서 그때 그때의 편의와 기호에 따른 타성적 연구는 한치 앞도 내다볼 수 없는 근시안적 · 국소적 국면의 의미 발견에 그치고 말 것이다. 이와 같은 전망성 부재의 연구 상황을 지양하고 현실의 심각한 위기의식을 미래의 해결 전망으로 연결하기 위해서는 거시적 안목이 요청된다.

팍스-아메리카나를 주류로 하는 경제 · 문화적 세계주의가 우리의 삶 속에 상존하는 한 일제시대보다 더 심각한 경제적 · 문화적 위기 상황이 벌어지고 있다고 볼 수 있다. 그것은 바로 문화적 정체성에 혼란을 초래하는 일련의 정신적 파괴 현상으로 진단된다. 그것이 위기로 비춰지지 않는다면 그것은 '잠식(蠶食)'이라는 문화적 침탈의 방법을 펼치는 까닭일 것이다. 누에가 한 입에 뽕잎을 갉아먹을 수 있는 양은 자세히 들여다보지 않으면 눈에 잘 띄지 않지만, 한눈을 파는 사이 뽕잎은 시나브로 사라지는 법이다.

이와 같은 문화적 잠식 상황에서 연구자의 이념적 방향이나 미래를 전망하는 필수불가결의 이념적 지향점은 우리 문화의 정체성을 확보하는 '문화적 민족주의'가 될 것이라 확신한다. 이 '문화적 민족주의'를 우리 고전 시가 연구의 이념으로 제안해 본다. 맹목적 문화주의는 그것이 심정적이거나 알맹이 없는 문화주의로 흐를 경우 사태를 더욱 악화시킬 것이며, 아무런 의미도 찾을 수 없다는 점에 대해서는 구차한 설명이 필요치 않다. 아울러 문화적 민족주의 이념의 구체화로서의 고전시가 연구가 자칫 그 설명능력에 있어서 폐쇄적이거나 국지성

(局地性)을 보여서도 바람직하지 않을 것이다. 따라서 그것은 반드시 논리적 견고성과 개념적 보편성, 방법적 구도의 선진성 및 명징성이 확보될 필요가 있다.

2) 민족적 정체성의 확립을 위한 연구로 나아가기 위하여

고전 시가연구에서 민족적 정체성의 확립의 문제는 실현 도달하기 어려운 어떤 거창한 것이거나 추상적인 것이 아니다. 그것은 개별 작품으로서의 정체성, 개별 장르로서의 정체성, 우리 고전시가로서의 정체성이란 세 가지 층위에서 구체적으로 실천될 수 있을 것으로 생각한다.

① '개별 **작품**으로서의 정체성'은 개별 작품의 미학적 독자성으로 규명될 필요가 있다. 하나의 예를 들어보면, 같은 오륜가 계열 시조라 하더라도 송순, 정철, 박인로의 작품들 간에는 미학적 낙차가 상당히 큼에도 불구하고 그 작품들이 교훈시조로 뭉뚱그려 이해될 때 그 개별 작품의 정체성은 손상되기 십상이다. 21세기 고전시가 연구는 이러한 개별 작품의 정체성 파악에 우선적으로 역점을 두어야 할 것이다. 이 개별 작품의 정체성 규명 문제는 그것들의 단순한 총합이 민족적 정체성의 발견과 확립으로 곧바로 이어지는 것은 아니라 하더라도 그에 기여할 수 있는 풍부한 문화적 토양을 형성해 줄 수 있을 것이다.

② '개별 **장르**로서의 정체성'은 ①의 토대 위에서 규명되어야 하며, 장르의 미학적 본질에 대한 파악이 필요하다. 하나의 장르속성 파악에 관련된 여러 논고의 분분한 의견들은 그만큼 해당 장르의 속성 파악에 어려움이 있다는 것을 반증하지만, 가령 속요를 원 텍스트(민요 등)와 구분하지 않음으로서 생겨났던 설명 및 이해의 혼란상은 매우 소모적이었다 할 것이다. 이러한 예는 매우 많아서 사설시조나 가사 그리고 잡가 등의 장르적 정

체성 파악에 있어서는 작품의 장르적 특성이 훼손되거나 혹은 해체된 경우[6]마저 있었던 것으로 판단된다. 장르성 획득의 중심원리는 개별 작품들이 지니는 개성(이질성)들의 단순한 총합이 아니며, '보편성에 기초한 동질성(유사성)'이란 사실이 무시된 경우라 할 것이다. 개별 장르의 정체성 파악은 전공 분야별 핵심 연구분야이지만 아직도 미해결 장르가 많다고 생각된다.

③ '우리 **고전시가**로서의 정체성'은 우리 민족의 시가미학으로 발견될 필요가 있다. 고전문학의 정수라 칭해지기도 하는 시가문학의 미학적 정체성 파악 방법에 관한 몇 차례의 시도가 없었던 것은 아니지만 이 분야는 미개척지나 다름없다고 할 것이다. 기왕에 시도된 몇몇 연구는 중국시가나 서구시 혹은 현대시의 시학으로 재단하듯 접근함으로써 오히려 정체성 확립에 훼손을 가져오거나 주제방법과는 전혀 엉뚱한 방향으로 논지를 끌고 가는 문제점마저 있었다고 판단된다. 은근과 끈기, 애처로움과 가냘픔, 두어라와 노세의 미의식을 딛고 넘어서는 보편적 시가시학 또는 미학의 정립이 이루어지길 기대한다.[7]

이러한 세 가지 연구 실천 방향은 지금까지 진행되어온 고전시가 연구들에서 그 방법 및 징후가 포착되기도 하므로 그 실마리를 잡아 선명한 연구 방향으로 부각시킬 필요가 있을 것이다.

---

6) 이러한 견해를 보이는 연구에서는 사설시조나 가사, 잡가의 장르 정체성을 인정하지 않고 이질적이고 잡연한 것이 혼재되어 있다고 보아, 그 형태 유형에 따라 그것을 해체하여 민요나 가사, 단가(판소리 허두가), 율문기행, 장단의 隨想 혹은 漫筆 등 각각의 원장르로 되돌려야 한다는 주장을 편 바 있다.

7) 우리문학의 민족형식과 민족미학이 어떠한 특성을 갖는지에 대한 모색이 한국고전문학회의 2000년 하계학술대회에서 '국문학과 문화—민족문화로서의 국문학'이라는 주제로 이루어진 바 있다.

3) 가치(당대적 의미와 현재적 의의) 발견을 위한 연구를 위하여

가치의 기준은 시대의 요구에 따른 가변적인 것이므로 절대적 가치란 있을 수 없고 상대적 가치가 있을 뿐이다. 따라서 우리 시대가 요구하는 가치의 발견과 정립에 힘쓰지 않고 서구 미학적 가치 기준이나 현대시의 가치 기준으로 고전시가의 가치가 재단되어서는 안 될 것이다. 고전시가 연구의 가치 발견이란 여러 층위의 가치발견이 있을 수 있겠으나 그것은 미적 가치의 발견이어야 보다 큰 의미를 지닐 수 있다. 이 '미적 가치'란 것도 대단히 주관적이고 상대적인 개념인 까닭에 흔히 오늘날 우리의 미적 가치에 고전시가가 재단되어 작품의 본래적 가치가 손상되는 경우를 종종 보게 된다. 가령, 송강의 가사와 노계의 가사를 현재적·서구적 기준, 즉 문예 미학적 가치의 관점으로만 평가할 경우, 흔히 전자에 대한 우위 확인과 후자에 대한 가치 폄하가 가해지기 일쑤이다. 이는 작품이 지닌 당대적 가치와 현재적 가치가 공평하게 작용한 결과라 보기 어렵다. 후자의 가치는 송강이 보여준 텍스트의 미적 완성도와는 다른 이념적 가치지향에 놓여있고 그것이 당대 절대이념에 의거한 숭고미의 실현임을 유념할 때 노계 작품에 대한 가치 훼손은 줄어들 수 있을 것이다.

이러한 당대적 가치의 발견은 조선 후기의 많은 가사작품에서 두드러지는 이념 지향적 교훈가사들의 가치 평가에 있어서도 충실히 고려되어야 할 것이다. 이들은 서구적 문예 미학적 관점에서 보면 처리곤란한 대상으로까지 여겨지기도 하는 바 이러한 연구자의 시각은 반드시 극복되어야 한다. 이와 같은 가치 발견의 문제는 당대적 가치에 대한 충실한 이해를 바탕으로 현재적 가치의 재발견으로 이어질 때 평가가 제대로 이루어질 수 있다. 고전시가에 대한 가치의 발견은 연구자의 연구 이념이 확고할 때 더욱 의미 있는 발견이 될 것이다.

3. 고전시가 연구 '어떻게' 할 것인가
—연구 방법의 문제

문학연구의 이념과 방법은 둘이면서 하나이다. 앞의 2장에서 고전시가 연구를 '왜?' 하는가 하는 문제를 논의하면서 이미 '어떻게' 할 것인가의 문제가 포괄되어 그 대강의 내용이 함께 말해진 듯 하다. 이에 여기서는 2장에서 제안된 '문화적 민족주의' 이념의 실천을 위해 우리 고전시가 연구자들이 좀더 구체적이고 실천적으로 수행하기 위한 세부적 방법들을 몇 가지 제안해 보겠다. 제안된 개별 단계의 연구 방법들은 모두 민족문화적 정체성 확립을 위한 연구로 나아가는 전제로 수행되어야 할 것들이다.

1) 개별 작품의 정체성 파악

개별 작품들은 개별 텍스트로서의 개성을 최대한 존중하는 차원에서 연구될 필요가 있다. 그러기 위해서는 첫째, 텍스트 실증 차원의 제 문제가 해결되어야 할 것인데, 시가문학 자료집의 영인 및 주해가 그리 튼실해 보이지 않는다. 가령, 『역대가사문학전집』(임기중 편)은 폭넓은 자료조사 및 편집의 노력에도 불구하고 연구자들은 그 자료집의 이용이 곤혹스러울 때가 많다. 출전의 정확성이 떨어지고 중복된 자료도 발견되기 때문이다. 자료집을 이용하려 할 경우 작품 제목에 따라 ㉮㉯㉰순으로 재편집된 영인 자료집을 다시 원 텍스트로 재구해야 할 형편이다.

나손본 가사자료들을 영인해 묶은 『한국가사자료집성』(태학사)은 개별 가사집 순서대로 영인해 사정이 나은 편이지만 개별 가사집에 제목을 부여하지 않아 역시 자료 이용에 어려움이 있다. 시조문학의 경우에는 『역대시조전서』와 『시조의 문헌적 연구』(심재완 편저)가 있어 자료 이용에 큰 빚을 지고 있지만 간혹 오류가 발견되고, 또 시조 자료집의 실상 파악을 위해서는 영인된 가집들을 참고하거나 가집의 원본을 다시 찾아 확인하는 과정을 거쳐야 한다. 주해본의 경우도 마찬가지여서 안심하고 찾아볼 수 있는 자료집이 드문 형편이다. 국문학 연구의 토대가 되는 1차 자료들에 대한 자료집 확보는 개별 연구자, 학회 및 국문학의 전 분과가 협력하여 총력을 기울일 필요가 있다.

둘째 각편의 개성적 가치를 훼손하는 텍스트 연구는 지양되어야 한다. 이는 두 가지 측면에서 그 연구 방향이 올바로 자리 잡혀야 한다고 생각된다. 그 하나는 작품의 원전을 복원한다는 명목 아래 행해진 일련의 텍스트 재구 작업이 무의미한 경우가 많다는 점을 지적할 수 있을 것이다. 이 문제는 조선 후기 가사작품들의 원본 복원에서 그 문제점을 크게 드러냈는데, 이 텍스트들은 원 텍스트를 상실하고 전사, 또는 필사되는 과정에서 여러 이본들을 산출해낸 결과[8]인데도 이 여러 이본들을 대교한 복원본이 제시되기도 했다. 이렇게 제시된 복원본은 하나의 새로운 파생본에 불과한 것이므로 복원본이라 할 수 없는 것들이다.

다른 하나는 개별 작품의 개성적 가치에 주목하지 않는 텍스트간 비교 가치평가는 지양되어야 한다. 앞서 지적한 바와 같이 송강과 노계의 작품에 대한 텍스트 미학적 기준에 입각한 평가가 개별 작품의 개성적 가치를 훼손하는 경우처럼 개별 작품의 개성은 개별 텍스트의 해석 층위에서 충실하게 고려돼야 한다. 특히 이념지향의 교훈성 시가 자료들, 가령 시조의 경우 주세붕과 송순의 「오륜가」와 정철의 「훈민가」, 김상용, 박선장, 박인로의 「오륜가」 등이 왜 동일한 주제인데도 지속적으로 작품이 지어졌는가 하는 질문이 있을 때, 개별 작품의

8) 따라서 고전시가 텍스트로서의 '이본'이 갖는 의미는 그 자체로서 작품의 사회 문화적 담론화 양상을 반영하는 것으로 이해해야 할 것이다.

개성적 가치 문제가 풀릴 수 있을 것이다.

이와 같은 개별 작품으로서의 정체성 파악은 고전 시가 연구에 출발점이 되는 것이므로 모든 연구자들이 이 기초 층위의 작업에 주력할 필요가 있다. 이 1단계 연구 및 작업이 튼실해질 때 다음 단계의 연구 방법도 올바른 방향에서 정립될 수 있다.

2) 개별 장르의 정체성 파악

개별 작품의 정체성이 충실하게 밝혀질 때 개별 장르의 정체성 파악도 선명해 질 수 있다. 그러나 개별 작품 연구와 개별 장르 연구는 연구의 실제에서 개별 작품 연구가 온전히 이루어져야 장르의 정체성 파악이 가능한 것인가 하면 그렇지는 않다. 이 둘은 상호 의존적인 관계에 놓여 있으므로 이 관계를 통합할 줄 아는 안목이 필요하다. 또한 개별적 장르의 정체성 규명은 다음 단계의 '우리 고전시가로서의 정체성' 해명, 즉 우리 시가미학의 특성 발견을 염두에 둘 때, 보다 바람직한 연구로 이어질 것이다. 그런데 현재적 시점에서 이와 같은 개별 장르의 정체성 파악이 올바로 진행되고 있는지는 의문이다. 개별 장르의 정체성 파악 방법은 기존 연구가 보여준 다음과 같은 몇 가지 문제점이 지양되어야 할 것으로 생각된다.

① 텍스트를 컨텍스트에서 분리하여 이해하는 문제점 지양 : 향가의 경우 현재 이러한 문제는 어느 정도 극복되었다고 생각되나, 속요의 경우, 원 텍스트인 민요와 그것을 분별하지 못함으로써 장르적 정체성 해명과 이해에 실패하고 있는 경우가 아직도 있어 보인다. 시조나 가사 연구에 있어서 계량적 연구방법이 도입됨으로써 간혹 컨텍스트와의 분리가 문제되는 예가 발견되기도 한다. 가령 시조나 가사 작품에서 내용소 혹은 어휘소를 추출, 이를 계량화하여 장르의 특성 규명에 접근하려는 경우가

있는데, 간혹 성공적인 연구결과를 이끌어내기도 하지만, 이 계량화라는 방법은 그 자체로 철저히 컨텍스트와의 관련을 배제시킨다. 아무리 객관적인 데이터를 확보한다고 하더라도 텍스트의 해석은 결국 컨텍스트와의 연계 위에서 연구자 자신이 주체적 사고작용을 통해 구조적으로 파악할 수밖에 없는 것이므로 이 방법은 자연 한계를 노출시킬 수밖에 없을 것으로 생각된다.[9)]

② 텍스트의 장르를 잘못 이해하여 작품 성격 파악이나 장르 속성 규명에 적용하는 문제점의 지양 : 이 문제는 1)의 첫 번째 항목인 텍스트 실증의 문제와 연관되어 있으면서 동시에 텍스트가 장르 속성 해명에 동원된 경우이기도 하여 그 심각성이 두드러진다. 텍스트 실증에 실패하면 연구의 근저마저 흔들리는 바, 자료 이용의 정확성이 요청된다. 가령, 사설시조의 논의에서 잡가자료가 이용되는 경우를 종종 발견하게 되는데, 이는 『역대시조전서』에 전적으로 의존하고 원전 검색을 하지 않은 결과이다. 서도 민요 혹은 서도 잡가의 대표격인 「엮음 수심가」는 그 내부구조에 의미의 3분절성을 지니고 있고, 『역대시조전서』의 원텍스트인 『고대본 악부』에 이들이 사설시조들과 뒤섞여 실려 있음으로 해서 『역대시조전서』에 수록되게 되었는 바,[10)] 이 자료들은 흔히 사설시조의 형식·내용적 분방성을 입증하는 증거

9) 고시조든 현대시이든 그것이 시가작품인 한에서는 거기에 쓰인 어휘(색인어 포함)는 단순한 '질료'로서가 아니라 전후 맥락에 의해서 불확정적으로 파악될 수밖에 없는 '시어'이므로 이러한 불확정적 자료를 가지고 계량적 방법의 근거 자료로 삼아 도출된 어떠한 결론도 그 신빙성이 어느 정도 의심될 수밖에 없는 방법론상의 한계가 지적되지 않을 수 없다.

10) 이러한 자료상의 오류에 관한 구체적인 지적은 성무경, 「『역대시조전서』 刪定 45수와 잡가」, 반교어문학회 2000년 하계학술발표회 발표문을 참조할 것.

자료로 곧잘 이용된다. 잡가권의 노래로 사설시조의 장르적 정체성 해명을 시도하였으니 제대로 장르적 성격이 파악될 리 없다. 사설시조의 분방성은 정형(定型)을 넘어선 정형(整形)〔자율적 조정력 있는 정형〕 안에서의 허용치이지 방만한 자유시적 분방성이 아니다.

송강 「장진주사」의 장르적 성격 파악에 혼란을 겪는 이유도 이에 해당할 것이다. 이는 텍스트를 컨텍스트에서 분리하여 어느 한쪽만 부분적으로 이해하는 문제점과 겹쳐 있기도 한데, 「장진주사」는 창작적 시형과 후대 가집에 독립적 편목으로 수용되어 변모가 있었음을 주목할 때 장르적 정체성이 분명하게 드러날 것이다. 「장진주사」는 시조의 고정된 틀을 어느 정도 자유로이 일탈함으로써 시조와 대응체계를 이루는 사설시조로서의 내적 질서를 견지하고 있고,[11] 가곡창 반주를 위한 각종 금보(琴譜)에 그것이 실려 있다는 점, 또 가집에 독립적 편목으로 수용되는 경우(編歌=歌曲一通)라도 '「장진주」와 대(臺)[「空山落木 雨蕭蕭ᄒᆞ니~」]', '편가 전체와 가필주대(歌畢奏臺)[「태평가」]'로 구성된 대응의 쌍(編:解-19세기 연창방식)을 이루면서 실현되었다는 점 등에서 「장진주」는 시조권역에 놓인 사설시조로서의 장르 정체성이 명백하게 드러난다. 19세기말~20세기초, 「장진주」가 가사창으로 밀려나기도 했던 정황은 가창 장르가 타 가창 방식으로 실현되는 응용적 일탈을 관습적으로 일으킨다는 점에서 장르 운동의 융통성으로 이해될 수는 있을 것이다. 그러나 그것은 장르 정체성 문제의 중심부로부터 한 발자국 물러난 주변적 상황인 것이다.

---

11) 사설시조는 한 수가 초·중·종장 3장으로 이뤄지며, 각 장은 4개의 토막 곧 의미단위구—이 경우는 한 토막(의미단위구)에 음량(음절수)의 제한이 없으므로 음보보다 큰 단위가 됨—으로 짜여지는 整形을 준수한다.

장르 연구는 개별적이고 구체적인 문학 작품 및 현상들에 대해 경험적이고 귀납적인 의미를 규정하는 사고작용인 바, 개별적 시가 장르는 담당층 또는 향유층의 성격 및 세계인식 방법, 장르 내적 질서를 이루는 텍스트 언어의 구조적 특성, 연행 환경, 그리고 일련의 작품들이 동질적으로 지향하는 미의식 등이 통합적으로 탐구될 때 균형 잡힌 특성 파악에 이를 수 있다.

③ 텍스트에 과도한 의미 부여하기 지양 : 텍스트의 문학사적 의미는 텍스트가 허용하는 의미해석의 범위 안에서 파악되어야지, 텍스트가 생산된 사회적·역사적 의미가 과도하게 문학사적 의미로 부여되어서는 곤란하다. 가령, 사설시조를 민중의 계급의식에 의한 비판적 시선으로 읽기 위한 노력이 있기도 하였는데,[12] 18~19세기 농·락·편 계열 곡목의 유행과 시조창 유행의 흐름 속에 편입 또는 형성된 노래들이 있음으로써 그렇게 읽힐 만한 작품들이 존재하는 것이 사실이나, 그것이 사설시조라는 장르의 정체성을 묻는 문제에 합당한 답변이 될 수는 없다. 그러한 징후는 장르 운동의 한 지점인 까닭에 실험적으로 또 의도적으로 그렇게 텍스트를 읽을 수도 있겠지만 학문적 엄밀성을 추구하는 문학 연구마저 문학 운동으로 행해져서는 곤란하다.

이러한 시도는 텍스트에서 추출해 내고자 하는 가치를 먼저 설정해 놓고 작품을 연구하기 때문에 의도적 오류를 범하기 십상인 바, 이는 마땅히 지양되어야 할 것이다. 더구나 80, 90년대가 요청한 민중의 힘과 의식의 발견이 그러한 사조적(思潮的) 성향의 태도와 결과를 가져온 것이었다면 그것은 연구태도

12) 이런 연유로 해서 사설시조에 나타난 웃음의 미학을 하층인 서민계층이 상층인 사대부층을 신랄하게 비판하는 '풍자'의 텍스트로 읽는 경우가 왕왕 있는데, 그러한 경우의 대부분은 풍자가 아니라 '해학'으로 읽혀지는 것들이어서 문제가 된다.

상 더욱 문제가 심각한 것이라 하지 않을 수 없다. 민중의 힘과 의식은 여전히 현재적인 의미와 미래에의 전망성을 담보하고 있다는 탄력적 시각에 기반할 때 그리하여 그것이 우리 고전시가 미의식 형성에 기저 자질로 이해될 때 객관적이고 정당한 방법론적 설득력을 갖게 될 것이다.

텍스트 및 개별 장르의 역사성은 부분사 · 미세사를 딛고 넘어서는 거시사의 안목에서 조명되고 규명되어야 그 정당성이 확보된다. 텍스트에 과도한 의미 부여하기와 관련 소재적 차원에서 관련된 텍스트를 주제적 층위로 이끌어 엉뚱한 논의로 이끌고 가는 경우도 종종 보게 되는데(戱謔的 미의식을 지향하는 사설시조에 자주 등장하는 불교적 소재의 경우), 이 또한 마땅히 지양되어야 할 것이다.

개별 장르의 정체성 해명뿐만 아니라 우리 시가 미학의 정체성 발견에 있어 이러한 텍스트 훼손하기, 텍스트 해체하기, 텍스트 왜곡하기, 텍스트 분리하기, 텍스트 무시하기 등의 방법적 오류는 반드시 극복되어야 할 사안들이다.

3) 우리 시가 미학의 정체성 파악

고전시가의 연구가 민족문학으로서의 미학 혹은 시학의 발견으로 이어지기 위해서는 우리 시가 미학의 정체성 파악이 가장 긴요한 일이지만, 우리 고전시가의 연구가 여기까지 나아갔다고 보기는 어렵다. 미학, 즉 미에 대한 인식으로서의 미의식은 단순히 서로 다른 개성이나 미적 감각에 기초한 기호(嗜好)의 차이를 넘어서서 생활문화권이라는 동질적 토대 위에서 삶을 살아가는 방식의 차이이자 세계인식, 가치관의 차이를 드러내는 것이라고 말할 수 있다. 까닭에 우리 시가 미학은 서구와는 다른 삶의 양식과 문화적 특수성을 갖는 동양 문화권, 보다 정확하게 한국이라는 문화권의 고유한 시가 미학으로 발견되어야 하는 것이다. 이에 따라 서구시학이나 미학과는 거리가 먼 우리 고전시가의 특수성에 맞는 정합적인 이해방법이 필요하게 된다. 이것은 같은 동양문화권에 속한 중국문화권의 미학이나 시학과도 변별되는 특수성으로 발견되어야 할 것이다. 그만큼 많은 노력이 경주되어야 할 분야이다.

쉽지 않은 분야이고 많은 연구 경험의 축적을 통해 가능한 것이지만, 그것이 연구 이념과 연구 방법 사이의 접맥 지점에 관한 연구 분야임을 깨닫고 연구자 각자가 몇 가지 방법을 세워 접근한다면 성취 불가능한 대상만은 아닐 것이다. 여기서는 앞서 제시된 연구 방법의 세 단계 구도에 바탕하면서 연구방법의 수준으로 가늠되는 연구 방향을 제시하는 차원에서 머물고자 한다.

우리 시가 미학의 정체성 파악 방법은 그 연구 방법의 수준으로 가늠할 때 다음 세 단계가 동시에 그리고 점진적으로 이루어져야 할 것이다.

① 서술하기 : 서술하기는 자료소개, 해설, 간단한 비교, 주석 달기, 이본 대교 등의 기초 또는 설명적 차원의 연구 수준이 될 것이다.

② 해석하기 : 해석하기 수준은 서술하기와 달리 그 편차가 다양하여, 서구 이론 틀의 원용, 자득적 연구 방법의 구축, 비교문학적 방법 등으로 진행되어 왔다. 개별 작품의 정체성, 개별 장르의 정체성 해명에 필요한 연구 방법들은 앞으로도 많은 노력이 기울여져야 할 것이다.

③ 인식하기 : 작품의 서술하기, 해석하기 수준에서 장르의 정체성 및 미학적 특성 추구에로 한 걸음 더 나아가 전체를 통괄하는 인식하기 수준으로 나아가는 단계이다. 2장에서 제시한 연구자의 확고한 인식을 바탕으로 연구가 수행될 필요가 있다.

우리 고전시가 미학의 정체성 해명은 개별 장르의 미학적 정체성 규명을 바탕으로 이루어져야 할 것인데, 우리 시가 장르 연구는 언어체로서의 텍스트 미학에 머물러 있는 형편이다. 언어체로서의 텍스트 미학은 시학, 곧 서구적 시학의 기층인 언어적 국면에 기반한다. 물론 문학의 본질이 언어에 놓여 있고 시학적 국면은 문학텍스트로서 성취해야 할 보편적 지점이기도 하다. 그러나 앞으로의 연구는 장르의 정체성 해명에 있어 문학텍스트는 '언어체로서의 텍스트 읽기'를 넘어서는 '담론으로서의 텍스트 읽기'가 필요하다. 가령 시조문학이나 가사문학에 걸친 문제이기도 하며, 조선 후기 시가 장르를 넘어서는 다양한 연행장르의 장르 실현의 문제이기도 하며, 나아가 문학사적 구도와 맞물린 각 문화권의 담론 양상은 그 텍스트 읽기가 '담론[13]으로서의 텍스트 읽기'로 접근될 때 정체성 파악이 용이해 질 것이다.

시조문학만 하더라도 조선 전기 사대부 문화권에서의 개별적이고 친교적인 향유방식(善歌妓)으로부터 조선후기의 초기적 여항 문화권과 일반 시정문화권에 걸친 풍류방 문화권(善歌者→歌客이라는 남성 창자의 대두)으로의 전이가 이루어지며(이상 가곡창 문화권), 잡가 문화권의 확산에 따른 가곡창 문화권의 대응과 시조창 문화의 대두에 따른 연행 환경의 변화(男唱→男・女唱→女唱의 유행 중심 변화) 등의 장르 실현의 변화 양상이 포착되고 있다. 가사문학의 경우에도 역시 마찬가지여서 조선 전기 사대부 문화권의 가창(歌唱)・음영(吟詠)・완독(玩讀)과 조선 후기에 풍류방 문화권과 맥을 같이한 가창가사

13) 담론이란 개념은 다양한 의미로 사용되고 있지만 여기서는 푸코와 다이안 맥도넬의 개념을 따라 어떤 사물(thing)을 의미하는 언어(language)와 대비되는 하나의 행위개념으로서, 삶과 의식에서 의미를 만들고 재생산하는 사회적 문화적 제도적 과정을 포괄하는 개념으로 사용한다.

문화권, 규방가사 문화권, 잡가문화권과 맥을 같이 한 12가사 문화권 등에 걸친 변화의 폭이 포착되는 바, 이렇게 문학적 내포와 문화적 외연의 진폭이 다른 각종 문화권에 대한 '담론으로서의 텍스트 읽기'는 기존의 주된 연구 방식인 '언어체로서의 텍스트 읽기'라는 국소적 문학 이해의 편폭을 보다 거시적으로 확장시켜 줄 것이다.

이와 함께 우리 고전시가가 제시형식인 악곡과 공고히 결합되어 실현되었다는 점에 비추어 우리시가의 가창텍스트는 한국음악 연구자와 협동 작업이 절실히 필요하다.

4. 맺는 말

모든 연구가 그렇듯이, 고전 시가 연구의 이념과 방법에 대한 논의 역시 실천적 전망이 제시될 때 그 궁극의 의미를 지닐 수 있게 될 것이다. 미래의 전망과 올바른 방향의 정립은 결국 민족의 정체성 확립을 위한 연구가 전제될 때 가능할 것이며, 이는 다시 가치를 발견하고 평가하는 작업과 연계될 때 그 의의를 드러낼 수 있을 것이다. 우리가 처한 위기에 대응하여 곧 우리가 왜 고전 시가를 연구하는가 하는 물음 자체가 고전 시가 연구의 이념이며, 어떻게 하는가 하는 물음은 그에 대한 실천 방법이다. 이 둘은 별개의 것이 아니라 연구자의 내면에 존재하는 이념과 실천이라는 양면적 한 몸일 뿐이다. 그 실천 방법은 개별 작품의 정체성 파악이 개별 장르의 정체성 파악과 맞물릴 때 정당성을 확보할 수 있으며, 이는 나아가 우리 시가 미학의 정체성 파악이라는 거시적 전망과도 부합되어야 할 것이다. 이것이 고전 시가 연구의 방법론적 전제이며, 어떻게 하는가의 문제에 대한 지침으로서 작용해야 할 것이다. 연구의 이념과 방법은 우리가 서 있는 현재적 기반에 대한 반성적 거리를 갖는 행위, 그 자체에서 자득적으로 얻어지는 학문행위에 대한 정당성일 것이다.

언젠가 미국 치파와 인디언 족의 추장 아담 노드웰이 로마에서 흥미로운 연설을 한 바 있다. 부족의 왕을 상징하는 복장만을 하고 캘리포니아로부터 온 비행기에서 내리면서 노드웰은 크리스토퍼 콜롬버스가 미국 대륙에서 했던 것과 똑같이 '발견의 권리'에 의거하여 미국 인디언 족의 이름으로 이탈리아를 소유할 것이라고 선언하였다고 한다. "나는 오늘을 이탈리아를 발견한 날로 공포한다." 또 이어서 "미국 대륙에 이미 수천 년 동안 사람들이 살아오고 있었는데, 콜롬버스는 어떤 권리로 발견했다고 말하는가? 나도 이제 이탈리아에 왔으므로 그가 가졌던 것과 똑같은 권리로 이 나라의 발견을 공표 한다."라는 말을 했다고 한다. 이 일화는 우리가 서 있는 시점에서 여러 가지 의미로 다가온다.

먼저 앞서 제안한 연구의 이념인 문화적 민족주의에 대한 정견확립이 필요하다는 점을 이 일화를 통해 알게 된다. 여기서 유의해야 할 점은, 이제는 힘의 논리가 아닌 잠식적 문화 침탈이 파상적으로 시도되지만 그러한 일들이 역사적으로 되풀이된다는 사실을 꿰뚫어 보는 통찰력이 요구된다는 사실이다. 그러한 안목과 통찰력을 갖출 때, 문화적 민족주의의 실천 방안은 올바로 세워질 수 있을 것이다. 혹여 아담 노드웰의 '기백'이 허망한 외침으로 느껴진다면, 그것은 민족이라는 실체를 상실한 상태에서의 부르짖음이었던 까닭일 것이다. 그에게 더 이상의 실천력을 확보할 수 있는 민족의 실체가 없다.

'위기론'이 현실이 되지 않도록, 아니 위기를 기회로 만들 수 있도록, 자세를 가다듬고 연구의 이념과 방법을 수립해야하는 연구자의 몫이 남아있을 뿐이다.

Ⅱ. 한국시가 율격의 정체성
—백영의 율격론을 중심으로

1. 머리말

한 편의 잘 다듬어진 시를 구성하고 있는 물리적 요소를 문학적 장치라 한다면 그 장치로서 우리는 표지와 함축으로 이루어진 시의 언어와 이미지들의 집합체인 이미저리, 은유와 환유로 대표되는 수사적 언어, 과장이나 축소·애매성으로 나타나는 수사적 장치 등과 같은 시의 의미성과 긴밀히 관계하는 내적 요소들을 들 수 있고, 이와 아울러 리듬, 율격, 압운, 연(聯) 형식 등 시의 구조적 외형으로 나타나는 시의 음성적 측면을 들 수 있다. 그리고 이 구조적 외형과 내적 의미 사이의 긴장 관계에 의해 한 편의 잘 다듬어진 시가 마침내 살아 움직이는 하나의 유기적 생명체로 느껴지게 되는 것이다. 따라서 시의 연구에 있어서 율격에 관한 논의는 살아 움직이는 생명체로서의 실체를 구조적 외형의 측면에서 해명한다는 점에서 다른 어떤 분야에 못지 않게 중요시되는 분야로 인식되어 왔다. 즉, 율격은 일정한 전략이라 할 모형에 따라 율적 자질을 조직화하고 리듬을 형식화하는 까닭에 한 편의 시를 아름답게 조형화해 주고 시의 우아성과 권위를 조장해 주는 기능을 한다는 면에서 중요한 분야라는 것이다.

그러나 율격의 유형이나 구조 체계 혹은 그 양식을 해명하는 일이나 구체적 율동 현상이 보여주는 미학적 의미를 해명하는 일 등 율격에 관련한 논의들이 대체로 그 중요성에도 불구하고 난해한 영역에 속하기 때문에 우리 시가의 연구에 있어서 율격론은 그리 활발한 대상이 되지 못해 왔던 것이 사실이다. 그런데 백영(白影) 정병욱 선생은 국문학의 다양한 분야에 걸쳐 빛나는 업적을 많이 남겼지만 그 가운데서도 고전시가에 괄목할 성과를 거두었고, 시가 가운데서도 특히 난해한 영역이라 할 수 있는 율격론에 관한 주목할 만한 논의를 제출함으로써 우리 학문의 방법론적 지평을 새롭게 연, 그리하여 연구사에 길이 남을 기념비적 업적을 내었음은 우리 모두가 익히 알고 있는 바다. 이제 그 기념비적 성과에 빛나는 율격에 관한 논의를 여기서 새롭게 되돌아보고 그 연구사적 의의와 함께 선생께서 우리 후학들에게 남겨 놓으신 율격론의 과제가 무엇인지를 살펴보는 일은 그래서 더욱 의미있는 일이 아닐 수 없다.

백영 선생의 율격론은 주지하는 바와 같이 1954년도에 「고시가 운율론 서설」이란 제목으로 『최현배선생 환갑기념논문집』에 처음 선보인 후 그로부터 23년 뒤인 1977년에 당신의 저서인 『한국고전시가론』(신구문화사)을 내실 때 한 차례 보완을 거쳐 수록한 것이 유일한 것이다. 그러고 보면 선생께서 이 논문을 내신 지도 어언 43년이란 반세기 가까운 세월이 흘렀다. 국문학의 다른 분야도 그러하겠지만 그 사이 여러 후학들에 의해 한국시가의 율격에 관한 규명 작업도 괄목할 만한 진전을 보여 왔다. 그러나 그러한 율격론의 진전도 선생의 선구적 작업에 힘입은 바 크다고 할 수 있으므로 선생의 율격론이 이룩한 성과와 학문적 비중은 아무리 강조해도 지나치지 않을 것이다.

이 글에서는 먼저 선생께서 이룩하신 율격론적 성과가 무엇인지를 연구사적 측면에서 점검해 보고 이어서 선생의 율격론이 갖는 문제점과 한계에 대한 후학들의 비판을 검토해 봄으로써 그 정당성 여부를 살펴보고 이어서 이러한 두 가지 측면의 검토를 통하여 앞으로 율격론이 나아가야 할 바의 지향과 선생께서 남겨 놓으신 과제가 무엇인지를 성찰해 보는 것으로 마무리하고자 한다. 그러나 필자는 지금까지 율격론에 관한 연구를 본격적으로 해 본 경험이 없기 때문에 이러한 작업을 충분히 온당하게 감당해 낼 수 있을지 심히 저어되지만 여러 선학들의 연구에 전적으로 힘입어 공부를 한다는 자세로 임하기로 한다.

2. 백영 율격론의 성과와 연구사적 의의

백영 선생의 율격론이 갖는 성과나 연구사적 의의는 율격 문제를 다룬 여러 후학들에 의해 이미 지적된 바 있다. 그 가운데서도 율격론의 연구사와 방법론을 본격적으로 점검한 바 있는 성기옥 교수의 논의[1]를 참고하면 그 윤곽이 어느 정도 분명하고도 충분하게 잡히게 된다. 그런 까닭에 여기서 새로운 검토나 평가를 시도한다는 것은 기대하기 어려우며 다만 기존에 시도된 논의를 필자 나름대로 흡수하고 세분화하면서 부분적으로 보완을 시도해 보는 방향을 취해 보기로 한다.

백영 선생의 율격론이 갖는 연구사적 의의는 우선 첫째로 성기옥 교수가 이미 적절하게 지적한 바와 같이 확고한 이론적 기초 위에서 우리 시가의 율격 체계를 율격 유형론적 관점에서 검증함으로써 방법론적 전환을 꾀하고 객관적 이론을 구축했다는 사실에 있을 것이다.[2] 즉 백영 선생의 율격론이 나오기 이전에는 우리 국문학의 연구가 아직 학문적으로 성숙하지 못한 여명기에 해당했던 탓으로 우리 시가의 율격에 관한 논의도 충분한 실증적인 검증이나 이론적 통찰을 바탕으로 한 율격적 정체의 해명으로 나아가지 못하고 일종의 선험적 이해에 입각하여 우리 시가의 율격을 자수율로 파악하는 논의가 지배

1) 성기옥, 「시가율격론」, 『한국문학연구입문』, 지식산업사, 1982.

2) 위의 논문, 44면 참조.

하고 있었다.[3] 이병기, 이광수, 조윤제 선생 등이 그 대표적인 예에 해당하는데 이들의 주요 방법은 시가 자료에 가장 빈도수가 높은 음절수가 무엇인가를 통계적 수치로 따져 그에서 도출된 자수의 형태를 기준형 내지 정형으로 삼고 이렇게 파악된 자수율을 우리 시가의 율격이라 이해했던 것이다. 즉 이들은 우리 시가의 율격이 어떤 유형에 속하는 것인지에 대한 진지한 성찰로부터 문제를 출발하지 않고 무조건 자수율에 해당하는 것으로 간주하여 지배적 실현 빈도를 갖는 자수율을 통계적 방법으로 찾아냄으로써 우리 시가의 기본 율조를 3·4조 혹은 4·4조로 이해했던 것이다.

그런데 백영 선생은 이러한 자수율로 파악된 우리 시가의 기본 율조 곧 3·4조 혹은 4·4조라는 형태가 얼마나 허구적인 것에 기반을 두고 있는가를 그 근본적인 문제점에서부터 비판적으로 지적해 냄으로써 우리 시가의 자수율적 이해가 갖는 맹점을 비판하고 나아가 우리의 율격론을 처음으로 이론적 기초 위에서 실증적 검증의 대상으로 삼는 계기를 마련했던 것이다. 즉, 백영 선생은 율문 아닌 산문의 발화 자료에서도 음절수의 실현이 똑같이 3음절과 4음절이 압도적 경향성으로 나타남을 이무영의 소설 「제일과 제일장」의 첫머리 부분을 예증으로 들어 비판하고, 이는 우리 국어의 어휘 특성이 대부분 2음절어, 혹은 3음절어가 중심이 되어 있어 여기에 체언에는 조사가, 용언에는 활용어미가 각각 1음절 혹은 2음절씩 붙어 통사적으로 운용되므로 산문이 아닌 율문의 변별적 자질이 될 수 없음을 국어의 통사 구조상의 특징을 통해 지적해 내었다. 이는 뒤에 김흥규 교수가 적절하게 지적한 바 우리 시가를 자수율론으로 파악하여 기준형이라고 제시된 음절수의 체계가 율격적인 문장만을 포용하고 비율격적인 문장은 배제할 수 있는 판단 능력을 갖지 못한다는 비판에 그대로 수용되

3) 앞의 논문, 43면 참조.

어 있다.[4] 즉, 백영 선생은 3음절이나 4음절이라는 시가의 기본 형태 설정은 그것이 산문이나 운문 어느 쪽을 막론하고 지배적으로 나타나기 때문에 율격을 형성함에 있어서는 별다른 의의를 갖지 못한다고 이미 지적했던 것이다.

백영 선생은 이처럼 자수율적 파악이 갖는 근본적인 문제점을 비판함으로써 우리 시가의 율격 유형이 자수율에 속할 수 없음을 학계에서 처음으로 인식하고, 그러한 선험적 이해에서 벗어나 우리 시가의 율격이 과연 어떠한 유형에 속할 것인가를 최초로 학문적으로 진지하게 검토함으로써 이 방면에 선편을 잡아 우리 시가의 율격 유형에 대한 모색을 본격적으로 탐색하는 계기를 마련했던 것이다. 물론 이러한 작업에서 백영 선생은 우리 시가의 율격 유형이 강약률에 속한다는 결론을 끌어 내어 뒷날 후학들에게 그 문제점이 비판된 바 있지만, 자수율의 미망에서 벗어나게 한 계기를 마련했다는 연구사적 의의 이외에도 우리 시가의 율격 파악에 있어서 율격적 규칙성의 기준을 음절이 아닌 음보에 두어야 한다는 점을 실천해 보임으로써 선행연구의 자수율론이 갖는 한계를 극복하고 조동일 교수가 지적한 대로 음보율로의 전환을 학계에서 처음으로 시도하여 이 방면의 선구적 업적을 내게 된 것이다.[5] 즉, 백영 선생의 이 연구로 우리 시가의 율격

---

4) 김홍규, 「한국시가 율격의 이론 Ⅰ」, 『민족문화연구』 13호, 고려대 민족문화연구소, 1978, 102면.

5) 조동일, 「시조의 율격과 변형규칙」, 『국어국문학연구』 18집, 영남대 국어국문학과, 1978 참조. 그러나 여기 음보율이라는 용어는 백영 선생의 율격론에 비추어 볼 때 적절한 것 같지 않다. 왜냐하면 백영 선생의 경우 음보는 강음절과 약음절이라는 율격적 자질이 실릴 수 있는 율격의 기층 단위로 기능할 뿐 그 자체가 율격적 규칙성을 이룩하는 자질이 될 수 있는 것으로 보는 것은 아니기 때문이다. 아니, 음보 그 자체가 율격을 형성하는 자질이 될 수는 없으므로 음보율이란 용어는 율격론에서 성립될 수 없는 것이다. 그러나 백영 선생 자신도 음보율이란 용어를 사용한 바 있기는 하다.

을 형성하는 기층 단위는 음절이 아니라 음보라는 점을 확고히 할 수 있게 되었던 것이다.

또한 백영 선생은 당시 거의 유사한 개념으로 받아들여졌던 율격과 율동의 개념 구분을 명확히 규정하는 과정에서 몇 가지 소중한 성과를 거둔다. 즉, 백영 선생은 율격이 연속하는 순간의 시간적 등장성(等長性)을 뜻함에 반하여 율동은 그 등장성을 역학적으로 부동(不同)하게 하는 조작이라고 규명함으로써 율격이 어떤 자질의 등질적인 규칙적 반복에 의해 형성됨에 반해 율동은 그러한 등질적 규칙성을 부동하게 함으로써 변화를 꾀하는 것이라고 간명하게 양자의 개념을 구분했던 것이다. 이러한 개념 구분은 다소 관념적이고 단순하며 난해한 면을 띠고 있긴 하나 율격과 율동의 명확한 구분의 시도야말로 그 자체로서 율격론이 탄탄하게 나아갈 수 있는 방향타가 될 수 있을 뿐아니라 이 둘의 상호 관련과 차이를 명확히 함으로써 비슷한 개념이 야기하는 혼란에서부터 벗어날 수 있게 되는 디딤돌이 됨은 말할 필요도 없을 것이다. 그보다 백영 선생은 율격의 개념 규정을 통해 우리 시가에 있어서 율격의 구성이 시간적 등장성 곧 등시성(等時性)의 원리에 의한다는 귀중한 명제를 처음으로 확고히 하는 성과를 거둔 점에 주목할 필요가 있을 것이다. 이는 성기옥 교수가 지적한 바대로 율격 연구에 새로운 전망을 제시한 획기적인 사실이라 해야 할 것이며, 규칙성의 기준을 음절이 아닌 음보에 둠으로써 음절수로써는 해명이 불가능했던 우리 시가의 율격적 정형성을 구명하는 길을 터놓게 되었던 것이다.6)

나아가 백영 선생은 우리 시가의 전통적 율격 양식의 해명을 통해 민족문학의 형식적 정체성이 무엇인지를 규명코자 시도한 바 있는데 이 또한 주목해 볼 필요가 있다. 즉, 백영 선생은 우리 시가의 대표

---

6) 성기옥, 앞의 논문, 44면.

적 율격 양식을 크게 나누어 3보격과 4보격의 두 가지 계통이 있다고 하면서, 이 가운데 3보격 같은 기수계(奇數系) 음보율이 우리 민족의 전통적 미의식에 호응하는 율격 양식이라 하고 4보격 같은 우수계(偶數系) 음보율은 시조 장르의 발생 이후 중국으로부터 들어 온 외래 문화적인 율격 양식이라는 주장을 폈던 것이다. 물론 4보격 같은 짝수계 율격 양식이 한문화(漢文化)의 영향에 의한 외래적 율격 양식이라는 주장 그 자체는 정당한 것으로 받아들이기 어려울 것이다. 왜냐하면 시조의 형성 훨씬 이전에 우리 민족의 자생적 양식으로 등장한 향가 장르도 민요격 향가이든 사뇌가 양식이든 4보격 양식으로 보이기 때문이다.[7] 뿐 아니라 우리 시가의 모태가 되는 기층 장르라고 할 민요의 기본 율격 양식이 2보격과 3보격이어서 홀수계이든 짝수계이든 모두 우리의 전통적 율격 양식이라 할 수 있기 때문이다. 그러나 이러한 문제점에도 불구하고 백영 선생의 전통적 율격 양식에 대한 고구는 우리 시가의 율격론이 율격 유형의 문제에 머물러서는 안 되며 민족문학의 형식적 정체성의 탐구를 비롯한 율격 양식의 규명 문제가 또한 율격론에서 중요한 과제의 한 분야임을 시범적으로 보인 것이라 하겠다.

---

7) 향가의 율격 양식이 4보격일지는 확정하기 어려운 것이 사실이다. 왜냐하면 천 수백 년 전의 신라의 언어 체계나 음운 자질의 특성이 중세 국어나 17, 18세기 이후 근대 국어의 그것과 동일할지도 우선 의문이지만 설령 동일하다고 가정하더라도 현재 이루어진 향가 해독이 신라 시대의 언어 체계에 의한 그것과는 상당한 거리를 가지기 때문이다. 그러나 이러한 문제를 유보하고 현재의 여건에서 향가의 율격 양식을 추정한다면 4보격으로 보는 것이 타당할 것이다. 향가의 율격 문제에 대하여는 이미 성호경, 「향가 분절의 성격과 시행구분 및 율격에 대한 시론」, 『백영정병욱선생 환갑기념논총』, 신구문화사, 1980에서 자세히 검토한 바 있는데 여기서 그는 향가의 율격이 2음보가 우세하고 3음보도 가끔 나타나는 것으로 파악하여 2보격이 중심이 되는 듯이 파악하고 있으나 이는 향가의 율격의 단위를 추정하는 기준인 행 구분에 있어서 타당성 있는 설정을 하지 못한 데 기인한 문제점으로 보인다.

그러나 백영 선생의 율격론의 핵심은 무엇보다 우리 시가의 율격 유형을 강약률로 파악한 사실에 있을 것이다. 율격과 율동의 개념 구분에 관한 논의도, 우리의 자생적 전통 율격 양식에 관한 논의와 마찬가지로 그것이 율동론으로 나아가거나 율격 양식론의 본격적 탐구를 지향하기보다는 우리 시가의 율격 유형을 해명하기 위한 과정에서 이론적 뒷받침을 하기 위한 부수적 산물로 나타난 것이기 때문이다. 따라서 백영 선생의 율격론이 갖는 연구사적 의의나 성과에 대한 평가의 핵심도 그가 제기한 강약률의 문제에 집중된다 할 수 있으니 이에 대하여는 많은 비판이 후학들에 의해 제기되었으므로 다음 장에서 살펴보기로 한다.

3. 백영 율격론에 대한 비판의 검토

주지하는 바와 같이 백영 선생은 우리 시가의 율격 유형이 어떤 것인가를 파악하기 위해 각 언어의 특질에 따라 다르게 형성된 네 가지 유형, 곧 강약률, 장단율, 고저율, 음수율이 있음을 말하고 그 가운데 강약률이 우리 시가의 율격을 형성하는 원리로 작용한다는 결론을 내렸다. 이를 입증하는 논거로 음악과 시가 운율과의 상관 관계에 주목하여 우리 음악이 대부분 3박자 계통의 리듬형(강약약)으로 되어 있다는 사실과 국어 자체의 성격이 제1음절에 강세(stress accent)를 부여한다는 두 가지 사실을 들고 따라서 한국시가의 율격 원리는 음악과의 관련에서 형성되고 국어의 강세 현상과 결부되어 나타나는 '강약률'이라고 보았다.

이러한 백영 선생의 견해에 대해 한국 시가의 율격 유형의 규명을 모색하는 후학들에 의해 여러 가지 비판이 제기되었다. 이를테면 예창해 교수는 '강약약'의 3박자 리듬을 가진 음악은 한국에만 있는 것이 아니고 전세계에 두루 분포되어 있는 것인데, 음악과 시가 운율과의 관련이 유독 우리 시가에만 적용되는 것이 아니라면, 다른 나라의 시에서 볼 수 있는 약강격(iamb)이나 약약강격(anapest)의 율격은 어떻게 설명될 수 있는지에 대한 의문에 백영 선생의 입론으로서는 해답을 구하기 어렵다고 비판한다.[8] 그리고 조동일 교수는 우리 시가의 율격이 강약률일 수 있기 위해서는 강약격이 약강격과 함께 대립적으로 존재해야 하는데 강약만 보이고 약강은 보이지 않으므로 이러한 율격에서의 강음은 율격적 토막의 시작을 나타내는 데 지나지 않으므로 율격적 의의를 가질 수 없다고 비판한다.[9]

또한 김흥규 교수는 보다 자세히 문제점을 제시한 바 첫째, 시의 율격이란 낭독을 전제로 한 것이므로 음악과의 대응 관계를 따져서 해결될 수 있는 문제는 아니다. 둘째, 우리 고유음악이 대부분 3박자 계통의 리듬으로 이루어져 있다는 점이 사실이라 해도, 이것이 곧 시가 율격에 강약률이 나타나도록 규정하는 요인이 될 수는 없다. 셋째, 율격 원리의 핵심으로 보는 강약이라는 것이 국어에 있어서 음운론이 말하는 변별적 자질이 아니고 잉여 자질(비변별적 자질)이라는 점, 즉 국어에서 어두의 제1음절이 대개 강하게 발음된다는 것은 하나의 음성적 경향일 뿐, 국어를 사용하는 언중들의 언어 행위를 지배하는 원칙으로서의 자격을 갖지 못한다. 또 설령 국어에 있어서 강세를 잠정적으로 인정한다 하더라도 그것은 산문과 운문 어느 쪽을 막론하고 지배적으로 나타날 수 있다는 이유에서 설정된 것이기에 율격론적 의의를 갖지 못한다는 것 등을 들고 있다.[10]

그리고 성기옥 교수는 율격 형성의 기저 자질은 그 나라 국어에서

8) 예창해, 「한국시가운율의 구조연구」, 『성대문학』 19집, 성균관대 국어국문학회, 1976, 88면.

9) 조동일, 앞의 논문, 11면.

10) 김흥규, 앞의 논문, 104~105면.

음운론적 기능을 가진 자질로부터 찾아야 함이 요건이라는 명제에서 강약률의 강세나 고저율의 성조(tone)는 통상 현대국어에서 음운론적 기능을 가지지 못한 음성적 현상으로 알려져 있으므로 강약률 같은 복합 율격론적 파악은 타당하다고 보기 어려운 문제점을 갖고 있다고 보았다.[11] 그러면서도 한편으로는 시에서의 강세 현상을 백영 선생처럼 율격을 형성하는 기저 자질로는 인정하지 않더라도, 일종의 어군(語群)강세로서 율격 휴지와 같은 경계 표지의 기능을 하는 것은 인정하면서 잠정적 결론으로 우리 시가에 있어서 강세가 율격 자질로 설정될 만큼 고정적 현상이 아닌 만큼 일단 율동적 자질로 파악해 둔다고 했다.[12]

이상에서 살펴 본 백영 선생의 강약률에 대한 후학들의 비판은 대체로 정당한 것이었다 해야 할 것이다. 시가 아무리 음악과 발생학적으로 공존 관계에 있다 할지라도 음악의 악곡 구조와 시의 율격 구조는 그 규칙적인 율동 형성의 기반이나 조직 원리가 서로 다른 차원에 놓여 있어서 노래의 악곡 구조와 노랫말의 율격 구조는 반드시 일치하는 관계가 아니기 때문에 율격 형성의 근본 원리를 음악적 구조에서 구해올 수는 없기 때문이다. 그렇긴 하나 백영 선생이 율격 연구에서 처음으로 주목한 우리 시가에 있어서의 강세 현상은 성기옥 교수가 이미 고민한 바 있듯이 그것이 비록 율격 형성의 구성 자질로서의 강약이 주는 역학적 대립으로 관여하는 것은 아니라 하더라도 시에서 행이나 반행의 첫 음절에 강세로 기저하면서 그 경계 표지의 기능을 분명히 수행한다면[13] 율격론에서 보다 적극적인 의미 부여가 필요하리라고 본다. 즉, 그것을 단순히 운문이나 산문에 다같이 지배적으로 나타나는 음성적 현상으로서의 잉여 자질로 보아 아무런 율격

11) 성기옥, 앞의 논문, 45면.

12) 성기옥, 「한국시가의 율격체계 연구」, 서울대 석사학위논문, 1980, 58~59면.

13) 위의 논문, 같은 곳.

적 의의를 갖지 못한다고 그냥 넘어가기에는 문제가 있다는 것이다.

우리 시가에 있어서 어두에 나타나는 고정적인 강세 현상은 율격의 단위와 단위 사이의 경계를 표지화해내는, 그리하여 율격적 규칙성을 이루어내는 분할의 자질로 기능함으로써 음절율적 경향을 보이는 시가에 일반적으로 나타나는 율격적 의의를 분명히 갖고 있기 때문에 그것에 율격적 의미를 보다 적극적으로 부여할 필요가 있다는 것이다. 그리고 시가의 율격을 형성하는 기저 자질은 해당 언어에 관여적인 언어학적 자질내에 있어야 한다는 명제에 지나치게 얽매여 어두 강세 현상이 우리 국어에 관여하는 음운론적 자질이 아니라 해서 그것을 단순히 율동적 자질로만 파악하려 하는 태도도 바람직한 것이라 하기는 어려운 것으로 보인다. 우리 시가에서 강세 현상이 율격을 형성하는 분할의 자질로 분명히 기능하고 또한 그 때문에 율격적 등시성을 이루는 한 중요한 요인이 된다면 그것은 율동적 자질을 넘어서는 율격적 자질로 보아야 할 것이기 때문이다. 단, 그것이 우리 시가의 율격을 구성하는 중심 자질로 기능하는 것은 아니므로 보조적 자질로 인정해야 할 것으로 보인다.

백영 선생의 율격론이 이룩한 가장 큰 공적은 우리 시가의 율격을 형성하는 기층 단위가 음절이 아니라 음보이며, 그 등가성은 시간적 등장성 곧 음보의 등시성에 의한다는 명제의 발견에 있음은 누구나 인정해 온 바였고 그러한 명제가 후학들(조동일, 예창해, 김대행, 성기옥 등)의 율격 연구에 발전적으로 계승되었음은 주지하는 바와 같다. 그런데 최근에 오세영 교수가 우리 시가의 율격을 재론하면서 백영 선생의 그러한 명제를 포함하여 그것을 계승한 후학들을 싸잡아 비판하고 새로운 대안을 제시한 바 있어 주목된다.[14] 그의 새로운 대안이란 한마디로 우리 시가의 율격을 헤아림에 있어서 음보란 개념은

14) 오세영, 「한국시가 율격 재론」, 『관악어문연구』 18집, 서울대 국어국문학과, 1993. 이하 오세영 교수의 견해는 모두 이 논문을 참조함.

적절하지 않기 때문에 음수율로 되돌아가야 마땅하다는 것이다. 오세영 교수의 그러한 대안이 타당한 입론에 바탕을 두고 있는 것이라면 백영 선생 이후 상당한 정도로 성취를 이루었다고 생각되어 왔던 우리 시가의 율격론은 다시 원점으로 되돌아가야 할 지점에 처한 것이 되는 까닭에 이와 같은 문제의 심각성에 비추어 그의 입론은 여기서 보다 세밀하게 따져 보아야 할 필요성을 느낀다.

오세영 교수가 우리 시가의 율격을 다시 음수율로 규정하는 입론의 근거는 지극히 단순한 데 두고 있다. 즉, 그에 의하면 음보란 원래 강약률과 같은 복합 운율 체계에서 만들어진 개념으로 하나의 시행을 구성하는 각 음보들은 그 음절수와 발음되는 시간의 길이 역시 동일하기 때문에 율격을 헤아림에 있어서 음보라는 개념을 적용하기 위해서는 다음의 두 가지 조건을 충족해야 한다는 것이다. 하나는 각 음보의 음절수가 같아야 된다는 것이고, 다른 하나는 그 결과로 자연히 각 음보의 시간적 등장성이 같게 된다는 것이다. 그런데 우리 시가의 경우 소위 3음보격에서는 각 음보의 음절수가 동일하지 않으므로 음보라는 개념을 우리 시가의 율격에 적용할 수 없음은 자명하다는 것이고, 음보라는 것은 음절군을 구분하는 기준으로서 음운의 이차적 특징인 강약, 고저 같은 자극이 있어야 그 음절군을 동일한 단위로 분절할 수 있는 것인데, 우리 시가는 그러한 자극을 갖지 않으므로 그러한 자극을 갖는 복합음절 율격과는 구분되어야 한다는 것이다. 또 설령 우리 시가에서 음절수의 반복이 휴지나 기타에 의해서 호흡 단위(breath group)로 분절된다 하더라도 엄밀한 객관성을 갖기가 힘들기 때문에 그것을 근거로 음보라는 단위를 설정할 수는 없으므로 음보라는 개념을 추방해야 하며, 음수율의 율격 체계에서는 음보 그 자체가 없으므로 우리 시가는 순수 음수율의 율격 체계에 해당한다는 것이다. 그리하여 우리 시가는 오로지 음절수의 규칙에 의해서 만들어지는 순수 음절율격, 즉 음수율에 해당하는 것으로 보았다.

그러나 오세영 교수의 입론 또한 상당한 문제점을 갖는 것으로 보인다. 우선 그가 생각하는 율격 유형의 범주나 체계가 지나치게 폭이 좁다는 문제점과 함께 음보의 개념 설정도 너무 융통성이 없다는 것을 지적할 수 있다. 즉, 그는 시가율격을 롯츠(Lots)의 유형분류 기준에 따라 순수 음절 율격과 복합 음절 율격으로 나누고, 전자는 다만 음절수의 규칙에 의해서 만들어지는 율격으로서 한국 및 이태리, 프랑스 등의 운문이 그에 속하며, 후자는 음절수의 규칙에 음운의 제2차적 특징인 소리의 고저나 강약, 장단 따위에 의해 만들어진 율격으로서 고대 그리스, 라틴의 운문 같은 장단율과 독일어, 영어의 운문 같은 강약률, 고대 중국어의 운문 같은 고저율이 그에 속하는 것으로 보았다. 그러나 롯츠의 이러한 유형 분류는 이미 성기옥 교수가 적절하게 비판한 바와 같이 분류 체계가 지나치게 순수한 원형에 집착한 나머지 모든 자료적 현상을 포괄하지 못하는 문제점을 안고 있다.[15]

또 여기에다 설령 롯츠가 추가한 바 있는 혼성 율격 유형을 상정한다 하더라도 순수 음절 율격과 복합 음절 율격으로 분류될 수 있는 유형은 극소수에 불과하고 거의 모든 율격 체계들이 혼성 율격으로 분류되고 말 것이라는 문제점을 갖고 있기 때문에 롯츠의 유형 분류 체계에 지나치게 의존할 필요성은 없다고 본다. 이를테면 강약률의 경우도 강세만 규칙적인 순수 강세율(독일·러시아 민요가 이에 속함)과 여기에다 음절수까지 규칙적인 음절 강세율(현대 영시가 이에 속함) 등으로 다시 나눠 볼 수 있음에도 불구하고 후자의 유형만 상정하고 있고, 음절율의 경우도 오로지 음절수의 규칙만으로 이루어지는 순수 음절율(헝가리 민요시가 이에 속함)과 여기에다 강세가 보조적으로 관여하여 이루어지는 복합 음절율(프랑스 시) 등으로 다시 나

15) 성기옥, 앞의 논문, 72~73면.

눠 볼 수 있음에도 불구하고 전자만을 상정하여 프랑스 시도 전자에 속하는 것으로 이해하고 있어 온당한 분류 체계 설정을 기했다 하기 어려운 면을 보이고 있기 때문이다.

또한 율격을 헤아림에 있어서 음보의 개념도 백영 선생을 비롯한 후학들의 경우 시가의 율격을 형성하는 기층단위 곧 최소단위라는 개념으로 융통성 있게 사용하고 있음에 반해 오세영 교수는 영시에서의 foot 개념으로만 한정하여 이해함으로써 다소 경직성을 드러낸 것이라 할 수 있다. 물론 율격을 형성하는 기본 조건은 율적 자질의 규칙적인 반복성이 전제가 되어야 한다. 그러나 그 반복 형태에는 영시 음보에 있어서의 반복처럼 질적으로 동일한 단위가 반복되어 시행을 이루는 동질적 반복 구조의 형태만 있는 것이 아니라, 질적으로 다른 단위들의 규칙적인 반복에 의해 시행을 이루는 이질적 반복 구조의 형태도 있음을 염두에 두어야 할 것이다.[16] 이를테면 프랑스 시의 경우 율적 단위의 반복은 동질적인 것과 이질적인 것 모두를 지닐 수 있는 예에 해당하고, 일본 시가의 경우도 단가나 신체시에서 볼 수 있는 5・7조 또는 7・5조식 율격은 이질적 반복 구조의 형태에 해당하는 것이라 할 수 있다. 이런 면에서 볼 때 우리 시가의 경우는 동질적인 음보의 반복만이 아니라 3음보격 시가 형태에서 흔히 볼 수 있는 것처럼 이질적인 음보의 반복도 지닐 수 있는 예에 해당한다 할 것이다.

물론 오세영 교수의 견해처럼 음보의 개념을 영미시의 foot 개념으로 한정한다면 이러한 이질적인 반복 구조는 용인될 수 없다. 나아가 프랑스 시나 일본 시가 및 우리 시가의 경우처럼 음절율과 상관 있는 율격 유형에서 음보란 있을 수 없다는 그의 주장은 그런 개념에서 볼 때는 타당성이 있다고 할 수 있다. 그러나 음보의 개념을 영미시에서

---

16) 앞의 논문, 21면 참조.

의 한정된 foot 개념에서 벗어나 율격을 형성하는 최소 단위라는 율격 일반에 적용될 수 있는 보편적 개념으로 확장하여 사용한다면 아무런 문제가 없다고 본다. 단, 음보라는 개념이 foot의 직접적인 번역어로서의 인상을 준다면, '토막'이나 '마디'라는 용어로 대체하면 그뿐 다른 문제점은 발견되지 않기 때문이다.[17] 즉, 음보가 foot라는 개념과 맞지 않다 하여 그것이 율적 자질을 형성하는 기층 단위로서의 기능을 한다는 사실까지 부정해서는 안 되며 더욱이 그것 때문에 우리 시가의 율격을 헤아림에 있어서 근본적인 영향을 미쳐서는 안 된다는 것이다.

실제로 오세영 교수 자신도 음보 개념이 없는 음수율의 율격 체계라 하더라도 거기에는 분명 낭독의 어떤 단위 혹은 매듭은 분명히 있을 것이라 인정하면서 그것을 '마디'라 규정하고, 한 시행을 구성하는 마디들의 수나 마디를 구성하는 음절수에 규칙이 있음을 말하고 있다. 그리하여 우리 시가의 율격을 형성하는 큰 단위를 시행이라 하고 작은 단위를 마디라 규정하고 있기 때문에 그가 새롭게 사용한 마디라는 용어가 종래에 관용적으로 사용해 온 음보라는 용어와 실질적으로 차이가 나는 것은 아니다. 그럼에도 불구하고 그는 음보의 개념을 foot라는 개념으로 굳이 한정하면서 이 두 용어의 차이를 바탕으로 하여 우리 시가의 율격 체계의 유형을 순수 음절 율격에 해당하는 음수율로 규정하면서 그러한 관점에서 새로운 대안을 제시하고 있는 것이다. 따라서 그가 음보라는 용어 대신에 마디라는 용어를 제안한 것은 종래의 확장된 음보 개념과 차이를 보이지 않으므로 문제될 것이 없지만 음수율의 관점에서 새로이 제안한 우리 시가의 율격 규정에 관한 입론은 그 타당성 여부를 검토하지 않을 수 없게 되어 있다. 즉,

17) 조동일 교수도 일찍이 율격적 규칙성을 보이는 이러한 단위를 '토막'이라 하는 것이 바람직한 용어일 것이지만 음보라는 용어가 널리 사용되고 있어 당분간 이러한 관계를 따른다고 한 바 있다. 조동일, 앞의 논문, 12면 참조.

그가 제기한 새로운 대안이 우리 시가의 율격적 자료들을 보다 온당하게 규명하는 설명력을 갖고 있느냐가 문제라는 것이다.

이제 그의 대안을 간추리면 우리 시가의 율격은 음수율이고, 음수율을 이루는 큰 단위는 시행으로서 동일 음절 시행이 시의 전편에 반복되는 것을 말하고, 각 시행들은 마디에 의해 구성되고 우리 전통 운문의 마디들은 3음절 마디(짧은 마디), 4음절 마디(맞은 마디), 5음절 마디(긴 마디)의 세 개가 있다. 마디를 구성하는 음절수는 3음절에서 5음절까지 분포되어 있으며, 이 음절수는 상수를 의미하고 변이에 있어서는 1음절 정도의 가감이 가능하다. 우리 시의 율격에는 한 마디 율격, 두 마디 율격, 세 마디 율격, 네 마디 율격이 있고, 하나의 마디를 구성하는 최소의 음절수는 3음절 이상이다. 이러한 규준에 따라 그가 예시한 실제 자료들을 통해 그 타당성 여부를 검증해 보자.

그의 규준에 의하면 평시조는 네 마디의 14음절 시행 둘과 독특한 네 마디의 15음절 시행 하나로 구성된 형식이고, 가사는 두 마디의 8음절 시행으로 작시되고, 고려가요에서 「쌍화점」은 같은 맞은 세 마디 율격(12음절)의 시행이며 「가시리」와 「청산별곡」은 다른 짧고 긴 두 마디 율격(8음절)에 해당한다고 한다.[18] 그리고 각 마디들은 평시조의 경우 3/4/3/4/라는 다른 짧고 맞은 마디의 중첩인 시행 둘과, 3/5/4/3/이라는 모든 마디의 배열로 된 하나의 시행으로 규칙화된다는 설명이다. 그리고 이러한 각 마디의 음절수는 1음절 정도의 가감이 가능한 변이형을 인정하고 있다. 그렇다면 이미 우리 시가의 율격을 자수율로 파악하던 초창기의 율격론으로 완전히 되돌아가는 것이

---

18) 오세영 교수는 고려가요 가운데 「청산별곡」에 대해서는 첫 두 행에 대해서 8음절 두 마디 시행이라 언급하고 있는데(12~13면 참조), 이로써 볼 때 「청산별곡」의 율격도 「가시리」와 동일한, 다른 짧고 긴 두 마디 율격(8음절)에 해당하는 것으로 간주하고 있는 것으로 보인다.

고, 그러한 자수율적 규칙은 기준형보다 오히려 그것을 벗어난 변이형이 더 많아 규준 모형으로서의 의의를 갖지 못한다는 이전의 비판이 그대로 적용되고,[19] 또 각 마디의 음절수의 가감을 인정함으로써 음절수의 일정한 규칙성이 율격 형성의 기초가 된다는 자수율론의 기본 전제를 스스로 부정하는 문제점을 그대로 갖고 있다는 것이다.[20]

또한 고려 속요의 경우 「가시리」나 「청산별곡」의 율격을 3/5라는 다른 짧고 긴 두 마디 율격으로 파악하는 것도 쉽게 납득하기 어려운 면이 있다. 실제 자료를 보면 「청산별곡」의 경우,

①	②
살어리 살어리랏다	살어리 살어리 랏다
청산에 살어리랏다	청산에 살어리 랏다
멀위랑 ᄃᆞ래랑먹고	멀위랑 ᄃᆞ래랑 먹고
청산에 살어리랏다	청산에 살어리 랏다
우러라 우러라새여	우러라 우러라 새여
자고니러 우러라새여	자고니러 우러라 새여
널라와 시름한나도	널라와 시름한 나도
자고니러 우니노라	자고니러 우니 노라

19) 이를테면 시조 종장의 경우 오세영 교수는 3/5/4/3/이라는 음수율을 내세우지만, 이 가운데 제2구(둘째 마디)의 음절수를 조사한 어떤 보고에 의하면 5음절을 초과한 마디가 무려 56%를 차지한다고 한다. 그리고 1음절만 초과하는 것이 아니라 3음절, 4음절까지 초과하는 경우도 드물지 않음은 주지하는 바와 같다. 시조 종장의 음절수 조사는 김흥규, 「평시조 종장의 율격·통사적 정형과 그 기능」, 『월암박성의박사 환력기념논총』, 1977, 361면 참조.

20) 우리 시가 율격에서 자수율(음수율)이 갖는 이러한 문제점에 대한 지적이나 비판은 조동일, 김흥규 교수 등의 앞의 논문을 참조할 것.

가던새 가던새본다
믈아래 가던새본다
잉무든 장글란가지로
믈아래 가던새본다

가던새 가던새 본다
믈아래 가던새 본다
잉무든 장글란 가지로
믈아래 가던새 본다

위에서 ①은 오세영 교수가 제안한 바를 따라 필자가 3연까지 마디 구분한 것이고, ②는 백영 선생 등이 제안한 음보 구분에 따라 같은 자료를 필자가 음보격으로 재편한 것이다. 이 둘을 놓고 볼 때 어느 쪽이 더 율격적 자질의 배분에 의한 규칙적 반복의 리듬감을 잘 살린 율독이 이루어지고 있는가는 자명하게 드러나는 것으로 보인다. 즉, ①은 3/5라는 음절수로 구성되는 다른 짧고 긴 두 마디 율격이라는 오세영 교수의 음수율로 파악한 것으로 이러한 율적 파악에 따르면 1연의 제3행과 2연의 제2행과 제3행 및 3연의 제1행에서 제4행까지의 모든 행의 마디가 그가 제안한 마디 구분의 기준을 벗어나고 있고(즉 통사적 긴밀성에 따른 마디 구분이 되지 않고 있어 대단히 어색함),[21] 또 2연의 제2행과 제4행 및 3연의 제3행이 3/5라는 음절수의 기준을 벗어난 변이를 보이고 있어 기준 음수율을 자연스럽게 따르고 있는 행보다는 그것을 벗어나거나 어색하게 된 행이 오히려 더 많다. 이에 비하여 ②는 2연의 제4행에서만 다소 어색할 뿐 나머지 모든 행이 3보격의 규칙적인 리듬으로 자연스럽게 율독된다는 면에서 ①보다는 ②가 우리 시가의 율격 현상에 맞는 규정임을 쉽게 판단할 수 있다. 그런 면에서 오세영 교수가 새로운 대안으로 제시한 음수율보다는 백영 선생이래 발전적으로 계승되어 온 바 있는 음보격으로 파악하는 방법이 우리 시가의 율격 체계의 실상에 맞는 이해라 할

21) 그는 마디란 응집력이 있는 단어군이라 정의하고 그 응집력은 기본적으로 통사론적 관계에서 오는 것이라 했다(오세영, 앞의 논문, 7면). 이는 적절한 제안으로 종래의 음보 구분 방법과 다르지 않다.

것이다.

「가시리」의 경우도 「청산별곡」과 마찬가지로 다른 짧고 긴 두 마디의 음수율로 파악하기보다 3보격의 정형시로 보는 것이 더 실상에 맞으며, 「쌍화점」의 경우도 같은 맞은 세 마디(4/4/4/) 율격이라는 음수율로 보기보다 3보격으로 파악하는 것이 더 적절하다고 본다. 더구나 옛시가의 장르 양식은 동일한 형식으로 특성화되는 경향이 있음을 고려할 때 같은 고려속요 장르인 위의 세 작품이 서로 다른 율격으로 파악되기보다는 동일한 율격 양식을 갖는 것으로 파악되는 것이 옛시가 장르의 속성상 옳다고 본다.[22] 또한 가사의 율격도 8음절의 두 마디(4/4/라는 같은 맞은 두 마디) 율격으로 보기보다는 종래처럼 4보격(더 엄밀히는 4음 4보격)으로 파악하는 것이 실상에 보다 부합함은 물론이다.[23] 그런 면에서 우리 시가의 율격은 오로지 음절수의 규칙에 의해서 만들어지는 음수율에 속한다는 오세영 교수의 견해는 설득력을 갖기 어려우며, 백영 선생이 제안한 바대로 우리 시가 율격의 기층 단위는 음보이고, 그것을 구성하는 원리는 음보의 등장성에 의한다는 명제는 여전히 유효한 것이라 판단된다.

4. 남겨진 과제들—결론을 대신하여

이상의 검토를 통하여 우리는 백영 선생의 율격론이 갖는 연구사적

22) 물론 고려속요라 하여 모든 작품이 다 3보격이라는 동일한 율격 양식을 준수하고 있다는 뜻은 아니다. 모든 장르 현상이 그러하겠지만 속요의 경우도 쇠퇴기에 접어들면 「만전춘별사」의 경우처럼 3보격을 벗어나 4보격이라는 새로운 형식을 모색하게 됨도 유의해야 할 것이다.

23) 가사의 율격을 두 마디 곧 2보격으로 볼 것인가 4보격으로 볼 것인가는 시행을 이루는 단위를 어떻게 보는 것이 더 타당한가의 차이인데, 통사적 긴밀도에서 볼 때 가사의 시행을 이루는 단위는 두 마디로 보기보다는 종래처럼 4음보(마디)로 보는 것이 더 적절하다고 본다.

의의와 함께 그 문제점에 대한 후학들의 비판에 대해 타당성 여부를 개략적이나마 살펴본 셈이다. 이제 여기서는 그러한 검토를 하는 과정에서 제기되는 남은 문제들, 곧 백영 선생의 율격론이 우리에게 남겨 놓은 과제가 무엇인지를 점검해 보고 그와 관련하여 앞으로 지향해야 할 우리 시가 율격론의 방향에 대해 성찰해 보는 것으로 결론을 대신하고자 한다.

백영 선생의 율격론이 제기한 과제 가운데 가장 큰 난제는 우리 시가에 있어서 율격의 구성은 음보의 시간적 등장성, 곧 등시성의 원리에 의한다는 명제를 어떻게 객관적으로 풀어나갈 수 있느냐 하는 것일 터이다. 이 과제에 대하여는 조동일 · 예창해 · 김대행 · 성기옥 교수 등의 후학들에 의해 그 해결이 시도된 바 있으나 아직 만족스런 단계에 이르지 못하고 있는 것이 현재의 실정이다. 즉, 이미 성기옥 교수가 지적한 대로 음보의 등시성을 호흡의 균형 내지 심리적 현상으로 규정하고 있는 조동일 · 예창해 교수의 견해나, 음절을 음 지속량으로 환원하여 그 객관적 측정의 가능성을 검토하면서도 결국 장단음 조절의 상대성을 인정하고 마는 김대행 교수의 견해는 모두가 등시성의 객관적 검증이 불가능함을 그러낸 것이라 할 수 있고,[24] 성기옥 교수가 이러한 문제점을 보완하고자 음보의 형성 자질로서 음절 외에 장음과 정음이라는 자질을 더 설정하여 음보의 객관적 체계화를 시도한 바 있으나[25] 장음과 정음의 실현 환경이 객관성을 확보하지 못하는 면이 있어 아직도 음보의 등시성 문제를 객관적으로 충분히 검증해 내었다 하기 어려우므로 앞으로 더욱 연구해야 할 과제로 남아 있다 할 것이다. 사실 오세영 교수가 우리 시가의 율격 체계의 규명을 위하여는 음수율로 되돌아가야 한다고 다시 제안하게 된 근본

24) 성기옥, 「시가율격론」, 앞의 책, 46~47면.

25) 성기옥, 「한국시가의 율격체계 연구」 참조.

원인도 백영 선생이 남기신 과제를 후학들이 아직 명쾌하게 해명해 내지 못한 불만에 근거하고 있었던 것이다. 그렇다고 음보를 형성하는 등시성의 객관적 실체를 찾아내지 못한다 하여 음수율로 되돌아가야 한다는 제안은 이미 앞에서 살펴본 바와 같이 우리 시가의 자료적 실상에 부합되지 않는 면을 허다하게 가지고 있다는 점에서 받아들이기 어려운 것이 사실이다. 이 문제는 음보를 형성하는 등시성의 객관적 실체를 어떻게 해명해 낼 것인가에 초점을 맞추어야 풀릴 과제라 생각한다.

다음으로 우리에게 남겨진 과제는 백영 선생께서 주목한 바 있는 우리 시가에 있어서 어두에 나타나는 고정적인 강세 현상에 대하여 어떠한 율격적 의의를 부여할 것인가라는 문제다. 즉, 그것이 단순히 운문이나 산문에 다같이 지배적으로 나타나는 음성적 현상으로서의 잉여 자질이 아니라 율격을 형성하는 단위와 단위 사이의 경계를 표지화해 내는, 그리하여 율격적 규칙성을 이루어 내는 분할의 자질로 분명히 기능한다면 우리 시가에서 강세 현상이 갖는 율격적 의의와 그 율격적 실체성은 마땅히 적극적으로 규명되어야 할 과제라 아니할 수 없는 것이기 때문이다.

그리고 백영 선생께서 특별히 관심을 가졌던 한국 시가의 형식적 특성이나 체계 혹은 전통성의 해명에 있어서 율격론이 나아가야 할 방향과 과제가 우리 앞에 가로 놓여 있음을 주목할 일이다. 율격은 시의 형식을 결정하는 중심 원리로 작용하기에 우리 시가의 율격론적 해명을 통해 민족문학의 형식적 정체성을 해명하는 길이 열릴 것이기 때문이다. 나아가 이러한 작업을 통해 향가나 속요 혹은 시조나 가사 등의 형식적 전통성을 어떻게 이어나갈 것인가의 문제와 민족문학의 총체적 의미를 드러내는 방법이 모색될 수 있기 때문이다.

아울러 백영 선생이 그 중요성을 특별히 강조했던 율격과 음악과의 상관성 혹은 긴밀성에 관한 문제도 우리 시가의 형식 체계나 그 정체성 혹은 그 특성을 해명하는 데 있어서 놓칠 수 없는 중요한 과제로 우리 앞에 주어져 있음을 주목할 일이다. 음악이 우리 시가의 형식에 관여한 양상은 실로 다양할 것이며, 특히 고려속요나 시조, 잡가나 창가의 율격에 작용한 음악적 양상은 아무리 강조해도 지나치지 않을 것이기 때문이다.

이상에서 제시한 제 문제를 충실히 해명해 나감으로써 우리는 비로소 백영 선생께서 남기신 율격론적 과제를 어느 정도 발전적으로 계승했다 할 수 있을 것이다.

제2부 고시가 장르별 탐색

Ⅰ 향가문학의 정체성

1. 필사본 『화랑세기』와 향가 연구의 정체성
2. 『화랑세기』 所載 향가와 풍월도적 패러다임

Ⅱ 악장문학의 정체성

1. 「용비어천가」의 짜임새와 시적 정체성
   —「용비어천가」 제대로 읽기
2. 동아시아 시학으로 본 「용비어천가」의 시적 특성

Ⅲ 시조문학의 정체성

1. 시조의 정체성과 그 현대적 변환 문제
2. 담원 정인보 시조의 정서 세계와 정체성

Ⅳ 가사 및 잡가의 정체성

1. 가사의 정체성과 담론 특성
2. 잡가의 생성기반과 장르 정체성

Ⅰ. 향가문학의 정체성

1. 필사본『화랑세기』와 향가 연구의 정체성

1) 머리말—향가 관련 자료의 현황

고전시가 가운데 향가만큼 새로운 자료의 발굴이 절실하게 요청되는 분야도 없을 것이다. 시조의 경우 작품을 해명하는데 참고로 이용할 수 있는 보조자료는 제쳐놓고라도 작품 자체만 해도 심재완의『교본 역대시조전서(校本歷代時調全書)』(세종문화사, 1972)에 3,335수가, 박을수의『한국시조대사전(韓國時調大事典)』(아세아문화사, 1992)에 5,492수가 정리되어 있어 그 방대한 분량을 과시하고 있고, 가사의 경우는 임기중의『역대가사문학전집(歷代歌辭文學全集)』(동서문화사, 1987 및 여강출판사, 1989~1992)에 30권 분량이 이미 나와 있고 거기다 20권 분량을 더 추가하여 곧 출간예정(아세아문화사)으로 있어 모두 50권에 달하는 역시 거대한 규모로 정리되는 셈이고, 잡가의 경우도 정재호의『한국잡가전집(韓國雜歌全集)』(계명문화사, 1984)에 4권의 분량으로 모아져(여기에 실린 자료가 모두 잡가는 아니지만) 있어 역시 상당한 양이 정리되어 있는 셈이다.

그러나 여기서 다루고자 하는 향가의 경우는 이미 잘 알려진 바와 같이 신라시대 것으로는『삼국유사(三國遺事)』에 14수가 실려 있는 것이 고작이어서[1] 영성하기가 그지없는 형편이다. 이에 비해 같은

---

1) 여기에 균여의「보현시원가」(이 작품은 11수로 되어 있긴 하나 동일한 주제에 의한 連作이어서 하나의 작품으로 볼 수 있다)와「도이장가」를 현존 향가의 자료로서 추가할 수 있기는 하지만 이는 신라시대의 정통 향가에서는

시기의 일본쪽의 시가 자료를 보면 『고사기(古事記)』에 114수, 『일본서기(日本書紀)』에 129수, 『만엽집(萬葉集)』에 4,530여수가 전하고 있어 그 양적인 방대함이 눈부실 정도이다. 이로써 볼 때 신라 말기에 편찬된 향가집 『삼대목(三代目)』이 현전한다면 『만엽집』에 못지 않은 정도의 규모는 될 것으로 추정되지만 전쟁의 참화에 오래 동안 시달려 온 우리의 경우 그 책이 발굴될 가능성은 거의 희박해 보인다. 가능성이 있다면 오히려 우리나라보다는 우리의 고문서 자료를 많이 가져갔으면서도 비교적 병화를 적게 입은 일본 쪽에 현존할 가능성이 더 큰 것으로 보인다. 다시 말하면 한국땅에서 『삼대목』을 찾느니 일본에서 그것을 찾아보는 것이 헛수고가 아닐 가능성이 더 크다는 것이다.

학문의 연구에 있어서 그 대상 자료가 인멸되고 현존하는 것이 거의 없다는 사실보다 더 큰 비극은 없을 것이다. 모든 학문적 연구의 출발은 말할 것도 없이 자료에서부터 이루어질 수 있기 때문이다. 만약에 현존 유일의 향가 수록 자료집인 『삼국유사』가 편찬되지 않았다거나 편찬은 되었지만 그것이 현전하지 않았다면 신라 시대의 시가 연구는 어떻게 되었을까? 이는 상상만 해도 끔찍스러운 일이다. 정통의 관찬사서라고는 하나 신라시대의 향가 혹은 사뇌가를 단 한 수도 싣지 않았을 뿐 아니라 그런 노래를 언제 어떤 계기에 의해 어떤 계

어느 정도 빗겨나 있는 것이어서 쇠퇴기의 향가의 실상을 살피는 데는 도움을 줄 수 있으나 향가의 정체성을 파악하는데 있어서는 크게 도움이 된다 하기 어렵다. 이를테면 「보현시원가」의 경우 사뇌가의 정통형식을 전형적으로 보여주고 있지만 그 형식이 이미 연작 형태로 변화되어 있고, 그보다 작품의 성격이 이미 불교의 교화적 성격으로 상당히 경사되어 있다. 그리고 향가의 개념을 '신라 시대의 고급음악에 실어 노래한 개인의 창작가요'로 정의할 때 비록 향찰로 표기되어 있긴 하나 개인의 창작가요가 아닌 집단의 민요형식으로 된 「풍요」의 경우는 향가의 범주에 넣기 어렵다. 그렇다면 향가의 작품 수는 더욱 줄어든다.

층이 향유했는지에 대해서도 전혀 언급이 없는 『삼국사기(三國史記)』만으로는 신라 시대의 향가의 실상을 가늠하기가 거의 불가능에 가깝기 때문이다. 즉 『삼국사기』만으로는 향가와 사뇌가의 실체나 그 양상이 어떠한지에 대해서 전혀 감을 잡을 수가 없게 되어 있다.

다행히 고려말의 일연선사가 당시 몽고의 침략으로 황룡사의 장륙존상이나 9층탑을 비롯한 신라의 귀중한 문화유산이 무참하게 파멸되는 생생한 체험을 하게 되자 설화와 노래(향가를 포함하여)를 통해 그 역사와 문화유산의 의미를 복원하기 위해 『삼국유사』를 저술했던 까닭에 향가와 그 관련 설화의 일부를 접할 수 있게 된 것이다. 그러나 이 책에 실린 향가의 경우도 저자의 특수한 신분과 목적성으로 말미암아 불교와 직접 혹은 간접으로 관련되는 자료들에 경사된 감이 있어 이 또한 향가의 실상을 제대로 파악하는데는 한계를 가질 수밖에 없는 형편이다.

이러한 상황에서 향가 작품이 1수라도 더 발견된다든지 향가를 해명할 수 있는 결정적인 보조자료가 하나라도 더 발굴될 수 있다면 그보다 더 큰 다행은 없을 것이다. 경우에 따라서는 향가연구사에 하나의 전환점을 이룰 수도 있는 획기적인 계기를 마련하게 될지도 모르기 때문이다. 그만큼 향가의 연구에 있어서 자료 발굴의 필요성은 다른 어떤 영역보다 더 절박한 상황에 놓여 있는 것이다. 이러한 형편에 최근 부산에서 향찰로 표기된 향가 1수와 「청조가(青鳥歌)」라는 제목의 한역가 1수를 포함하고 있는 필사본 자료 하나가 발견되어[2)]

2) 이 자료의 발굴과 공표 과정은 이러하다. 그동안 逸書로 알았던 신라 중기의 金大問의 저작 『花郎世記』를 필사한 듯이 보이는 책인데, 처음 공개될 때는 향가 자료를 포함하지 않은 『花郎世紀』라는 이름으로 알려진 32면 분량(序文과 함께 1세 풍월주인 위화랑에서부터 15세 풍월주 김유신의 앞부분 일부까지 필사되어 있고 그 뒤는 결락되어 있음)의 필사본이었다. 이것이 1989년 2월 16일 부산에서 발견되어 그 원문과 함께 번역문이 같은 해 2월 19일부터 3월 8일까지 「서울신문」에 8회에 걸쳐 공개됨으로써 이 자료

사학계는 물론 국문학계의 일각에 신라 시대의 화랑의 역사와 향가연구에 커다란 전환점을 가져올 계기가 마련된 바 있다.

그러나 이 책은 처음부터 그 신빙성 여부를 놓고 논의가 분분하여 아직까지도 그 진위(眞僞)여부가 명쾌하게 판가름나지 않은 형편이어서 국어국문학계에서는 극히 일부를 제외하고는 아직 주목을 받지 못하고 있는 실정이다. 그렇다고 하여 이 자료를 무조건 방치하는 것도 바람직한 태도라 하기는 어렵다. 더구나 이 책에 실려 있는 향가의 위작 여부가 이 책의 진위 여부를 판가름하는 결정적인 관건이 될 수도 있어 필사가 이루어졌던 당시의 향가 해독이나 향가에 관한 연구 수준에서 볼 때 과연 그러한 위작이 가능할 수 있었을 지에 대한 검토와 함께 해당 향가 작품 자체에 대한 위작 가능성에 대해 국어학적인 접근에 의한 판단이 시급하게 요청되고 있음을 인식해야 하는 것이다. 이러한 문제는 오히려 국어국문학계에서 본격적으로 다루어야 할 사안이므로, 지금까지와 같이 사학계의 처분에만 맡겨두고 소극적으로 기다릴 것이 아니라 국어국문학계에서도 이 문제의 해결을 위해 적극적으로 나서야 함을 강력하게 촉구하는 바이다.

이 글에서는 우선 문제의 필사본 『화랑세기』가 과연 위작된 것인

의 신빙성을 놓고 사학계에서 분분한 논의가 있었다. 즉 자료의 신빙성을 전적으로 인정하거나 긍정적으로 보는 경우와, 필사자의 僞作 혹은 조작된 것이라 하여 부정적으로 보는 경우 및 전적으로 신뢰할 수는 없으나 어느 정도 사료적 가치를 인정할 수 있다는 절충적 태도 등 세 가지로 나타났다. 그러다가 1995년 4월에 李鍾旭이 역사학회의 월례발표회에서 필사본 『花郞世紀』의 신빙성을 확신하는 논문을 발표하고 이어 토론을 하는 과정에서 「서울신문」에 공개된 자료는 발췌본에 해당하고 그 母本에 해당하는 자료(표제와 序文 등 앞부분의 일부가 훼손되어 없어지고 4세 풍월주 이화랑의 중간 부분부터 32세 풍월주 신공까지 차례로 기술된 162면 분량의 필사본)가 부산의 같은 소장자에게 따로 있다는 사실이 알려지게 되었고, 바로 이 모본에 문제의 향가 1수와 「청조가」가 실려 있다는 것이 알려지게 되었다.

지의 여부를 기왕에 사학계에서 전개된 논쟁 가운데 핵심적인 쟁점을 중심으로 재검토하고 아울러 향찰과 향가의 해독 수준에서 볼 때 과연 필사자에 의한 향가의 위작이 가능한 것인지를 살펴보아 현재의 상황에서 가능한 한 해결을 모색해 보기로 하고, 만약에 그 신빙성을 확신해도 좋다는 판단이 선다면 이 자료를 적극적으로 활용하여 향가에 대한 새로운 이해의 가능성을 살펴보고, 나아가 이 자료의 발굴을 계기로 해서 앞으로 향가 연구가 어떠한 방향으로 새롭게 전개되어 나가야 할지에 대해서 전망해 보기로 한다.

2) 필사본 『화랑세기』의 신빙성 문제

필사본 『화랑세기』에 대한 사학계의 본격적인 진위(眞僞) 논쟁은 이 책의 신빙성을 확신하는 이종욱과 필사자에 의한 위서(僞書)임이 분명하다고 보는 노태돈에 의해 주도되어 왔다.[3] 그런데 이들이 같은 책을 놓고 이와 같이 상반된 주장을 하게 된 근거는 논리상의 문제라기 보다는 사료를 대하는 태도나 시각상의 차이에 의한 것임을 알 수 있다. 즉 노태돈은 이 책의 진위 여부를 판단하는 준거로 기존

3) 논쟁의 전개과정은 이렇다. 이 책의 신빙성을 주장하는 논문이 발췌본을 대상으로 먼저 李鍾旭, 「『花郞世紀 硏究』 序說—史書로서의 신빙성 확인을 중심으로」, 『역사학보』 146집, 역사학회, 1995로 발표되고 곧 이어서 그것이 필사자에 의해 위작된 것이라는 견해가 母本을 중심으로 盧泰敦, 「필사본 화랑세기의 사료적 가치」, 『역사학보』 147집, 1995로 발표됨으로 해서 논쟁이 본격적으로 시작된 바 있다. 그 뒤 다시 이종욱이 모본을 중심으로 하여 노태돈의 앞의 논문을 비판하면서 신빙성을 더욱 확고히 하는 논의를 펴자(「『花郞世記』의 신빙성과 그 저술에 대한 고찰」, 『韓國史硏究』 97집, 한국사연구회, 1997에 발표) 곧이어 노태돈이 이종욱의 앞의 논문을 비판하면서 위작설을 다시 강력하게 주장했다(「필사본 花郞世紀는 眞本인가」, 『한국사연구』 99·100 합집, 1997에 발표). 이 4편의 논문을 객관적으로 비교 검토해보면 史書로서의 필사본 『화랑세기』에 대한 신빙성 여부를 판단하는데 크게 도움을 받을 수 있다.

의 『삼국사기』나 『삼국유사』 같은 신빙성 있는 사료와 대비한다든지 필사자인 박창화(朴昌和)의 저술 성향을 주로 들고 있음에 반해, 이종욱은 『삼국사기』나 『삼국유사』 같은 사료 역시 고려시대의 사가들이 그 당대의 담론체계에 의해 서술한 2차 사서에 불과하기 때문에 그것을 절대적인 기준으로 하여 위작여부를 판단할 수 없음과 오히려 그러한 사서에서 볼 수 없는 내용을 담고 있음이 신라 사회와 화랑의 생생한 실상을 보여주는 신라 특유의 담론체계이므로 이 책의 신빙성을 더해준다고 보고 있다. 이로써 볼 때 노태돈이 주로 기존의 사서나 역사상에 기대어 사태를 판단하고자 하는 보수주의적 시각과 접근 방법을 택하고 있다면 이종욱은 고려시대 이후의 사료에서 형성된 이해체계나 현대의 담론체계의 구속에서 과감히 벗어나 천 수백 년 전의 신라 역사를 당대적 담론체계로 이해하려는 혁신주의적 시각과 태도를 보인 것이라 하겠다. 물론 어떤 자료의 진위 여부를 판별하는 문제는 신중에 신중을 거듭해야 하므로 보수주의적 접근론이 어느 면에서는 신뢰성을 가질 수도 있다. 그러나 그것이 온당한 논거를 바탕으로 하고 있지 않다면 학문의 발전을 저해할 수도 있으므로 그러한 주장의 논거가 타당성을 확보하고 있는지를 검토할 필요가 있다.

이런 경우 가장 확실한 방법은 해당 자료의 진위 여부를 실증적으로 입증할 수 있는 결정적인 논거를 제시하는 것일 터이다. 이를테면 해당 자료가 위서가 아니라 김대문이 저작한 『화랑세기』의 필사본이 분명하다는 주장이 실증적으로 성립하려면 그것의 저본(底本)이 되었던 원본(原本) 『화랑세기(花郎世記)』의 존재를 실증해내는 일이 가장 확실한 해결 방법이 될 것이다. 그러나 해당 자료는 일제시대에 박창화(朴昌和)가 일본 왕실 소속 도서관인 궁내성(宮內省) 서릉부(書陵部)에 근무할 때(1934년~1945년 10월 말) 작성된 것이어서 일본 현지에서 그 원본의 존재를 확인한다는 것이 사실상 거의 불가능한 형편에 놓여 있다는 것이다. 그렇다고 해당 자료를 무한정 방치한다는 것도 학문에 종사하는 올바른 태도라 할 수 없으므로 여기서는 현재의 여건상 위작설을 강력하게 주장하는 노태돈의 판단 기준과 논거들이 과연 합리적 타당성에 근거하고 있는가를 검토해보기로 한다. 만일 그의 주장이 옳다면 필사본 『화랑세기』는 사료로서의 의미를 상실하는 것이므로 더 이상 언급의 대상이 되어서는 아니 될 것이기 때문이다. 그러나 위작설의 근거가 합리적 타당성을 갖지 못한다면 그러한 주장은 무효이므로 해당 자료를 적극적으로 활용하여 신라사회와 화랑 및 향가의 이해에 새로운 지평을 마련해야 할 것이다.

그럼 위작설을 주장하는 노태돈의 논거들[4] 가운데 핵심적인 것을 검토해 보기로 하자.

첫째, 발췌본의 존재 및 필사자의 다른 저술과 관련하여

이미 알려진 바와 같이 필사본 『화랑세기』는 조선종이에 조선식 묶음으로 된 발췌본과 일본 궁내성 괘지에 쓴 모본의 두 가지가 존재한다. 이에 대하여 필자는 필사자 박창화가 일본 궁내성 서릉부에 근무할 때 일인(日人)의 감시를 피해 그곳에 있는 원본을 몰래 조금씩 그 뼈대만 급히 발췌하면서 베끼어 와 만든 것이라 보았고(조선 종이에 淨書한 것은 이 베껴온 메모지를 보고 만든 것으로 생각되었음. 노태돈은 이러한 필자의 견해에 대해서 감시를 피해 급히 쓴 것이 곧 바로 발췌본이라는 주장으로 받아들여 비판을 하고 있는데 이 부분에서 필자가 메모지의 과정 같은 확실한 표현을 하지 않아 그런 오해를

4) 앞의 주 3)에서 보았듯이 노태돈의 위작설은 2편의 논문으로 발표되었으나 그 주장하는 논거에 있어서는 큰 차이가 없는 편이다. 따라서 두 편 모두를 참고하되 나중에 발표한 논문을 중심으로 검토해보기로 하겠다. 나중의 논문이 한번 더 숙고해서 쓴 것이라는 점을 감안하고 또 거기에는 필자가 발표한 논문(「필사본 화랑세기와 향가의 새로운 이해」, 『성곡논총』 27집, 1996)에 대해서도 이종욱과 묶어서 비판하고 있는데 그에 관한 해명도 이 기회에 함께 하기로 한다.

한 것으로 보임) 모본은 나중에 도쿄 대폭격 때 필사할 기회를 맞아 자료의 망실에 대비해 급히 베낀 것으로 추정하였다. 이런 생각을 갖게 된 근거는 해당 논문에는 구체적으로 밝히지 않았지만(확신을 할 수 없는 추정에 불과했기 때문) 당시 공개된 발췌본이 상당히 오래된 조선종이에 씌어졌다고 알려진 점과, 발췌본에는 김대문의 조부 이름이 예원(禮元)으로 일관되게 씌어 있지만 모본에는 앞부분에 예원으로 쓰던 것을 체원(體元)으로 고친 흔적을 남기고 있고 뒷부분에 가서는 아예 체원으로 쓰고 있다는 점 등 때문이었다. 이런 점에 주목하여 처음에는 자신의 주관적 선택에 의해 핵심부분만 문리가 통하게 원본에서 발췌하면서 급히 베껴와 그것을 정서(淨書)해서 만든 까닭에 발췌본에는 예원으로 맞게 되어 있지만, 뒤에 원본 전체를 베껴 모본을 만들 때는 처음에 원본 그대로 베껴나가다가 필사자의 짧은 역사 지식으로—그는 많은 사서를 보았다고는 하지만 전문 역사학자가 아니었고 신라의 관직과 관등에 대한 이해가 제대로 되어 있지 않고 김대문의 조부인 예원이 『화랑세기』(모본과 발췌본 모두)에 보리(菩利)의 아들로 되어 있음에도 불구하고 이를 망각하고 자신이 따로 작성한 계보도에는 보리의 형(兄)인 원광(圓光)의 아들로 작성하는 등 역사 이해에 많은 미숙성을 보임[5]—예원과 비슷한 시기에 활동한 체원이 더 적절한 인물일거라는 잘못된 판단아래 아예 체원으로 확정하게 된 과정을 보여주는 것이 아닐까 생각되었던 것이다.[6] 즉 원본의 예원을 그대로 베끼는 데서 출발하여 후에 체원으로 확정한 과정

5) 박창화의 이러한 면에 대한 상론은 이종욱, 「『화랑세기』의 신빙성과 그 저술에 대한 고찰」, 16~17면을 참조할 것.

6) 실제로 모본에는 군데군데 수정 가필한 부분이 있는데 이 중에는 베낄 때의 잘못을 그 즉시 바로 수정 가필한 듯이 보이는 부분도 있지만 音聲署長을 音聲署令으로 수정하듯이 자신의 짧은 역사 지식으로 잘못 수정한 곳도 상당수 있다. 이에 대하여는 이종욱, 앞의 논문, 19~20면에 상론되어 있음.

을 두 필사본이 보여준다고 생각했다.

그러나 필자의 이런 추정은 뒤에 이종욱이 모본과 발췌본의 필체를 검토한 결과 모본이 가장 오래된 필체로(수평의 획이 왼쪽에서 오른쪽으로 내려감) 되어 있음에 비해 발췌본은 나중에 변화된 필체(수평의 획이 왼쪽에서 오른쪽으로 올라감)로 되어 있다[7]는 사실로 볼 때 잘못된 것임을 알 수 있다. 즉 모본이 먼저 작성되고 발췌본이 나중에 된 것으로 보는 것이 타당성을 갖는다는 것이다. 그리하여 이종욱은 이 두 필사본의 관계에 대해서 박창화가 평소에 제자인 김준웅이 화랑도에 대한 얘기를 하면 화랑도 이야기는 난잡한 것이라 하거나 『화랑세기』가 집에 있는데 화랑도의 난잡한 족보라고 하였다는 증언을 바탕으로 이는 『화랑세기』에 나오는 남녀관계를 유교적인 도덕관으로 비판한 것이므로 이런 점으로 보아 모본의 서술 중 유교적 도덕관에 어긋나는 내용을 뺀 발췌본을 만든 것으로 추정하였다. 그리고 박창화가 쓴 다른 역사관계 책들은 지금까지 제목이라도 알려진 책을 위작한 것이라기 보다는 그가 저술한 창작물임을 한 눈에 알 수 있다고 했다. 그는 이의 근거로 책의 내용도 당대의 역사를 이해하는 사료로서의 가치를 조금도 찾을 수 없는 것이라는 점과 박창화 자신이 이러한 자신의 저술과 필사본 『화랑세기』를 변별하고 있었다는 증언을 들었다. 즉 박창화가 만년에 제자인 김종진의 집(괴산)을 떠나 손자인 박인규의 집(청주)으로 거처를 옮길 때 자신이 저술한 책(모두 86권으로 그 서명(書名)은 어디에서도 찾을 수 없는 박창화의 창작이라 함)은 모두 가져가고 나머지 일부는 제자에게 남겨 두고 갔는데 『삼국유사』와 『화랑세기』(모본과 발췌본) 등은 남겨 두고 간 것으로 확인되는 바(손자인 박인규가 작성한 도서목록을 통해) 이로써 볼 때 필사본 『화랑세기』는 『삼국유사』와 마찬가지로 자신이 저술한 책으

7) 이종욱, 앞의 논문, 22면.

로 여기지 않았음을 상정할 수 있다는 것이다.[8)]

그러나 노태돈은 이러한 실증적인 증언이나 증거들은 논외로 하고 모본이 있음에도 불구하고 발췌본(그는 초록본이라는 용어를 쓰고 있음)이 따로 존재한다는 사실 자체가 위작임을 나타내는 단적인 증거라 했다. 그 논거로 필사자가 사료의 중요성을 잘 아는 사람인데 모본이 지닌 가치를 알면서 발췌본을 다시 만들 리가 없다는 것이다. 발췌본을 다시 만든 이유는 그나름대로 생각한 기준에 따라 모본의 완성도를 높이기 위해, 즉 보다 진본(眞本)처럼 보이게 하기 위해 행한 작업의 소산이라 보지 않을 수 없다[9)]는 것이다. 이러한 논거가 과연 타당성이 있을까? 어째서 발췌본의 존재가 위작의 단적인 증거가 된다는 말인가? 발췌본은 모본보다 완성도를 높여 진본처럼 보이게 되었을까? 그의 주장대로 발췌본은 모본을 옆에 두고 상당기간 치밀하게 작업한 결과물일까? 결코 그렇지만은 않은 것으로 보인다.

오히려 박창화는 발췌본을 만듦으로 해서 사서로서의 완성도를 떨어트리고 진본의 모습을 보다 상실하고 있기 때문이다. 이를테면 모본에서 사다함을 귀당비장(貴幢裨將)으로 삼았다는 기록을 발췌본에서 귀당(貴幢)으로 삼았다고 한 것이라든지(귀당은 신라 시대의 군단조직 이름으로 개인이 맡을 수 있는 직명이 아님), 모본에서 김대문의 증조모에 해당하는 만룡(萬龍)의 아버지인 정숙태자(貞肅太子)를 발췌본에서 숙태자(肅太子)로 표기하여 정(貞)자를 빼고 있는 것이라든지(4세 이화랑조), 모본의 찬(贊)을 발췌하면서 운율을 맞추지 않고 있다는 점,[10)] 모본의 '與庶弟鼻荊郎 務拾郎徒' 라는 부분을 발췌본에서 '與庶弟鼻荊郎 務捨郎徒' 라 적어 습(拾)을 사(捨)로 잘못 기록함(13세 龍春조)으로써 의미상 거리를 갖게 하는 등등은 치

8) 이종욱, 앞의 논문, 21~22면.

9) 노태돈, 「필사본 화랑세기는 진본인가」, 350면 및 352면.

10) 贊의 이런 점에 대하여는 이종욱, 앞의 논문, 5면 참조.

밀하다거나 완성도를 높인 작업이라 할 수 없어 보일 뿐만 아니라 오히려 사서가 아닌 창작물임을 보여주는 단서가 될 수 있기 때문이다. 그러므로 진본처럼 보이게 하기 위해 발췌본을 만들었다는 주장은 수긍하기 어려우며[11] 이 발췌본의 존재가 위작의 단적인 증거라는 주장도 당연히 받아들이기 어렵다.

박창화의 필사나 저술물을 그 작업 단계별로 살펴보면, (1) 모본 『화랑세기』 필사→(2) 발췌본 『화랑세기』 작성→(3) 역사 저술물 창작으로 정리할 수 있는데, 이는 곧 기존 역사서를 베끼는 지식 습득의 단계(1단계)에서 점차 나름대로 자기 식으로 역사를 간추려 분석해보는 단계(2단계)를 거쳐 마침내 자신의 독자적 역사 저작물을 만들어 가는 단계(3단계)를 보여주는 것이고, 이 과정은 사서로서의 완성도를 높여가는 과정이 아니라 자기 식으로 역사를 재해석하고 재창조(허구화)해 가는 과정이라 할 수 있다.

노태돈은 또 박창화가 유가출신의 한학자이므로 그러한 문란한 성관계를 담은 책을 창작할 수 없었을 것이라는 필자의 견해에 대해 그의 다른 저술들—「도홍기(桃紅記)」 등등의 지독히 음란한 한문소설이나 그 밖의 역사서 형식을 취한 많은 저술들의 내용 전개가 성관계를 주요 모티프로 한다는 점을 들어 비판하고, 이어서 모본의 내용에서 유교적 도덕관에 어긋나는 것을 뺀 것이 발췌본이라는 이종욱의 주장을 박창화의 다른 저술들에도 통정(通情)과 음사(淫事)의 내용

---

11) 노태돈은 사서로서의 완성도를 조선종이에 조선식 묶음을 하고 정서했다는 외적형식을 갖춘 점을 중시하여 그런 주장을 하고 있으나, 그러한 외적인 형식보다는 내용상의 결정적인 결함(이를 테면 귀당비장을 귀당으로 발췌함으로써 사서로서의 치명적인 결격 사유가 되는)을 그대로 노출하고서 진본처럼 완성도를 높였다고 박창화가 어리석은 기대를 하면서 발췌본을 다시 만들었다고 보기는 어렵다고 판단된다. 박창화가 상당기간 치밀한 작업으로 진본처럼 꾸미려 했다면 그런 실수는 절대로 범할 리 없었을 것이다. 금방 僞書임이 탄로날 실수이기 때문이다.

이 많은데 굳이 필사본 『화랑세기』에서만 그런 내용을 빼려고 발췌본을 만들었다는 것은 납득하기 어렵다 하고 그런 내용을 많이 뺀 발췌본만으로도 문란 분방한 성관계 내용을 담고 있는 것은 동일하다고 반론을 편다.

그러나 박창화의 다른 저술들과 필사본 『화랑세기』를 같은 성격의 것으로 보고 전사에 음란 분방한 내용이 많으니 후자도 창작한 것이라는 논거로 삼는 것은 문제가 있다고 본다. 박창화의 창작적 저술들은 기존의 책명을 사용하지 않고 있음[12]에 비해 필사본 『화랑세기』는 기존의 책명을 그대로 사용하고 있다는 점과 그가 『화랑세기』를 자신의 다른 저술과 구분하고 있다는 앞서의 증언 등을 참고할 때 책의 성격에 있어서 양자는 엄연한 차이가 있다는 것이다. 즉 필사본 『화랑세기』는 기존의 책인 원본 『화랑세기』를 단순히 수용한 텍스트라면, 기존의 책명을 사용하지 않은 다른 저술들은 그가 일본에 있을 때 읽은 『화랑세기』를 비롯한 조선 관계 고서적에 자극을 받아 그것들을 기초로 하여 다시 적극적으로 변화시켜 수용한 결과로 나타난 생산적 수용의 텍스트라 할 것이다. 이처럼 성격이 다른 책을 놓고 동일 지평에서 논단하는 것은 타당한 방법이라 하기 어렵다.

박창화가 유학자 출신임에도 불구하고 분방한 성관련 기술을 한 것은 원본을 그대로 재현하거나 발췌해서 재현했기 때문이며 그는 여기서 머물지 않고 생산적 수용으로까지 나아간 결과 자신의 윤리관과는 달리 그러한 창작적 저술을 한 것으로 생각된다. 따라서 음란한 한문소설이나 성관련 모티프의 역사 저술물도 그것의 원천이 되는 소재(素材) 자체가 그러한 내용을 갖고 있는 것으로 볼 수 있는 것이지 그의 유교적 도덕관을 배제할 문제는 아닌 것이다. 이를테면 이정보(李鼎輔)라는 조선 시대의 전형적 사대부 관료가 자신의 도덕관에

---

12) 이종욱, 앞의 논문, 16면의 註26 등.

따라 유교 윤리에 기반한 평시조를 지으면서도 그와는 달리 지독히 음란한 소재를 바탕으로 한 사설시조를 함께 짓고 있는 사례를 참고할 수 있다. 즉, 이정보는 그의 유가적 도덕관이 불변임에도 그와 상관없이 성관련 사설시조를 여러 작품 창작했음을 상기할 일이다.

둘째, 『삼국유사』의 착오를 그대로 되풀이하고 있는 점이나 어떤 부분은 글자까지 완전 일치하게 나타나는 점으로 보아 이 책이 『삼국유사』를 참조한 것이라는 견해에 대해

노태돈이 위작설의 근거로 삼고 있는 문제의 구절을 그대로 옮겨보면 다음과 같다.

① 母曰只召太后 初名息道夫人 乃法興王女也(필사본 『화랑세기』 6세 世宗條)

② 母只召夫人 一作息道夫人 朴氏 牟梁里英失角干之女(『삼국유사』 王曆 진흥왕조)

③ 母英失角干之女 息途 一作色刀夫人 朴氏 妃知刀夫人 起烏公之女 朴氏(同 진지왕조)

노태돈은 이 가운데 ②를 그대로 두고 해석할 경우 '모(母)는 지소부인으로 식도부인이라고도 하며, 박씨이고, 모량리 영실각간의 딸이다'가 되어서 진흥왕의 모(母)인 지소부인은 법흥왕의 딸로서 김씨이니까 사실과 맞지 않는다 하고 여기서 말하는 '一作息道夫人 朴氏'는 『삼국사기』에 전하는 진흥왕의 비(妃)인 '사도부인(思道夫人) 박씨(朴氏)'와 동일인이며, ③에 보이는 진지왕의 모(母)인 '식도(息途), 일작색도부인(一作色刀夫人)'과 같은 사람임이 분명하다고 하면서 이로 보아 현전하는 『삼국유사』 왕력의 이 부분 기사에 착오가 있음을 나타내는데 이러한 『삼국유사』의 착오를 ①에서 지소태후를 '初名息道夫人'이라 하여 그대로 되풀이하고 있다고 한 후, ②의 기사는 완문(完文)이 아니라 결락(缺落)된 기사(『삼국유사』의 왕력에서 왕

의 母와 妃에 대한 기술을 하고 있다는 통례에 비추어 볼 때 '只召夫人'과 '一作息道夫人' 사이에 '法興王之女, 妃色刀(혹은 思道)'란 구절이 빠진 것으로 봄)임에도 불구하고 ②와 ①이 같다는 것은 필사본『화랑세기』(①)가『삼국유사』(②)를 참조하여 서술한 것이라 아니할 수 없다는 것이다.[13] 과연 그럴까?

②가 완문(完文)이 아니라 결락되어 있음은 이미 이종욱도 지적한 바 있다. 그런데 그 결락 부분의 보완에 대하여는 서로 차이를 보인다. 즉 ②의 기사에서 이종욱은 박씨(朴氏) 앞에 '비(妃)'라는 한 글자가 빠진 것으로 보았음에 반해 노태돈은 이미 보았듯이 일작(一作) 앞에 '法興王之女 妃色刀(思道)'라는 구절이 빠진 것으로 추정했다. 그런데 ②의 문장구조상으로 볼 때 비(妃)에 관한 정보가 노태돈처럼 일작(一作) 앞에서 시작하는 것보다 이종욱처럼 박씨(朴氏) 앞에서 시작하는 것이 자연스럽다는 것은 쉽게 알 수 있다. 즉 일작(一作)이란 앞의 정보에 대한 보충이므로 바로 앞의 구절인 지소부인과 일작(一作)식도부인은 분리시킬 수 없음에도 바로 그 사이에 어떤 정보를 알리는 구절이 결락되었다고 상정하는 것은 바람직하지 않다. 그렇다면 ②의 경우 박씨(朴氏)는 비(妃)에 대한 정보이므로 '박씨(朴氏)' 앞에 '비(妃)'가 결락되었다고 보는 것이 자연스럽다. 그리고 '비(妃)' 다음에는 '○○夫人 ○氏 ○○之女'라는 서술이『삼국유사』의 같은 항목에서 일반적인 서술방식이므로, 비(妃) 다음에 '思道夫人'이 결락되었다고 보아, ②에서 박씨(朴氏) 앞에 '妃 思道夫人'을 보충하면 자연스러운 완문(完文)이 된다. 노태돈이 문맥의 어색함을 무릅쓰고 그런 추정을 하게 된 것은 ②의 기사는 착오가 있되 ③의 기사는 착오가 없음을 전제로 했기 때문이다.

그러나 ③의 기사 역시 이종욱이 추정한 것을 참고하여 '息途 一作

---

13) 노태돈, 앞의 논문, 353~354면.

色刀 夫人'에서 첫글자 식(息)을 사(思)의 착오로 보면[14] 진지왕의 어머니인 사도부인 일명 색도부인 박씨로서 문맥상 아무런 문제가 없고 ②와 ③이 제대로 된 기사가 된다. 노태돈의 추정대로 하면 진흥왕의 비이자 진지왕의 모인 박씨는 사도부인, 식도부인, 색도부인이라는 무려 세 가지의 이칭을 갖고 있었다는 것이 되어 어색하고, 필자의 추정대로 하면 진흥왕의 모(母)는 지소부인이자 일명 식도부인으로, 진지왕의 모는 사도부인이자 일명 색도부인으로 자연스럽게 정리가 될 뿐 아니라 식도(息道)부인과 색도(色刀)부인은 음(音)과 훈(訓)을 달리하는 이질적인 기호이므로 동일인이 아닌 다른 인물로 보는 것이 타당성을 갖는다고 하겠다. 이렇게 보면 진흥왕의 모(母)는 식도부인(息道夫人)으로, 진흥왕의 비(妃)는 색도부인(色刀夫人)으로 정리되고, 법흥왕의 비(妃)가 파도부인(巴刀夫人)임을 참고하면 이러한 정리가 타당성을 가짐을 짐작할 수 있다. 따라서 필사본 『화랑세기』의 ①의 기사에는 착오가 없는 것으로 보이며 이를 근거로 『삼국유사』의 착오를 그대로 되풀이했다고 보는 관점—나아가 필사본 『화랑세기』가 『삼국유사』를 참조하여 만든 것이라는 주장은 수긍하기 어렵다고 본다. 오히려 필사본 『화랑세기』와 『삼국사기』의 관련 기사를 통하여 『삼국유사』의 ②와 ③에 보이는 결락과 오기에 의한 착오를 각각 한 글자씩 보완 혹은 수정할 수 있게 된다.

노태돈은 또 필사본 『화랑세기』의 유신공(庾信公)조에서 거등왕(居登王) 이후 좌지왕(坐知王)에 이르는 김유신의 가계(家系)를 서술함에 있어 『삼국유사』의 가락국기(駕洛國記)에서 언급된 인물들이 글자까지 완전 일치하게 나타나는 점을 들어 『삼국유사』를 참조하였다는 면을 배제할 수 없다고 했다. 인물은 고유명사이므로 별명이나

14) 이종욱, 앞의 논문, 11면. 여기서 이종욱은 息途(色刀)를 思道(思刀)의 오기로 볼 수 있다고 하여 色刀를 보는 관점에 있어서는 필자와 약간의 차이가 있다. 필자는 ③에서 息途의 息자만 思자의 오기로 보고자 한다.

이칭을 언급하지 않는 이상 신빙성 있는 사서와 완전 일치하는 것이 당연하며 그렇지 않다면 오히려 위작이 의심될 것이다. 그런데 그런 인물들의 부대 사실까지 완전 일치한다면 그것은 문제 삼을 수 있다. 그러나 해당 부분인 유신공조의 세계(世系)에는 가락국기의 구형(仇衡 : 가락국의 10대왕, 김유신의 증조부)이 구충(仇衝)으로,[15] 좌지왕(坐知王)의 비(妃)가 도령대아간(道寧大阿干)의 여(女)로 된 것이 도령아찬(道寧阿湌)의 여(女)로 되어 있어 완전 일치하는 것은 아니며, 그 밖에 가락국기에 없는 많은 부대 사실들이 필사본 『화랑세기』에 들어 있어 이를 근거로 『삼국유사』를 참조했다는 주장은 성립하기 어렵다.

셋째, 책의 필사(저술) 시기와 향가의 존재와 관련하여

노태돈은 또 필사본 『화랑세기』가 『삼국유사』를 참조하여 만들었다는 전제와 필사본 『화랑세기』에 향찰로 수록되어 있는 향가를 관련지워, 신라 향가가 수록된 가장 후대의 책이 『삼국유사』이고 그 이후로는 향가가 창작도 해독도 되지 않다가 1929년 이후에 다시 해독되었다는 사실을 들어 이 책이 1930년대 이후 1944년 말까지의 기간에 박창화에 의해 창작된 것이라 주장한다. 필사본 『화랑세기』가 『삼국유사』를 참조하여 만들어졌다는 주장은 성립하기 어려운 논거에 기초하고 있음을 바로 위의 둘째 항에서 검토한 바 있으므로 여기서는 과연 향가의 해독 수준에서 볼 때 1930년대 이후의 일제시대에 향찰로 향가의 창작이 가능한 것인지를 검토해 보겠다. 이 문제는 다른 어떤 논거보다 이 책의 진위 여부를 판별하는 가장 중요한 단서가 될

15) 조기영 편역, 『화랑세기』, 장락, 1997, 83면의 주석에서는 『삼국유사』를 따라 구충을 구형으로 수정한다고 했으나 필사자 박창화가 잘못 베낀 것이 확실하다면 그런 수정이 옳겠으나 혹 바르게 베낀 것이라면 『삼국유사』를 수정해야 될 지도 모를 일이나 원본과 대조하지 않고는 알 수 없는 일이다.

수 있다. 향가의 위작여부를 밝히는 일은 곧 이 책의 위서여부를 밝히는 가장 확실한 방법이기 때문이다.

향찰로 표기된 향가는 창작은 차치하고 해독하기조차 참으로 어려운 작업이었다. 그 첫 해독은 1918년에 일본인 가나자와에 의해「처용가」한 수가 시도되었는데, 이는『악장가사(樂章歌詞)』에 실린 고려「처용가」에 신라의「처용가」8구 중 마지막 2구를 제외하고 모두 국문으로 인용되어 있기 때문에 그것을 바탕으로 해독이 비교적 쉽게 이루어질 수 있었던 것이다. 그 뒤 1923년에 아유가이에 의해「처용가」와 함께 4구 밖에 되지 않고 비교적 해독이 쉬운「서동요」와「풍요」가 해독되었을 뿐이고, 1929년에 오꾸라에 의해 비로소『삼국유사』의 향가 14수가 모두 해독될 수 있었다. 한국인에 의한 해독은 일본인보다 늦게 1923년에 권덕규와 1924년에 신채호에 의해 가장 쉬운「처용가」한 수가 시도되고, 1930년에 정인보에 의해「서동요」한 수가, 1936년 유창선에 의해 비교적 해독이 난해한「모죽지랑가」,「혜성가」,「원가」,「우적가」를 제외한 10수가, 1940년에 신태현에 의해 유창선이 해독하지 않은 4수를 포함하여 모두 8수를 제외한 6수가 해독되다가 1942년에 양주동에 와서야 14수 모두를 해독하는 성과를 제출했던 것이다.[16] 이처럼 향가는 지극히 난해해서 창작은커녕 해독도 조선에 있는 극소수의 전문학자에 의해, 한국인의 경우 1940년대에 와서야 불완전한대로 모두 가능했는데 일본땅에 있던 박창화가 그것도 향찰을 한번도 연구해보지 못한 그가 향찰로 향가를 해독도 아닌 창작을 한다는 것은 도저히 상상조차 할 수 없는 일이다. 노태돈은 박창화의 창작 가능성의 방증으로 국어학자 권덕규와의 교분을 들기도 했는데, 앞에서 본 바와 같이 전문 국어학자라 할 수 있는 권덕규 마저도 가장 접근하기 쉬운「처용가」한 수의 해독으로 끝내고

16) 이러한 향가 해독의 연구사는 양희철,『'삼국유사' 향가연구』, 태학사, 1997을 참조하여 필자가 정리한 것임.

있음에서 그러한 교분이 방증이 될 수 없음을 알 수 있다.

우리말을 향찰로 표기한다는 것이 얼마나 어렵고 번거로운 일인지는 그 표기의 원리와 방법의 복잡함과 그 실제 운용의 역사가 잘 보여주고 있다. 향찰 표기법은 신라 시대 당시의 우리말을 당시의 한자들이 가지고 있던 음과 훈을 이용하여 표현했던 방법으로 그 차제자(借製字) 원리와 운용법은 실로 어렵고 복잡한 것이어서 현대의 전문 국어학자들도 그것을 해명하는데 엄청난 어려움을 겪고 있는 것이 현실이다. 이는 물론 당시의 언어를 재구할 수 있는 자료가 부족한 탓도 있지만 무엇보다 향찰의 운용 원리와 방법이 복잡하고 어려운데 기인한다. 이를테면 향찰의 차제자 원리의 경우 양주동은 처음에 음독, 훈독, 의훈독, 음차, 훈차, 의훈차로 정리했다가 이어 정차, 전차, 통차, 약차, 반절, 희차 등 6가지로 수정하는가 하면[17] 양희철은 자만자, 음만자, 음반자, (단자의) 실의만자, (복자의) 실의만자, (단자의) 가의만자, (복자의) 가의만자, 의반자, 음의자 등 9가지로 정리할[18]만큼 복잡성을 띠고 있다. 그리고 향찰의 운용법의 경우 첨기와 향찰의 쓰는 위치의 두 가지로 나눠지는데 전자는 음절말 자음표기, 음절말 자음첨기, 어절말 음절첨기, 장음표기 등으로 정리되기도 하고,[19] 후자는 의자말음첨기법(양주동), 훈주음종(訓主音從)의 원리(김완진), 간훈미음(幹訓尾音)(유창균), 의주음조(義主音助)(양희철) 등의 분분한 학설이 나올만큼 난해하다. 설령 생각보다 향찰표기가 이외로 단순하고 난해하지 않았다 할지라도 그 사용이 너무 번거로워 불편하기가 말할 수 없었을 것이다.

실제로 당시의 지식인들도 꼭 필요한 경우(이를테면 향가처럼 우리말 노래를 문자화하는 등)는 향찰로 표기했지만 그렇지 않은 경우

---

17) 양주동, 『고가연구』, 박문서관, 1942, 60~61면.

18) 양희철, 앞의 책, 20면.

19) 양희철, 앞의 책, 20면.

는 향찰 표기보다는 차라리 한문투를 많이 쓸수록 더 편리했기에 아예 순한문으로 저술하는 경우와 향찰표기를 병행했으며, 고려 시대에 이르면 순한문의 표기 방식으로 기울면서 특수한 경우를 제외하고는 번거로운 향찰표기 방식은 거의 사용하지 않았으며, 한문투에 더 많이 의존하는 이두(吏讀) 표현으로 가든가 시대를 더 내려오면 향찰표기는 포기하고 한문 원전(原典)을 읽는 구결(口訣)의 방식을 개발했을 뿐이다.[20] 그런 점에서 필사본 『화랑세기』의 발문에 김대문의 부(父)인 오기공(吳起公)에 의해 이미 향음(鄕音)으로 작성되었던 화랑의 세보(世譜)를 바탕으로 하여 한문에 익숙한 김대문이 순한문으로 저술한 것이 『화랑세기』라는 언급은 향찰 표기 방식의 어려움과 함께 이 책의 신빙성을 더해 주는 근거가 된다 하겠다. 이처럼 난해한 향찰표기 방식으로 박창화가 일제시대에 그것도 향찰의 학문적 연구와는 거리가 있는 일본땅에서 향가를 창작했다는 것은 도저히 상상조차 할 수 없는 일이므로 이를 근거로 위작설을 주장하는 것은 성립하기 어렵다고 본다. 다만 필사본 『화랑세기』에 수록되어 있는 향가의 향찰표기 방식이 『삼국유사』에 수록된 향가의 향찰 운용방식과 어떤 차이를 보이는지(물론 필사본 『화랑세기』도 1300년 전의 김대문 당시의 향찰 표기가 그대로 보존되었다고 볼 수는 없다. 천수백년을 전승해 오는 동안 후대적 표기로의 변화는 염두에 두어야 할 것이다)에 대한 구체적인 접근은 국어학적인 과제로 남겨두면서 이 문제에 대한 전문 국어학자의 적극적인 참여를 요청하는 바이다.

그 밖에도 노태돈은 마복자(摩腹子) 같은 성(性)관련 풍속이나 용어 등을 더 들고 있으나 그러한 문제는 신라 시대의 패러다임이나 담론체계와 관계되는 것이므로 이종욱의 견해에 좌단하면서 구체적인 검토는 일단 유보하기로 한다.

---

20) 신라 이래의 문자표기의 발달과 변천에 대하여는 박병채, 「한국문자발달사」, 『한국문화사대계』 V, 고려대 민족문화연구소, 1967 참조.

3) 필사본『화랑세기』의 의의와 향가의 새로운 이해

신라 시대 향가의 실체를 알 수 있는 자료가『삼국유사』를 제외하고는 거의 없는 상황에서 그동안 향가의 정체성 해명에 관련한 판단은『삼국유사』에 거의 전적으로 의존할 수밖에 없었다. 그러나『삼국유사』는 향가의 정체성을 온전하게 알려주기에는 여러 가지로 한계가 있다고 본다. 우선 그것이 고려 말에 편찬된 것이어서 신라사회와 문화를 이해하기에는 미흡한 2차 사료에 불과하고 승려라는 특수 신분의 저작이어서 편집의 방향이 불교쪽으로 경사되어 있기 때문이다. 이러한 처지에서 신라 중기의 김대문에 의해 저작된『화랑세기』의 원본을 일제시대에 필사한 것으로 보이는 책이 발견되었다는 것은 그것의 신빙성이 확인된다면 당 시대의 신라 사회나 화랑 및 향가연구에 획기적인 전환점을 가져올 것임에 틀림없다. 그러나 이 책의 신빙성이 실증적인 면에서 확고부동한 검증을 받지 못했기 때문에 이 방면의 연구에 적극적으로 활용되지 못하고 있음은 자료 고갈의 심각성에 비추어 볼 때 엄청난 불행이라 아니할 수 없다.

그렇다고 이 자료를 마냥 방치만 하는 것도 반드시 바람직한 태도라 하기 어려우므로 현재의 상황에서는 아쉬운 대로 이 책의 신빙성을 긍정하는 쪽과 의심하거나 부정하는 쪽의 주장을 대비하여 어느 한 쪽이 문제가 있고 다른 쪽이 타당하다면 그에 따라 연구 태도를 결정해야 하리라 본다. 필자는 이 책의 신빙성을 주장하는 이종욱의 견해가 타당성을 갖추고 있음에 반해 그것을 부정하는 노태돈의 견해는 앞에서 검토한 바와 같이 문제가 있다고 보므로 이 책을 적극 활용하여 향가 연구에 있어서 이 책이 갖는 의의와 가치를 탐색해 보고 앞으로의 연구 방향을 전망해 보고자 한다.[21)]

---

21) 필자는 이미 이 책을 활용하여 향가에 관한 논문을 몇 편 작성한 바 있다.「향가의 장르체계론」,『대동문화연구』27집, 성균관대 대동문화연구원, 1992;

이 책은 발문에서 밝힌 바대로 저술목적이 화랑행정(郎政)의 주요면과 화랑계파(派脈)의 정사(正邪)를 밝히는 데 있었으므로 향가와 관련된 기술이 상당히 적은 편이다. 그러나 다행스럽게도 우리는 이 책을 통하여 신라시대 가요의 몇 가지 귀중한 자료를 새로 얻게 되었다. 향찰로 된 향가 한 수와 한역(漢譯)된 가요 한 수 및 참요(讖謠)에 해당하는 노래 두 수가 그것이다. 이 가운데 향찰로 된 향가와 그 해독을 보면 다음과 같다.

風是(只?)吹留如	ᄇᆞᄅᆞ미 부루(로)다(부로ᄃᆡ)
久爲都郎前希吹莫遣	오래 都郎앒피 불디말고
浪只打如	믌겨리 티다(티ᄃᆡ)
久爲都郎前打莫遣	오래 都郎 앒 티디 말고
早早歸良來良	일일 도라오라
更逢叱那抱遣(?)見遣	다시 맛나 안고보고
此好郎耶執音乎手乙	이 됴ᄒᆞᆫ 郎야 자ᄇᆞᆫ몬 소ᄂᆞᆯ
忍麻等尸理良奴	차마 들리려노(돌리려노)

(김완진 해독)

風只吹留如久爲都	바람이 불다고 하되
郎前希吹莫遣	임 앞에 불지 말고
浪只打如久爲都	물결이 친다고 하되
郎前打莫遣	임 앞에 치지 말고
早早歸良來良	빨리빨리 돌아오라
更逢叱那抱遣(?)見遣	다시 만나 안고 보고

「향가와 화랑집단」, 『문학과 사회집단』, 한국고전문학회, 집문당, 1995; 「필사본 『화랑세기』와 향가의 새로운 이해」, 『성곡논총』 27집; 「화랑관련 향가의 의의와 기능」, 『모산학보』 9집, 1997; 「향가 장르의 본질」, 『한국시가연구』 창간호, 한국시가학회, 1997 등이 그것이다. 이들 논문은 모두 필자의 졸저, 『한국고시가의 거시적 탐구』, 집문당, 1997에 재수록했음.

此好, 郞耶 執音乎手乙	아흐, 임이여 잡은 손을
忍麻等尸理良奴	차마 물리러뇨

(정연찬 해독)

* (?)은 판독이 불가능한 글자를 나타냄.

필사본『화랑세기』에 의하면 이 작품(母本, 6세 世宗조에 실려 있음)을 지은 미실(美室)은 2세(世) 풍월주인 미진부공(未珍夫公)과 묘도부인(妙道夫人) 사이에서 태어난 딸로서 미모가 뛰어나고 교태를 잘 부려 진흥왕(眞興王) 이래 진평왕대(眞平王代)까지 세 왕의 총애를 받았으며 진흥왕이 어릴 때 섭정한 지소태후의 아들 세종(世宗)과 결혼하게 된다. 그런데 그에 앞서 미실은 5세(世) 풍월주가 된 사다함과 서로 사랑하는 애인관계였는데, 사다함이 가야국 정벌을 위해 출정(出征)할 때 이 노래를 지어 전송했다(其出征時以歌送之)고 한다(애인인 화랑을 전송하면서 지었다는 작품의 主旨를 고려하여 제목을「送郞歌」라 부르고자 함). 이 작품이 진흥왕대(眞興王代)의 미실(美室)에 의해 사다함(斯多含)의 출정시(出征時)에 지어진 것이 사실이라면 문학사적으로 여러 가지 중요한 의미를 갖는다.

첫째는, 현존 향가 작품 중 최고(最古)의 것이고, 둘째는 현존 사뇌가 양식의 최초의 작품이고(사뇌가의 초기 작품이므로 10구체 사뇌가의 정제된 형식과는 아직 거리를 가짐), 셋째는 이 작품으로 해서 10구체 사뇌가 양식보다 8구체 양식이 앞서게 되므로, 후자가 전자의 축약 형태라는 설[22]은 뒤집어 지며, 넷째는 작자가 화랑집단에 깊이 관련된 왕실 귀족의 여인[23]이라는 점이며, 다섯째는 작품의 성

---

22) 兪昌均,「韓國詩歌 形式의 基調」,『가람李秉岐博士 頌壽論文集』이래 통설화됨.

23) 작자 美室은 7世 설원랑代에 문노파와 설원파의 세력 다툼이 있게 되자, 화랑제도를 개편하여 이미 폐지된 源花자리에 올라 그 밑에 남편 世宗을 上仙으로, 國仙인 문노를 亞仙으로, 風月主인 설원을 左花郞으로 거느리

격이 낭도승(郎徒僧)의 제의적(祭儀的), 교술적(敎述的), 송찬적(頌讚的) 취향과는 달리 민요적 취향을 기조로 한 연가적(戀歌的) 성격[24]을 띠고 있다는 점이고, 여섯째는 같은 화랑집단의 사뇌가라 하더라도 화랑 및 낭도계열은 8구체 향가 양식(「送郎歌」—「慕竹旨郎歌」—「處容歌」—「悼二將歌」로 이어짐)을 선호하지만, 낭도승(郎徒僧) 계열은 10구체 사뇌가 양식을 선호한다는 사실로 체계화할 수 있다는 점 등이다.

다음으로 한역가를 보기로 하자.

靑鳥靑鳥	(청조여 청조여)
彼雲上之靑鳥	(저 구름 위의 청조여)
胡(爲)(乎)	(어찌하여)
止我豆之田	(내 콩밭에 머무는고)
靑鳥靑鳥	(청조여 청조여)
乃我( )( )(靑)(鳥)	(곧 내 *** 청조여)
胡爲乎	(어찌하여)
更飛入雲上去	(다시 날아 구름 위로 들어가는고)

는 등 자신이 화랑의 편제에 소속되는가 하면, 화랑 임명과 직제 개편에 그 후에도 3대의 왕(진흥, 진지, 진평)에 걸쳐 막강한 영향력을 계속 행사하는 인물로 나온다.

24) 이 작품이 『삼국유사』에 실려 있는 낭도승 계열의 작품과는 달리 연가적 성격을 갖고 있다는 점은 특히 주목된다. 비슷한 시대의 일본의 『萬葉集』에 실려 있는 노래가 대부분 연가적 성격을 갖고 있기 때문이다(김사엽, 『일본의 萬葉集』, 민음사, 1983, 193면에 의하면 『만엽집』에 연가가 9할 이상을 차지한다고 했다). 미실의 이 작품과 『만엽집』을 참고할 때 『三代目』에도 왕실과 화랑 주변의 남녀 사이의 사랑과 이별에 관련한 연가적 성격의 노래가 가장 많았을 것으로 짐작된다. 이런 점이 또한 이 책의 신빙성을 더 높여준다고 하겠다.

旣來不須去 (기왕에 왔으면 가지나 말 것을)
又去(爲)何來 (또 간다면 무엇 때문에 와서)
空令人淚雨 (공연히 눈물나게 하고)
腸爛瘦死 (애간장이 타 말라 죽게 하는고)

盡( )死爲何鬼 (죽어 무슨 귀신이 되리)
吾死爲神兵 (내 죽어 신병이 되어)
飛入殿(君)( )( )(袖) (전군 곁에 날아들어)
朝朝暮暮 (아침마다 저녁마다)
保護殿君夫妻 (전군부부를 보호하고)
(萬)(年)千年不長滅[25] (천년만년 길이 멸하지 않으리)

이 작품은 앞에 소개한 「송랑가」와 같은 곳에 실려 있는 것으로 사다함(斯多含)이 그의 애인 미실(美室)을 두고 출정(出征)한 뒤 전장터에서 임무를 끝내고 돌아와 보니 미실은 이미 궁중에 들어가 지소태후의 아들 세종(世宗 : 6세 풍월주) 전군(殿君)의 부인이 되어 있으므로 이 작품을 지어 그것을 슬퍼했다고 한다. 이 노래의 가사가 너무나 처창(悽愴)해서 그 때 사람들이 서로 암송해 전했다고 한다. 제목은 「청조가(靑鳥歌)」라 했으며 작품에서 청조는 미실을 가리킨다고[26] 했다. 이 작품이 특히 주목되는 것은 첫째로, 이 작품을 통해 신라시대 가요의 한 양식이었던 장가(長歌)의 실체를 알 수 있게 되는 것이 아닌가 하는 점이다. 즉 『삼국사기(三國史記)』에 보이는 해론(奚論)을 애도하는 장가(長歌)나 김흠운(金歆運 : 8세 풍월주 문노의 門下임)의 무용담(武勇譚)에 나오는 「양산가(陽山歌)」, 실혜(實兮)가 지었다는 장가(長歌)의 존재 등은 한역가로도 전하지 않고

25) ( )은 판독이 어려운 글자인데 글자가 희미하게 보이거나 再構가 가능한 것은 필자가 써넣은 것임.
26) 母本, 5세 사다함조 참조.

있어 그 실체를 짐작하기 어려웠는데 이 작품을 통해 이들 노래의 양식이 4구체의 민요격 형식을 여러 차례 반복한 연장체(聯章體)로 된 긴노래라는 점과 이들 노래의 담당층이 왕실과 화랑을 중심으로 하는 풍월도 문화권임을 추정할 수 있게 된 것이다. 이것이 이 작품의 첫째 의의라 할 것이다.

그리고 그 형식적 특징은 4구체를 반복하는 연장체 형식을 취하되 맨 마지막 연은 작품의 마무리를 위해 몇 구(여기서는 2구를 추가해 6구로 되어 있음)를 추가한다는 사실이다. 이것이 민요같은 집단창작 가요와 다른 점이다. 민요는 집단의 참여를 위해 똑같은 형식으로 종결함으로써 열린 마무리를 하지만, 개인창작 가요는 시상(詩想)의 완결을 위해서 닫힌 종결을 해야 하기 때문에 마지막 연(聯)이나 장(章)은 파격이 되지 않을 수 없는 것이다. 이런 현상은 고려속요(高麗俗謠)의 「서경별곡(西京別曲)」(마지막 연(聯)에서 2구가 늘어남), 「만전춘별사(滿殿春別詞)」(아소 님하 遠代平生에 여힐 줄 모르옵세) 등과, 윤선도(尹善道)의 「어부사시사(漁父四時詞)」(맨 마지막 首의 종장에 파격을 취함으로써 연장체의 전체 작품을 마무리함) 등에서 확인된다.

둘째로, 이 시대(사다함이 정복전쟁을 하던 6세기)에는 「청조가」 같은 장가형(長歌型)의 노래와 미실의 사뇌가형(詞腦歌型) 향가(嗟辭를 동반하는 後句로서 작품을 마무리하는 單聯體)가 공존했다는 것이다. 그러나 미실의 「송랑가(送郞歌)」로 추정할 때 비록 8구체 단연형식(單聯形式)이고 후구(後句)를 갖추었다고 하지만 민요적 취향을 기조로 했기 때문에, 3개의 종결어미를 갖춘 3단 구조로 되어 있으면서 민요 취향에서 완전히 벗어난 「모죽지랑가(慕竹旨郞歌)」의 세련성까지는 보이지 않는다. 따라서 이 시대의 사뇌가(詞腦歌) 양식은 미실의 「송랑가」에서 보듯이 아직은 형식을 세련되게 갖추지 못한 장르 형성기에 속한다 할 수 있고, 이에 비해 사다함의 「청조가」

같은 장가(長歌)가 장르 전성기에 속함을 알 수 있다(일본의 이 시대 가요도 장가에서 형식이 세련된 단가로 발전해 간 것과 상통한다; 김사엽,『일본의 만엽집』참조). 따라서 전성기의「청조가」양식의 민요 취향이 형성초기의 사뇌가(詞腦歌) 양식에 영향을 주어「송랑가」에서도 이러한 성향이 일정하게 드러났다고 해야 할 것이다.[27)]

셋째로, 미실의「송랑가」는 향찰표기인데 반해, 사다함의「청조가」는 한역가로 되어 있다는 것이다. 이는「청조가」보다는「송랑가」가 더 고급음악의 가(歌)였음을 반증하는 것이 아닌가 생각된다. 향찰표기는 노래의 기록성이 중시되는 것이고, 노랫말의 음송(吟誦)에 의존하여 한역된 것은 구비성(口碑性)이 더 강하다는 것을 의미하기 때문이다. 즉 고급음악으로서의 노랫말은 자구(字句) 하나하나가 고급음악의 세련된 선율에 실려야 하는 것이기에 기록의 중요성이 요구되지만, 덜 고급한 음악은 노랫말의 의미가 선율보다 중요하기 때문에 음송(吟誦)으로서도 전승의 충분한 수단이 될 수 있는 것이다. 실제로「청조가」는 그 가사가 너무 처창(悽愴)하여 그 때 사람들이 음송으로 전승한[28)] 것이라 했다.『삼국유사(三國遺事)』의「수로부인 이야기」에서 견우노옹(牽牛老翁)이 직접 지어 불렀다는「헌화가(獻花歌)」는 3구(句)의 향찰표기로 되어 있음에 반해, 여러 사람이 막대기를 치면서 불렀다는「해가(海歌)」는 한역가로 되어 있음도 이와 연관되는 것으로 보인다. 즉 전자는 고급음악의 세련된 선율에 붙여진 노래이고, 후자는 음악의 악곡보다 주술을 거는 목적성을 위주로

---

27) 한편 달리 생각하면「送郎歌」의 경우 3代 儒理王代의「兜率歌」이래의 嗟辭詞腦格 양식의 전통을 이은 것으로도 생각될 수 있다. 그렇다면 작품이 전하지 않는「도솔가」양식의 모습을「송랑가」를 통해 짐작할 수 있을 지도 모른다. 이런 점에서「송랑가」는 차사사뇌격 양식의 쇠퇴기와 정제된 사뇌가 양식 형성기의 중간단계의 작품에 해당된다고 할 수 있을 것이다.

28)「청조가」를 수록한 대목에 "辭悽愴 時人□相傳誦"이라 했다(□은 판독이 어려운 글자임).

한 까닭에 노랫말의 의미전달이 중요했던 이유로 서로 표기수단을 달리 한 것으로 보인다.[29]

넷째로, 「청조가」의 노래 양식이 후대로 계승되었을 가능성이 있다는 것이다. 「청조가」는 자신을 사랑하면서도 지소태후의 명(命)으로 궁중의 세종전군(世宗殿君)에게 시집간 미실(美室)을 자신의 콩밭에 왔다가 저 멀리 구름 속으로 날아간 파랑새에 기탁하여 자신의 처창(悽愴)한 슬픔을 노래한 것이다. 이것은 42대(代) 흥덕왕(興德王)이 왕비를 잃은 자신의 슬픔을 짝잃은 앵무새 수놈이 슬피 울다 죽어가는 모습에 기탁하여 참담한 심정을 노래한 「앵무가(鸚鵡歌)」[30]와 일치하는 점이 많아(새를 소재로 슬픔의 정서를 우의적 수법으로 노래한 점) 혹시 「청조가」의 노래 양식이 흥덕왕대까지도 이어지지 않았나 추정되지만 「앵무가(鸚鵡歌)」가 실전(失傳)이니 확인할 수는 없다. 그러나 8구체 향가 양식이 고려 예종대(睿宗代)의 「도이장가(悼二將歌)」까지 이어진 것을 보면 가능한 추정일 수 있다.[31]

다음 참요(讖謠) 두 수를 보기로 하자. 하나는 모본 13세 용춘공

29) 『三國遺事』에 향찰로 표기된 노래 가운데 「風謠」와 「薯童謠」가 고급음악으로서의 歌가 아닌 謠로 표기되어 있어 이런 추정이 옳지 않다고 생각될 수도 있다. 그러나 이것들은 창작 당시에는 謠였겠지만 뒤에 고급음악의 歌로 재편된 노래여서 향찰로 표기되었을 가능성이 있는 것으로 보인다. 실제로 「서동요」는 「헌화가」처럼 『삼국유사』에 三句 형식으로 분절되어 있어 이러한 음악적인 재편을 생각할 수 있기 때문이다. 그러나 「풍요」의 경우는 謠의 형식 그대로 4구로 수록되어 있어 개인 창작의 고급음악에 실린 향가가 아님을 알 수 있다. 이로써 볼 때 모든 향가는 향찰로 표기되는 것이 원칙이라 하겠으나 거꾸로 향찰로 표기된 노래라 하여 모두 향가로 보기는 어렵다고 본다. 그 사례의 하나가 「풍요」라 할 수 있다.

30) 『三國遺事』 卷二, 興德王 鸚鵡條.

31) 이 글에서 미실이 지은 「송랑가」와 사다함이 지은 「청조가」에 대한 논의는 졸고, 「필사본 『화랑세기』와 향가의 새로운 이해」에서 이미 다룬 내용을 거의 그대로 수용하고 약간의 손질을 가한 것임을 밝혀둔다.

(龍春公)조의 대남보(大男甫)에 관한 이야기에 나오는 것으로 전형적인 참요의 모습을 보여준다. 즉 대남보는 출신은 천하나 무리들의 존경을 받는 훌륭한 인물로서 당시 처자(妻子)를 상선(上仙)들이나 신주(新主 : 새로 취임한 풍월주)에게 색공(色供)으로 바쳐 골품을 받는 시속을 따르지 않고 오로지 새로 풍월주가 된 용춘에게 충성을 다하여 섬기고 용춘을 비호할 세력 100명을 얻어 보호하느라 자신의 재산을 모두 기울였으며, 그 딸은 용춘을 위해 마음을 곧게하고 유화(遊花 : 서민의 딸 가운데 준수하고 아름다운 자를 뽑아 화랑도에 속하게 하여 낭도들과 짝을 맞춰 南桃라는 곳에서 춤추며 노래하는 화랑 축제에 나가든가 色供으로 차출되는 역할을 함. 30세가 되도록 향리의 집으로 돌아가지 못하게 함. 이에 대하여는 모본의 7세 설화랑조, 10세 미생공조 및 22세 양도공조 등 참조)로 나가는 것을 수긍하지 않다가 우물에 투신 자살하게 되는 사태가 일어나고, 그것이 빌미가 되어 대남보는 면직되고 그의 아내와 아들 셋은 갈쌈노동을 하고 사느라 고생이 말이 아니었다. 그에 반해 당두(唐斗)라는 인물은 미모의 아내가 10세 풍월주 미생공(美生公)의 색공지첩(色供之妾)이 되어 그의 가솔들이 모두 영화롭게 되었다.[32] 이런 사정을 압축해서 담은 노래를 당시 어린아이들이 길거리에서 부르게 되니 바로 다음과 같다.

> 納妻而富 七子皆騎 (아내를 바치면 부자가 되어 일곱 아들이 모두 말을 타고)
>
> 納女而貧 三子皆麻 (딸을 바치면 가난하여 세 아들이 모두 길쌈을 하네)

또 다른 하나는 모본 23세 군관공(軍官公)조에 나오는데 당시 군관공이 신임 풍월주가 되고 그의 정처(正妻)인 천운(天雲)이 화주(花主)로 있었다. 그러나 이들 부부가 화랑의 행정을 맡은 지 4년이

32) 唐斗의 이야기는 따로 모본 10세 미생공조에 자세히 나와 있다.

되도록 바로 앞의 풍월주였던 양도공의 옛 정치를 한결같이 따르고 오로지 보량(寶良 : 양도공의 정처로서 그 당시 화주였음) 부부의 명을 받들어 주장을 삼았기 때문에 당시의 모든 정치가 보량에게서 나오는 것이나 마찬가지였고 현재 화주인 천운은 빈 그릇을 차고 있는 격이었다. 이에 불평하는 무리들이 노래를 지어 비방했으니 다음과 같다.

寶良門中人如雲　(보량의 문 안에는 사람들이 구름 같고)
天雲堂上白雲過　(천운의 집 위에는 흰 구름이 지나간다)

이 작품은 거리에서 어린아이들이 동요로 부른 것이 아니어서 전형적인 참요라 하기는 어려우나 노랫말에 정치성을 담고 있어 정치민요 혹은 민가(民歌)라 할 수 있으므로 넓은 의미의 참요라 할 수 있다.

현전하는 신라의 참요 자료라 해야『삼국사기』에 전하는 계림요(鷄林謠 : 신라의 멸망과 고려의 신흥을 예언)와『삼국유사』에 전하는 다라니요(陀羅尼謠 : 진성여왕대), 완산요(完山謠 : 후백제의 견훤 관련), 원효(元曉)의 노래(요석공주와 설총 관련)가 고작인데 여기에 두 수를 추가할 수 있다는 것, 그것도 화랑 관련 참요는 단 한 수도 없었는데[33] 이에 새로운 자료를 얻은 것은 그 자체로 가치가 크다 할 것이다. 화랑의 행정에 대한 부조리를 풍자하는 참요가 당시에 유행했으며, 그것이 일정한 정치적 기능을 했으리라는 점은 충분히 짐작이 간다.

필사본『화랑세기』의 발견으로 우리는 또 향가의 담당층에 대해

---

33) 다만 화랑관련 참요로『삼국유사』에 源花제도 폐지와 관련하여 남모랑이 교정랑에 의해 죽었음을 예언적으로 폭로한 노래가 있었음을 알 수 있으나 노랫말은 기록되지 않았다. 필사본『화랑세기』의 발췌본으로 미루어 모본에 이 사건에 관한 보다 자세한 기록과 함께 그 때 부른 참요도 기록되었을 가능성이 있으나 모본의 이 부분이 훼손되고 없어 알 수 없다.

보다 분명한 이해를 하게 되었음을 지적하지 않을 수 없다. 그동안 향가는 화랑문화권보다는 불교 혹은 무속문화권과 관련지어 이해하는 경우가 대부분이었다. 그러나 이 책에서 화랑에는 호국선(護國仙)과 운상인(雲上人)이라는 두 문파(門派)가 있었는데 이 중 운상인파가 향가를 잘하고 청유(淸遊)를 좋아했다고 서술하고 있어(7세 설화랑조) 향가 연구에 새로운 시각을 마련해준다. 즉 화랑 가운데 무사(武事)를 중시하는 문파보다는 신선지도(神仙之道)로서의 득도(得道)를 중시하는 문파가 향가의 중심 담당층이었음을 알 수 있는 것이다. 그리고 화랑의 행정에 원화로서 최고의 실권을 가지고 오랫동안 관여한 미실이 향가를 손수 창작하고 있는 것으로 보아도 화랑문화권과 향가는 긴밀한 관련이 있음을 확인할 수 있다. 그리고 여기에 더하여 23세 풍월주인 군관공의 부(父) 동란공(冬蘭公)이 음성서(音聲署)의 장(長)으로서 향가를 잘했다는 기록(군관공조의 世系부분 참조)은 우리에게 시사하는 바가 크다. 이는 음성서가 주로 궁중음악을 관장한 부서라는 점에 미루어 향가가 궁중음악과도 상당한 관련이 있음을 짐작케 하는 면이 있음을 의미한다.

그러고 보면 신라의 궁중음악 가운데 향가와 관련을 시사하는 작품명이 가끔 눈에 띄는 것도 이러한 면에서 이해가 가능하다. 예를 들면 『삼국사기』의 악지(樂志) 제사악(祭祀樂)조에 '徒領歌 眞興王時作'이라 한 것과 '思內奇物樂 原郎徒作也'라 한 기술에서 「도령가(徒領歌)」는 제목으로 보아 진흥왕대에 활약한 설원랑도(薛原郎徒 : 雲上人문파)의 작품이 궁중악으로 되었음을 알겠고, 「사내기물악」의 작자 원랑도(原郎徒) 역시 설원랑도(薛原郎徒)를 지칭하는 것으로 추정할 때 마찬가지 관계임을 알 수 있는 것이다. 이는 향가 가운데 특정 작품은 궁중음악으로 상승하는 경우도 있으며 궁중음악을 관장하는 부서의 우두머리는 향가를 잘하는 사람이 임명되기도 함을 알게 한다.

이 책은 또 『삼국유사』에 실린 일부 향가의 배경설화 및 그 향가가 지어진 현실적 상황을 구체적으로 이해하는데 있어서 새로운 지평을 열어주는 정보를 많이 갖고 있다. 몇 가지 예를 들어보자.

「모죽지랑가」의 경우 이미 노년에 든 죽지랑이 낭도를 거느리고 있는 것으로 나오고 화주라는 존재가 있어 화랑의 행정에 막강한 권력을 행사하는 것으로 서술되어 있어 『삼국유사』의 해당문맥만 가지고는 그 현실적 상황을 이해하기 어렵다. 그러나 이 책에 따르면 풍월주를 지낸 후 관직에 나가 요직을 거쳐 이미 늙은 경우도 상선(上仙)이라는 이름으로 화랑도 조직 곧 선문(仙門)에 그대로 남아 있어[34] 운상(雲上)에서 화랑의 행정에 관한 의론에 참여하는 것으로 되어 있고,[35] 낭도의 경우도 찰인(察忍)이라는 낭두(郎頭)는 나이 60이 넘어서도 대로두(大老頭)에 있어 나이를 제한하는 새 규범을 정하는 것으로 서술되어 있어 늙어서도 화랑에 소속되는 경우를 확인할 수 있다. 그리고 화주(花主)는 화랑 행정을 관장하는 우두머리인 풍월주의 정처(正妻)로서 앞서 대남보 이야기에서 소개한 보량 같이 낭정(郎政)을 주도한 사례가 확인된다.

다음, 경덕왕대에 「도솔가(兜率歌)」와 「제망매가」를 지었다는 월명사의 경우는 사천왕사(풍월도의 聖地인 神遊林에 세워진 호국사찰임)에 거주하는 승려로서 국선지도(國仙之徒)에 속하여 향가는 잘하나 성범(聲梵)에는 익숙하지 못하다고 한 말과, 피리를 잘불어 가는

34) 이를테면 모본 13세 용춘공조에 관직도 거치고 이미 늙어버린 문노(나이가 많이 들어서야 8세 풍월주가 됨)가 上仙으로서 화랑도 조직에 여전히 남아 있는 것으로 나오는 것 등을 참고할 수 있음.

35) 모본, 22세 양도공조 참조. 여기서 雲上이란 말이 주목되는데 향가를 잘한 雲上人파와 같은 용례로 보이며 神仙이 거하는 곳이란 의미를 가진, 仙道 곧 풍월도의 고유한 용어로 보인다. 玉寶高가 지리산 雲上院에 들어가 琴을 배웠다는 서술(『삼국사기』 권3 樂조)도 그런 면에서 선도들이 음악을 수련하는 곳으로 생각해 볼 수 있다.

달을 멈추게 할 정도였다고 한『삼국유사』의 기록을 이해하는 데 있어서도 이 책은 많은 시사를 준다. 즉 이 책에 의하면 천주사(天柱寺), 영흥사(永興寺), 사천왕사(四天王寺) 같은 사찰은 순수한 불교 사찰이 아니라 선도들과 깊은 관련이 있는 사찰로서 풍월주의 지위에서 물러나 이들 사찰에 들어가 지내게 되면 미륵선화라 지칭되기도 했다(7세 설원랑의 경우). 처음에 불(佛)과 선(仙)은 소원(疎遠)한 관계였지만 12세 풍월주 보리공(菩利公)은 풍월주에서 물러나 상선(上仙)이 되었으나 몸은 불문(佛門)에 드는가 하면, 14세 호림공(虎林公)대에 와서는 차츰 선과 불이 융화되었다고 하며 21세 선품공에 이르면 풍월주가 선도와 불도에 두루 통달하여 진상골품인(眞上骨品人)이란 칭호를 듣게 된다.

이처럼 후대로 내려올수록 선과 불은 융화되어 긴밀한 관계에 있어, 월명사가 선도였다가 사천왕사에 거주하는 승려로 되어 있다 하여 하등 이상할 것이 없음을 알 수 있다. 그리고 성범은 잘 알지 못하면서 향가를 잘하고 피리를 잘 부는 것은 그가 불교 승려로서보다는 선도로서의 직분에 충실했음을 말해준다. 향가를 잘하는 운상인 문파를 이끈 설원랑의 경우도 피리에 뛰어났다고 했으며, 16세 풍월주인 보종공은 선도에 득도한 인물인데 그가 피리를 불며 저자거리를 다니니 진선공자(眞仙公子)라 칭했다고 한다. 이로써 월명사가 국선지도로서 사천왕사에 거주하며 피리에 뛰어난 배경을 생생하게 이해할 수 있게 된다. 나아가 월명사가 선도에 기반한「도솔가」(여기서 행하는 산화의식은 불교의 그것이 아니라 풍월도의 미륵산화의식으로 보아야 함. 그 의식의 핵심에서 성범으로 하지 않고 향가로 했음을 유의할 것)와 불도에 기반한「제망매가」를 아울러 짓게 된 기반도 선·불의 융화라는 풍월도(선도)의 대(對)불교적 태도[36]에서 보면

36) 12세 보리공의 경우 아직 선도와 불도가 융화하기 전임에도 불심이 깊어 풍월주의 지위에서 물러나 上仙이 되었을 때 몸은 佛門에 들어 형인 원광

이해 가능하다.

또 「헌화가」의 경우 그 생성 배경을 이해하기 힘들었었는데[37] 이 책에 실린 미실의 「송랑가」를 통해 유추가 가능하게 되었다. 즉 견우노옹이 수로부인이라는 절세 미인에게 바치는 연가(戀歌)는 「송랑가」에서 보듯 화랑문화권에서 흔히 볼 수 있는 향가로 추정되기 때문이다. 이런 면에서 초월적 신격의 풍모를 보이는(사람이 할 수 없는 천길 벼랑 위의 꽃을 꺾는 등) 견우노옹은 국선지도(약칭하여 仙道) 곧 풍월도의 신격인 신선(神仙)을 의미하며 아름다움을 추구하는(원화나 화랑을 선발할 때도 미모를 중시하는) 선도(이 책에서는 神仙之道라 칭하기도 하며 중국의 그것과는 다른 神國 신라의 독자적이고 자주적인 道임을 강조하고 있음. 모본 20세 體(禮)元公조 참조)의 미의식이 노래와 설화로 형상화된 것임을 알게 한다. 남녀 사이의 이러한 연애 감정을 노래한 향가의 생성 기반은 화랑도의 축제와 의례가 거행되었던 남도(南桃)[38]라는 곳에서의 행사에서 찾을 수 있는데 이에 대하여는 다음 장에서 다루기로 한다.

그 밖에도 「처용가」에서 처용이 왕을 따라 서울로 올라가 급간직(신라 관등에서 제 9관등)을 받고 왕정을 보좌했다는 『삼국유사』의 기록

법사를 도왔다고 하며 그의 正妻인 萬龍도 僧이 되어 부부가 같은 날 成佛한 것으로 되어 있다(모본 보리공조 참조). 그리고 풍월주로서 仙과 佛의 융화를 적극 주도한 14세 호림공은 보리공에게 戒를 받는가 하면 풍월주에서 물러난 뒤에는 관직에 나아가지 않고 茂林居士로 자칭하고 더욱 崇佛했다고 한다.

37) 노옹과 수로부인의 정체 및 「헌화가」의 성격에 대해 여러 가지 설이 있으나 그 중 무속과 관련시키는 관점이 가장 많음.

38) 구체적으로 어디인지는 알 수 없으나 필사본 『화랑세기』에 의하면 正宮이 있고 성곽으로 둘러싸였으며 仙道의 의례와 축제가 열리는 곳으로 되어 있다. 그 명칭으로 보아 신라 초기부터 仙徒에 의해 신성한 의례가 행해지는 聖所였던 南山 혹은 仙桃山의 어떤 장소와 관계가 있는지 모르겠다.

과 이 책(모본)의 11세 하종공(夏宗公)조에서 하종공이 역시 같은 등위의 관등(급찬으로 되어 있으나 급간 및 급벌찬과 같음)을 받고 15세에 화랑에 들어갔다는 기록을 대비해 볼 때 화랑에 입문하는 것과 급찬이라는 관등이 어떤 관련이 있다는 생각을 할 수 있고, 나아가『삼국유사』에 처용을 처용랑이라 기호화 한 것으로 볼 때 처용의 신분이 종래의 일반적인 견해처럼 무당이 아니라 지방의 어떤 신분에서 서울로 들어와 급간직을 받으면서 화랑도 조직에 편입된 것이 아닐까 하는 추정도 해볼 수 있다. 그런 점에서「처용가」는 무속문화권의 노래가 아니라 화랑문화권의 노래일 개연성이 훨씬 높다고 할 수 있다.

4) 맺는 말—향가 연구의 전망

이상에서 살펴본 바와 같이 이제 우리는 필사본『화랑세기』의 출현으로 향가 연구에 새로운 전환점을 마련하게 되었다. 그것의 신빙성이 실증적으로 보다 확고하게 입증될 날이 하루 속히 올 것을 기대하면서 여기서는 현재의 여건아래서 이 책이 제공하는 새로운 정보를 토대로 하여 향가 연구에 있어서 앞으로 기여할 수 있는 가능성과 그 방향을 전망해 보기로 한다. 우선 이 책에 수록되어 있는 향찰로 된 향가는 비록 한 수에 불과하지만 종래에 알려진『삼국유사』의 향가와는 그 성격을 상당히 달리 하기 때문에 앞으로 향가 연구에 있어서 그 좌표와 방향을 설정해 나가는 데 있어서 획기적인 전환점을 마련해 줄 것으로 기대된다.

즉, 진흥왕대에 미실이 지었다는 8구체 향가의 출현으로 인하여『삼국유사』에 실린 향가 중 가장 연대가 앞선「혜성가」(진평왕대의 작품)보다도 더 먼저 지어진 현존 최고(最古)의 향가를 갖게 되었기 때문이다. 뿐 아니라 종래 향가의 형식을 4구체 중심의 민요격과 10구체 중심의 사뇌격의 이분법으로 이해하여 상대적으로 8구체의 존재를 무시해 오던 것을 이제 형식의 독자성을 뚜렷이 갖는 8구체 양식을 새로 발견함에 따라 8구체 향가 양식의 미적인 특성을 새로이 규명해나가야 할 것이다. 특히 그것이 마지막 의미부의 첫머리에 시상 전개의 전환을 꾀하면서 아울러 마무리를 짓기 위한 장치로서 차사(嗟辭)를 동반하면서도 민요적 표현방식을 중심 기조로 하고 있다는 점(「송랑가」에 한정된 형식적 특성이어서 8구체 중 戀歌의 일반적 형식이 될지는 미지수이지만)이 어떤 미적 특성을 갖는가가 10구체 사뇌가 양식의 미적 특징과 대비적으로 검토되어야 하리라 본다.

다음으로 이 책에서 향가의 중심담당층으로 새롭게 부각시키고 있는 운상인층을 중심으로 화랑문화권과 향가의 생성 및 향유에 있어서 언제 어떤 계기에 의해 긴밀한 관계에 놓이는지에 대한 본격적인 탐구가 있어야 하리라 본다. 그런 면에서 이 책에서 서술하고 있는 남도(南桃)의 축제 및 의례(儀禮)에 대한 연구가 좀더 깊이 있게 천착되어야 하리라 본다. 특히 그 의례가 저녁에 남도(南桃)의 정궁(正宮)이 있는 성중에서 임금(진흥왕)과 원화(미실)가 보는 앞에서 이루어지고(모본, 6세 세종공조), 풍월주가 주도하며(모본, 10세 미생공조), 낭도와 유화(遊花)가 짝을 맞춰 손을 잡고 밤새도록 춤추고 노래하는 가운데 성중의 미녀들이 가득 뛰쳐나오고 등불이 온 천지에 빛나고 환호성이 사해에 가득한 축제적 분위기를 이루는 가운데 행해지며(모본, 6세 세종공조), 풍월주의 아내가 어려 아직 화주(花主)로 취임하기에 미흡하면 남도지례(南桃之禮)를 행하여 일정한 성숙을 꾀하는 절차를 밟는(모본, 12세 보리공조) 등에서, 즉 이러한 축제와 의례에서 남녀 사이에 연가의 성격을 띠는 향가가 많이 불려졌을 것으로 추정되기 때문이다. 그런 점에서 이웃 일본의 『만엽집』에 가장 많은 양을 차지하는 연가(戀歌)와 대비하여 연구되어야 할 것이다.

그러므로 앞으로 향가 연구는 화랑문화권의 사상과 세계관, 그리고 그들의 삶과 의례와 축제에 좀더 긴밀한 관련을 가지고 연구되어야 하리라 생각된다. 종래에 우리는 『삼국유사』에 거의 전적으로 의존하여 향가의 성격과 장르적 본질을 상정해왔으므로 불교쪽으로 혹은 무속과 불교의 융합이라는 쪽으로 편중된 이해를 해왔음이 사실이다. 그러나 이 책의 발견으로 향가는 불교나 무속보다는 화랑의 풍월도의 여러 삶의 양태와 더 긴밀한 관계를 가지고 생성·전개되어 왔음을 감안한다면 기존의 향가 이해의 시각은 상당 부분 바로 잡아져야 하리라 전망된다. 현시점에서 향가 이해의 온당한 시각으로의 전환을 필사본 『화랑세기』가 온통 떠맡고 있다는 점에서 이 책의 가치와 의의는 아무리 강조해도 지나치지 않을 것이다.

2. 『화랑세기』 所載 향가와 풍월도적 패러다임

1) 머리말—『화랑세기』 어떻게 다룰 것인가?

그동안 일서(逸書)로만 알려졌던 김대문(金大問)의 『화랑세기(花郞世紀)』가 필사본의 형태로 발견되어 학계에 충격을 던져준지도 여러 해가 되었다.[39] 지금으로부터 약 1300년 전에 지어진 책이니, 그 내용은 고사하고 그 책이 발견되었다는 사실 하나만으로도 세간의 이목을 집중시키기에 충분한 사건이었다. 그러나 이 책은 발견된 이후 지금까지 진위(眞僞) 논쟁에 휩싸여 학계의 조명을 제대로 받지 못하고 있다.[40] 이제는 책의 진위를 가리는 일이 소모적인 논쟁에 흐르고 있다는 느낌마저 주고 있다. 기왕의 진위 논쟁이 보여 준 주요 국면은 필사본 『화랑세기』가 원본의 모습을 '완벽'하게 지녀야 한다는 지나친 기대 때문에 제기된 문제들이라 생각된다. 필사본은 어떤 자료이건 전사(轉寫) 과정상 사소한 '오류'를 내포할 수 있는 개연성이 있다. 다만 이러한 자료를 검토할 때 주의를 요하는 점은 그 오류의 허용치에 놓인다.

그러나 문제는 현재로서는 책의 진위를 가릴 만한 역사적 사실 고증에서의 결정적인 결함이 발견되지 않는다는 데 있다. 그렇다면 이제 『화랑세기』는 연구자의 학문적 입장과 시각의 편차에 따라 전개되는 진위 논란을 지양하고, 『화랑세기』 자체의 개별적 기호들이 신라

39) 『화랑세기』는 1989년 2월~3월 사이 「서울신문」에 발췌본이 공개되면서 처음 알려졌고, 1995년에는 母本의 존재가 알려졌다. 현재 이종욱에 의한 역주본(이종욱 역주해, 『화랑세기』, 소나무, 1999)이 나와 있어 편의를 제공받을 수 있다.

40) 이러한 사정은 이종욱, 「『화랑세기연구』 서설—사서로서의 신빙성 확인을 중심으로」(『역사학보』, 146집, 1995)와 拙稿, 「필사본 『화랑세기』와 향가의 새로운 이해」(『한국 고시가의 거시적 탐구』, 집문당, 1997)를 참고할 것.

시대 역사·문화적 담론의 장(場) 안에서 어떠한 의미와 위상을 갖는 것인지, 혹 어떠한 점이 사회·문화적 사실에 위반되는지 등에 관한 보다 세밀한 검토와 논의가 요청된다 하겠다. 이러한 작업의 신뢰도를 튼실하게 하기 위해서는 『화랑세기』의 담론을 『삼국사기(三國史記)』와 『삼국유사(三國遺事)』의 화랑관련 기호가 갖는 담론적 의미와 연관해서 추적해내는 일이 선행되어야 할 것이다. 본고는 이러한 점에 역점을 두어 『화랑세기』 소재 향가의 의미를 파악해 보고자 한다.

2) 화랑도에 관한 『삼국사기』의 두 略號

『삼국사기』 신라본기, 진흥왕 37년조 화랑 관련 기사에는 주목해야 할 두 가지 약호가 들어 있다.

> 그 후(源花 폐지 이후) 다시 외양이 아름다운 남자를 뽑아 곱게 단장하여 이름을 花郎이라 하고 받들게 하니 徒衆이 구름처럼 모여들었다. 혹은 서로 道義를 닦고, 혹은 서로 歌樂으로써 기뻐하며 따랐다. 山水에 즐거이 노닐어 멀리 가보지 아니한 곳이 없었다.[41]

흔히 화랑도의 세 가지 수행 방법으로 지목되던 '道義相磨, 歌樂相悅, 遊娛山水'에 관한 내용이다. 그런데 원문을 주의해 살펴보면 이 세 항목은 대등한 병렬 항목으로 제시되어 있지 않음을 알 수 있다. '혹(或)' 자(字)에 주목하면 '도의상마'와 '가악상열'은 대등한 병렬 항목이지만, '유오산수'는 '무원부지'와 연결된 관계 서술절(종속절)이란 사실을 알 수 있다. 따라서 화랑도의 수행에 관련된 항목은 '도의상마'와 '가악상열'을 가리키며, 그 두 가지 수행방법을 '유오산수'를 통해 수행했던 것이라 해석할 수 있겠다. 『삼국사기』는 화랑도에

41) 『삼국사기』 권4, 신라본기 4, 진흥왕 37년. "其後, 更取美貌男子, 粧飾之, 名花郎以奉之, 徒衆雲集. 或相磨以道義, 或相悅以歌樂. 遊娛山水, 無遠不至."

관련된 두 가지 약호, 즉 '도의상마'와 '가악상열'을 통해 신라 화랑들이 수행했던 풍월도(風月道)의 실상을 조망하도록 해준다.

(1) 풍월도의 '도의상마'가 갖는 의미

『삼국사기』 열전(列傳)에 실려 전하는 '검군(劍君) 이야기'는 풍월도의 도의(道義)가 무엇을 의미하는가를 생각하게 하는 자못 흥미로운 내용이 들어있다.[42]

진평왕 49년(627년)에 흉년이 들어 이듬해 봄과 여름에 크게 기근이 드니 백성들이 자식을 팔아 먹고사는 형편이었다고 한다. 검군은 대사(大舍) 구문(仇文)의 아들로 사량궁(沙梁宮) 사인(舍人), 즉 궁중 관원이었는데, 이 때 궁중의 여러 사인들이 공모하여 창예창(唱翳倉)에 저장해둔 곡식(貯穀)을 훔쳐 나누었으나 검군만 홀로 받지 않았다. 여러 사인들이 "여러 사람이 다 받는데 그대만 거절하니 무슨 까닭인가? 만일 적다고 해서 그런다면 더 주겠다"고 하였다. 검군이 웃으며 "내가 근랑(近郞)의 문도(門徒)에 이름을 두고 풍월도의 마당(風月之庭)에서 수행하는데, 진실로 그 의(義)가 아니면 비록 천금의 이(利)라도 마음을 움직이지 않는다"고 하였다. 근랑은 이찬(伊湌) 대일(大日)의 아들로 화랑이었다. 검군이 근랑의 문(門)에 이르렀는데, 사인들이 비밀히 의논하기를 이 사람을 죽이지 않으면 반드시 말이 샐 것이라고 하고 드디어 그를 불러오게 하였다. 검군은 그들이 자기를 살해할 것을 알고, 근랑에게 작별하여 말하기를 "오늘 이후로는 다시 서로 만나지 못할 것입니다"하니 근랑이 그 이유를 물었지만 검군은 말하지 않았다. 그러다가 재삼 물으므로 그제서야 대략 그 사유를 말하였다. 근랑이 "어찌하여 관사(官司)에 말하지 않는가?"하니, 검군은 "자기가 죽을 것을 두려워하여 여러 사람으로 하여금 죄를 짓게 하는 것은 인정상 차마 할 수 없는 일입니다"하였다. "그렇다면 어찌 도망

42) 『삼국사기』 권48, 열전 8, 검군.

가지 않는가?" 하니 "저편이 잘못이요 나는 정직한데 도망하는 것은 장부가 아닙니다" 하고 드디어 그들의 부름에 나아갔다. 여러 사인들이 술을 내어 사죄하는 척하면서 비밀히 약을 섞어 먹였다. 검군이 이를 알면서도 강잉(强仍)하여 먹고 그만 죽었다고 기록했다. 그러면서 군자의 말에, '검군은 죽지 않을 데 죽었으니 태산(泰山)을 홍모(鴻毛)보다도 가벼이 하였다' 라고 하였다고 하면서 이야기를 맺고 있다.

오늘의 시선으로 바라보면 참 딱하기도 하고 융통성이 지지리도 없다 하겠으나, 이야기가 품고 있는 뜻을 헤아리면 숙연해지지 않을 수 없다. 목숨을 깃털보다 가벼이 여겼던 검군의 신념과 도의는 검군 개인의 문제에 국한되지 않는다. 의(義)가 아닌 일에는 굴하지 않았다는 실혜(實兮), "충신(忠臣) · 의사(義士)는 죽어도 굴하지 않는다"고 외치며 사지(四肢)와 온몸이 화살에 뚫려 피가 발뒤꿈치까지 흘러내려 이내 넘어져 죽었다는 필부(匹夫), "아버지가 나를 죽죽(竹竹)이라 이름지어 준 것은 나로 하여금 세한(歲寒)에도 퇴색하지 않고, 꺾어도 굴하지 않게 함이다"라고 하며, 항복을 거부하고 성(城)의 함락과 함께 전사한 죽죽, 그리고 태종무열왕이 눈물을 흘리며 "취도(驟徒)는 죽을 곳을 알고 형제들의 마음을 격동하였고, 부과(夫果)와 핍실(逼實) 역시 의에 용감하여 그 몸을 돌보지 않았으니 장한 일이다"라고 찬탄했던 부과, 취도, 핍실 3형제, 전장에서 살아 돌아온 원술랑(元述郎)에 대해 김유신이 베어 죽이기를 청하는 이야기, 또 사다함과 관창, 그리고 김흠운 등, 『삼국사기』 열전에 기록된 많은 인물들의 대부분이 그러하다. 물론 이러한 기록들은 김부식의 역사 편찬의식에 의해 특별한 조명을 받았을 가능성이 농후하다. 이러한 면을 감안하더라도 이들 자료를 통해 감지할 수 있는 특징은 이러한 인물들의 '도의(道義)에 대한 신념의 표상이 매우 높다'는 점이다. 특히 검군의 예는 그것이 삼국통일의 대업을 수행하는 과정에서 필연적으로 나올 수 있는 영웅적 인물 형상이 아니라는 점에서 주목된다.

목숨을 깃털보다 가벼이 여긴 검군의 '도의'는 그의 말에서 확인되는 바, 자신이 '풍월도의 마당(風月之庭)'에서 수행하는 화랑의 무리이기에 가질 수 있었던 신념이었다고 보아 무방할 것이다.

이처럼 『삼국사기』의 화랑 관련 기록들에서 그들의 약호, 즉 '도의상마'하였다는 드높은 '도의에 대한 신념의 표상'을 읽는 것은 그리 어렵지 않다. 그러나 다른 한 축, 즉 '가악상열'에 해당하는 기록을 『삼국사기』 내에서 찾는다는 것은 거의 불가능해 보인다. 물론 「실혜가」의 존재라든가 「해론가」나 「양산가」, 그리고 「사내악」, 「덕사뇌」, 「사내기물악」 등에 관련된 기록 등은 『삼국사기』의 악지를 비롯한 이곳저곳에서 발견할 수 있다. 그러나 이들은 모두 노랫말을 상실한 실전가요(失傳歌謠)에 해당하고, 관련 기사도 거의 없이 곡명이나 가명(歌名)만 수록되어 있을 뿐이다. 그러한 이유는 무엇일까? 이 문제는 신라시대의 가악(歌樂)에 관계된 설화와 향가를 다소간 실어 놓은 『삼국유사』와의 비교를 통해볼 때 이해가 가능하다.

주지하다시피 『삼국유사』에 주로 수록된 향가(鄕歌)는 예외 없이 관련 설화와 문맥적으로 공고히 결합된 채 제시되어 있어 설화와 향가의 해석은 독립적으로 이루어질 수 없고 그 둘을 유기적으로 이해하고 분석해야 온당한 해석을 도출할 수 있다. 그런데 『삼국유사』의 편자 일연(一然)이 '신라 사람들이 향가를 숭상한 지는 오래되었으니, 대개 시송(詩頌)과 같은 유(類)라 할 것이다. 왕왕 천지귀신을 감동시킨 일이 한둘이 아니다.'[43]라고 언급하였듯이 대개의 향가는 신이(神異)한 현상을 동반하였다는 기술물(記述物)[44]을 함께 갖고 있다. '월명사(月明師) 도솔가(兜率歌)'조만 보더라도 경덕왕 때에 두 개의 태양이 나타나 월명사(月明師)로 하여금 「도솔가」를 지어

---

43) 『삼국유사』 권5, 감통, 월명사 도솔가.

44) 배경설화 혹은 관련 서사문맥이라는 용어에 해당하는 林基中의 용어를 채택한 것임(임기중, 『신라가요와 기술물의 연구』, 이우출판사, 1989 참조).

부르게 하니 해의 변괴가 사라졌다거나, 월명사가 죽은 누이를 위해 재(齋)를 올리고 향가를 지어 제사(祭祀)하니 홀연히 광풍에 지전(紙錢)이 날려 서쪽을 향해 떠갔다거나, 월명이 젓대(笛)를 잘 불어 달 밝은 밤 젓대를 불며 사천왕사(四天王寺) 문 앞 큰길을 지나니 달이 가기를 멈추었다고 한 것 등의 신이한 현상을 기술하고 있다. 이러한 신이한 현상에 대한 기술을 김부식은 극히 꺼렸던 것으로 판단된다. 김부식은 철저한 유가적(儒家的) 패러다임의 소유자였다. 대개 유가에서는 '괴력난신(怪力亂神)'에 관한 언급은 일종의 금기사항으로 인식한다. 김부식을 비롯한 『삼국사기』의 편자들이 이와 같은 신이한 현상에 대한 기술을 꺼려했다는 점은 『삼국사기』 편찬에 소용되었던 이전 사료들의 취사 방식을 살펴보면 금새 드러난다.

김장청(金長淸)이란 인물에 주목해보면 김부식의 역사 편찬의식에 관한 매우 흥미로운 사실을 발견할 수 있다.[45] 김장청은 김유신(金庾信)의 현손(玄孫)으로 신라의 집사랑(執事郞)을 지냈다. 집사랑은 미미한 관직이다. 삼국통일의 대업이라는 혁혁한 공을 세우고 또 신라 왕실의 가까운 인척이었던 김유신의 가계(家系)는 그의 후손이라는 사실만으로도 신라 왕실에서 존귀한 대접을 받았던 것으로 나타난다. 김유신의 손자 김윤중(金允中)이 성덕왕의 총애를 입고 집사부의 중시직(中侍職)에 임명되어 정치의 핵심부에 있었던 사실이 그것을 말해준다. 그러나 김유신의 가계(家系)도 세월의 흐름에 따라 몰락했던 것으로 보인다. 즉 혜공왕 6년(770년)에 일어난 김융(金融)의 난(亂)이 그 계기였던 것으로 판단된다. 『삼국사기』에는 이 난에 김유신의 후손이 가담했다는 혐의로 사형을 받은 것으로 기록되어 있는데 김융을 가리킨 것으로 보인다. 김장청은 이 시기 이후의 인물로 생각된다. 김장청은 김유신의 『행록』 10권을 지은 인물인데, 『삼국

---

45) 김장청에 대해서는 이기백, 「김대문과 김장청」, 『한국사시민강좌』 1, 일조각, 1987 참조.

사기』 열전, 김유신 조에 간략히 언급되어 있다.

> 庾信의 玄孫으로 신라의 執事郞인 長淸이 (유신의) 『行錄』, 10권을 지어 세상에 전해오나, (거기에는) 대단히 지어낸 이야기가 많으므로 이를 깎아 버리고 기록할 만한 것만을 취하여 傳을 짓는다.[46]

이로 보면 『삼국사기』의 열전, 김유신전은 그 원 사료가 김장청의 『(김유신)행록』이었음을 알 수 있다. 『삼국사기』의 편자들이 '양사(釀辭 : 지어낸 이야기)'가 많아 그런 부분을 제거하고 기록할 만한 것만을 취하였다고 했는데도 『삼국사기』의 '김유신 전'에는 신비스러운 이야기가 더러 남아 있다. 그렇다면 김장청이 지었다는 『행록』의 실제 모습은 어떠하였을까. 그 모습은 『삼국유사』 기이편(紀異篇) 김유신조에 실려있지만, 『삼국사기』 열전 김유신전에는 없는 이야기, 가령 고구려 첩자에게 유인되어 가던 김유신을 삼산(三山)의 신녀(神女)들이 구해준 이야기 등에서 찾아볼 수 있을 것이다. 이러한 내용이 김장청의 『행록』에 실려 있었을 것이라 생각된다. 또 『삼국사기』 열전, 김유신전에 '혜공왕 15년 여름 4월에 회오리바람이 일어 유신의 묘소에서 시조대왕(味鄒王)의 능에까지 이르렀고, 능 속에서 울고 슬퍼하며 탄식하는 듯한 소리가 났다'라고 약술된 내용은 『삼국유사』 기이편 '미추왕 · 죽엽군'조에는 김유신의 혼백이 한 말, 즉 갑술년(甲戌年 : 혜공왕 6년)에 자기 후손(김융을 가리킴)이 억울하게 죄 없이 죽음을 당하였다는 호소까지 자세히 기록되어 있음을 보게 된다. 『삼국사기』의 김유신전이 김장청의 『행록』을 참조하여 버릴 것은 제거하고 기록할만한 것만 취하여 전(傳)을 짓는다고 하였으므로, 『삼국유사』의 이 기록은 바로 김장청의 『행록』에 들어있었던 것으로 판단된다.[47] 이로써 『삼국사기』의 기술(記述)에는 바탕 사료

---

46) 『삼국사기』 권43, 열전 3, 김유신 하.

(史料)에 대한 엄밀한 산거(刪去)의 기준이 있었음을 알 수 있고, 또 그 산거의 기준이 주로 '신이한 현상'에 관계된 기술들이었음도 분명하게 알 수 있다.

(2) 풍월도의 '가악상열'이 갖는 의미

『삼국사기』는 화랑도에 관련된 두 약호, 즉 '도의상마'와 '가악상열'을 기술했지만, '가악상열'에 해당하는 정보는 좀처럼 드러나지 않는다. 『삼국사기』 잡지, 악(樂)조에 무수히 열거된 「회악」, 「신열악」, 「지아악」, 「사내악」 등등은 참고사항 정도가 될 것이다. 좀더 궁리해 볼 경우 '악기의 수와 가무(歌舞)의 모습은 전하지 않는다', 또는 '그 상세한 것은 알 수 없다'는 편찬 당시의 애로 사항만 접할 뿐이다.[48]

반면 『삼국유사』는 화랑들의 '가악상열'에 대한 정보를 어느 정도 탐색할 수 있게 해 준다. 그런데 『삼국유사』에서도 문면 그대로 보면, 화랑이 직접 지은 노래라고는 죽지랑(竹旨郎)의 낭도인 득오(得烏)가 지었다는 「모죽지랑가」 한 편을 보여줄 뿐이다. 물론 화랑이 지었다는 노래는 이것 말고도 또 있다. 가령 경문왕 때, 국선(國仙) 요원랑, 예흔랑, 계원, 숙종랑 등이 금란(金蘭 : 지금의 통천)을 유람했을 때, 임금을 위하고 나라를 다스리는 뜻(爲君主理邦國)이 담긴 세 노래를 지어 대구화상(大矩和尙 : 각간 위홍과 함께 『삼대목』을 편찬했다는 인물)에게 보내 곡(曲)을 붙이게 했다는 「현금포곡」, 「대도곡」, 「문군곡」 등이 그것이다.[49] 이것은 노래(歌)와 곡(曲)이 별도로 지어질 수도 있었음을 알려주면서, 화랑들이 산수(山水)에 유오(遊娛)하면서 가악상열(歌樂相悅)했음을 명징하게 보여주는 자료

---

47) 이와 같은 방법에 의해 鄕人들의 입전 방식과 『삼국사기』 열전의 입전 방식 사이의 상관관계 및 차별성도 밝혀질 수 있을 것이다.

48) 『삼국사기』 권32, 지 1, 악.

49) 『삼국유사』 권2, 기이 2, 사십팔경문대왕.

이기도 하다. 경문왕 역시 잠저시(潛邸時)에 국선(國仙)으로 국내를 주유(周遊)했다고 하며, 또 궁달지변(窮達之變)을 알았다는 원성왕은 '12줄의 거문고' 꿈을 꾸고, 북천신(北川神)에 제사지내 왕이 되었다고 하는데, 「신공사뇌가」를 지었다고 전한다. 그러나 「신공사뇌가」는 물론, 세 화랑들의 삼가(三歌) 역시 전해지지 않는다.

작자를 화랑, 또는 낭도라고 명시한 노래뿐만 아니라, 좀더 범위를 넓혀 화랑과 관련된 노래까지 참조할 때, 몇몇 중요한 국면을 발견하게 된다. 화랑과 관련된 노래는 여럿 된다. 가령, 월명사는 스스로 '국선의 무리(國仙之道)'에 속한다고 했으니, 「도솔가」, 「제망매가」가 우선 여기에 들것이요, 충담사(忠談師)는 '기파랑'이란 화랑을 찬미하는 노래를 지었으니, 그가 지은 「찬기파랑가」, 「안민가」가 관련될 것이고, 또 세 화랑의 풍악(금강산) 유오(遊娛)에 함께 한 융천사(融天師)가 지었다는 「혜성가」가 포함될 것이다. 혹 「처용가」를 부른 처용이 '처용랑(處容郎)'으로 기록되어 있으니 이 노래까지 포함될 수 있겠다. 노래는 전해지지 않지만 『삼국사기』 잡지, 악조의 원랑도(原郎徒)가 지었다는 「사내기물악」도 관련지어 볼 수 있다. 이 가운데 화랑들의 '가악상열'이 '유오산수'를 통해 실현되는 구체적 모습을 살필 수 있는 자료로는 융천사가 지었다는 「혜성가」를 들 수 있다.

> 진평왕 때, 제오 居烈郎, 제육 實處郎, 제칠 寶同郎 등 세 화랑의 무리가 楓岳에 놀려고 하였을 때, 彗星이 心大星을 犯하였다. 낭도들이 의아해 하여 여행을 중지하려고 하였다. 이 때에 융천사가 향가를 지어 부르자 怪星이 곧 없어지고 日本兵도 물러가서 도리어 경사가 되었다.[50)]

경문왕 때의 국선(國仙) 요원랑, 예흔랑, 계원, 숙종랑 등은 금란(金蘭)에 노닐었다고 했으니 통천의 금란굴(金蘭窟)과 총석정(叢石

50) 『삼국유사』 권5, 감통, 융천사 혜성가 진평왕대.

亭)에 노닐 때 삼가(三歌)를 지었을 것이고, 거열랑, 실처랑, 보동랑 등 화랑의 무리는 풍악(금강산)에 노닐 때, 「혜성가」로 변괴를 물리쳤다고 한다. '유오산수'하면서 '가악상열'하였다는 화랑들의 풍류도는 이와 같은 모습으로 수행되었다. 『삼국유사』는 진흥왕이 불사(佛事)를 널리 일으켰다고 전하면서, 한편으로는 원화(源花)를 폐지하고 화랑을 창설한 동기에 대해 "그 후 여러 해 동안 왕이 또한 생각하되 나라를 흥하게 하려면 반드시 풍월도를 먼저 일으켜야 한다(欲興邦國 須先風月道) 하고 영(令)을 내려 양가(良家)의 덕행 있는 남자를 뽑아 화랑이라고 고쳤다"[51]고 기록했다. 이로써 보면, 풍월도(風月道)는 '흥방국(興邦國)'의 이념을 담보하고 있었으며, 그 도(道)가 화랑 창설 이전 원화 제도에서도 수행되고 있었음을 알 수 있다. 요원랑 무리의 삼가(三歌)가 '위군주(爲君主) 이방국(理邦國)'의 뜻을 지녔다고 한 것에서는 물론이거니와, 또 일본병의 내침에 대응하는 거열랑 무리의 「혜성가」에서 호국적 이데올로기를 읽는 것은 그리 어렵지 않다.

이 지점에서 호기심을 자극하는 것은 화랑 관련 향가를 남긴 '월명사, 충담사, 융천사' 등의 존재이다. 이들이 향가 가운데 가장 세련된 10구체 사뇌가를 생산해낸 중심 담당층인 까닭이다. 그들이 모두 '사(師)'라는 접미사를 지니고 있음으로 해서 이들은 흔히 승려일 것으로 추정되고 대개 향가는 불교적인 관점에서 이해되고 조명되어왔다. 그러나 이들 속성의 특이성으로 인해 이들을 '낭도승(郎徒僧) 혹은 낭승(郎僧)'이라고 하고, 화랑집단에 소속한 지도급 '승려'라 보는 견해가 있어 좀더 설득력이 있어 보인다. 그런데도 월명사가 "승(僧)은 단지 국선지도(國仙之徒)여서 향가를 알뿐이오, 범성(梵聲)은 잘 알지 못합니다"라고 하여 자신의 소속을 분명히 밝히는 것이라든지,

---

51) 『삼국유사』 권3, 흥법, 미륵선화 미시랑 진자사.

"사(師)의 기파랑을 찬미한 사뇌가가 그 뜻이 매우 높다는데 그러하냐?"는 경덕왕의 질문에 "그렇습니다"라고 답하는 충담사의 단호함 등에서는 무언가 석연치 않은 의문점이 남는다. 화랑 집단과 관련된 이들 '사(師), 혹 승(僧)'의 존재는 그 정체성이 매우 모호하다. 이들의 정체는 순전히 불교의 '대덕(大德), 대사(大師)'로 칭해지는 승려일 뿐인가? 이는 풍월도와 불교의 이데올로기적 경쟁과 습합에 관련된 문제이며, 매우 복잡하게 얽혀 있는 신라 당대의 문화적 기호를 해명해야 그 실상이 온전히 파악될 것이다. 그 해명의 실마리는 『삼국유사』, '미륵선화 미시랑 진자사'조(條)가 갖고 있지 않은가 한다. 그 대요(大要)는 다음과 같다.

> 25대 진지왕 대에 흥륜사의 僧 진자는 매일 법당 미륵상 앞에 나아가 서원하기를 "대성(미륵)께서 화랑으로 化作하여 現出於世하기를 원합니다"라고 하였는데, 어느 날 꿈에 한 僧이 나타나 웅주 水原寺에 가면 彌勒仙花를 만나 볼 것이라 했다. 10일 거리를 一步 一禮로 수원사에 도착해 문밖에서 京師人이라는 一郞이 맞아주었으나, 알아보지 못하였다. 그 절 스님이 千山으로 가보라고 하여 천산 아래에 이르니 山靈이 노인으로 나타나 "전일 수원사에서 이미 미륵선화를 만났는데, 또 어딜 와서 무엇을 찾는가?" 하니 진자가 크게 놀라 흥륜사로 달려왔다. 진지왕이 이 말을 듣고 "낭이 자칭 경사인이라 했으니, 城中에서 찾아 보라"고 했다. 진자가 徒衆을 모아 성중을 찾아다니다가, 영묘사 동북 路傍樹 아래에서 노는 小郞子를 발견하고 놀라 "이가 미륵선화이다"라고 했다. 그 소랑의 이름이 미시였는데 가마에 태워 데려가 왕에게 보이니 왕은 미시랑을 경애하여 國仙으로 받들었다.[52]

미륵(彌勒)은 일찍이 석가불의 제자로, 사후에 생천(生天)하여 현재 도솔천에 머물면서 그곳 모든 천중(天衆)을 위하여 설법 교화하

52) 『삼국유사』 권3, 흥법, 미륵선화 미시랑 진자사.

고 있는 보살인데, 미래 전륜성왕(轉輪聖王)이 출현하여 세상을 다스리게 되면, 미륵 보살이 도솔천으로부터 이 지상에 하생(下生)하여, 용화수(龍華樹) 아래에서 성불(成佛)하고 석가불 때 제도 못한 중생을 모두 제도한다는 미래불이다. 진지왕의 이름이 금륜(金輪 : 전륜성왕의 하나)이었던 점으로 미루어, 신라에 불교가 전파되던 초기에 왕실과 깊은 관련을 갖고 있던 '미륵신앙'에 관련되어 파생된 설화라고 생각된다.[53] 그런데 미륵신앙의 미륵이 먼 미래에 하생하는 부처임에 반해, 이 설화 문맥은 그 미륵을 현재(현실)의 화랑으로 관념하는 뚜렷한 차별성을 보여준다. '화랑 혹 국선'을 '미륵선화(彌勒仙花)'로 호칭하는 것이다. 이것 말고도 미륵이 화하여 화랑이 되었다는 것으로서는 또 죽지랑의 예가 있고, 김유신의 도(徒)가 용화향도(龍華香徒)라고 불렸다는 것도 같은 예에 든다. 이러한 언표들에

53) 전륜성왕과 관련된 '金輪' 및 '銅輪太子'에 대한 기록은 『화랑세기』의 신빙성을 더해주는 자료이기도 하다. 신라 왕실이 불국토의 실현을 실제로 꿈꾸었다는 것은 주지의 사실이고, 왕이나 왕족의 이름을 통해서 그것이 확인된다. 동륜태자의 아들 眞平王은 釋迦의 아버지인 白淨과 그 이름이 같고, 妃는 역시 석가의 어머니 摩耶夫人과 같다. 진평왕의 두 형제의 이름 또한 伯飯과 國飯으로 석가의 숙부 이름 그대로이다. 진평왕과 마야부인 사이에서 태어난 아들이 있었다면 그는 분명 석가에 해당되었을 것이다. 짓궂게도 진평왕에게는 아들이 없었고, 딸 德曼이 善德女王에 오르고 있다. 이보다 앞서 동륜태자는 네 전륜성왕의 이름(금륜, 은륜, 동륜, 철륜)에서 따온 것인데, 『삼국사기』에는 진흥왕 27년 동륜을 왕태자로 삼았다는 것과 33년 3월에 동륜태자가 죽었다는 기록(진지왕조엔 早卒로만 기록)밖에 없다. 진흥왕 다음에 진지왕이 왕위에 오르는데, 그가 금륜이다. 상식적으로 금륜이 장자일 것인데, 왜 동륜이 태자였는가 하는 의문이 떠나질 않았는데, 『화랑세기』가 그것을 풀어주었다. 또한 『삼국사기』에는 진지왕의 폐위에 대한 언급이 전혀 없고, 『삼국유사』의 권1, 기이, 도화녀 비형랑 조에 '御國四年, 政亂荒淫, 國人廢之'라고만 되어 있어 역사학계에서도 진지왕의 폐위는 매우 조심스럽게 논의된다. 그런데 『화랑세기』에는 그 폐위 과정이 매우 상세히 설명되어 있다.

서 읽히는 신라적 패러다임은 그것이 '불교의 풍월도 수용'이라기보다는 '풍월도의 미륵신앙 수용'이 아니었는가 하는 생각이 들게 한다.[54)]

화랑과 이들 낭승의 관계는 위에 든 예뿐만 아니라, 국선 호세랑(好世郎)과 신승(神僧) 혜숙(惠宿), 화랑 김흠운(金歆運)과 승 전밀(轉密), 국선 부례랑(夫禮郎)과 안상사(安常師), 후에 경문왕이 된 국선 김응렴(金膺廉)과 낭도의 상수(上首)라 한 범교사(範教師) 등이 있어, 화랑집단에 이러한 '낭도의 상수'가 있었다는 점만은 사실로 판명된다.[55)] 이 가운데 호세랑과 혜숙의 관련 기사만 보면 다음과 같다.

> 진평왕 때의 神僧 혜숙은 국선 호세랑의 낭도였는데, 호세랑이 黃卷(화랑의 명부)에서 이름을 지우자 師 또한 積善村에 은거하였다.[56)]

혜숙은 이후의 해당 기사에서 기이한 행적을 보이는 신승(神僧)으로 기술되지만, 위 기록은 그가 호세랑의 낭도였고, 호세랑이 국선의 자리에서 물러났을 때 함께 낭도의 위치를 떠나고 있음을 알려준다. 이는 이들 '사(師), 승(僧)'이 화랑 집단에 소속되어 있을 때만큼은 최소한 불교 교단에 종속된 인물이 아니었다는 점을 말한 것이라 여겨진다. 여기서 월명사가 "승은 단지 국선지도(國仙之徒)여서 향가(鄕歌)를 알뿐이오, 범성(梵聲)은 잘 알지 못합니다"라고 자신의 소

---

54) 이에 대해서는 拙稿, 「향가 장르의 본질」, 『한국 고시가의 거시적 탐구』에서 상세히 다룬 바 있다.

55) 이들 낭승의 성격에 대해서는 김태영, 「미륵선화고」 및 「승려낭도고」(『신라불교연구』, 민족문화사, 1987)를 참조. 필자는 이들 낭승의 성격이 단순히 화랑+불승이라는 습합 관계에 놓여 있다고 보기보다는 이들이 화랑도로서 풍월도적 패러다임에 강하게 견인되어 있다고 보아 김태영과는 의견을 다소 달리한다(졸고, 「화랑관련 향가의 의의와 기능」, 『한국 고시가의 거시적 탐구』 참조).

56) 『삼국유사』 권4, 의해, 이혜동진.

속을 분명히 한 의미가 이해될 듯 하다. 이들의 세계관은 불교적 패러다임에 지배되지 않은 것이 분명해 보이며, 오히려 풍월도적 패러다임에 강하게 견인되어 있었다고 판단된다.

여기서 한 걸음 더 나아가면, 이 '사(師), 승(僧)'의 접미사는 당대 한자표기 방법에 제약을 받은 언표가 아닐까 하는 추정을 할 수 있다. 이 시기는 향찰 표기법을 정리하였다는 설총이 아직 등장하지도 않은 때이고, 거칠부(居柒夫)를 황종(荒宗)으로 표기하던 시점이었음을 떠올리면 이해가 좀더 쉬울지 모르겠다. 혹 단군 신화의 언표, 우사(雨師)・운사(雲師)에 쓰인 '사(師)'의 용례처럼 '집단의 상수(上首)'를 지칭하는 데에 '사(師)나 승(僧)'이 보통명사로 사용되지 않았을까 하는 점이다. 범교사의 경우에서도 그 '사(師)'는 '낭도의 상수(上首)'로 읽혀진다. 더욱이 '융천사, 월명사, 충담사' 등의 이름은 그들의 일화와 밀접한 관련을 맺는 이름들이어서 이런 생각을 뒷받침한다.[57] 예를 들자면, '융천사(融天師)'라는 이름에는 그가 혜성이 심대성을 범한 하늘의 변괴를 물리쳤다는 일화와 관련이 있는 작명원리가 따른다. 이처럼 향가의 중심 담당층인 화랑 및 국선지도에 속하는 '사, 승'의 성격으로 미루어 볼 때, 향가는 그 미의식의 근저가 화랑집단의 풍월도적 패러다임에 놓이게 됨을 알 수 있다. 물론 이 문제는 이들의 활동시기가 불교 수용과정에 놓이고 있어 그렇게 단순치는 않을 것이다. 신라의 전통적 사유체계인 풍월도적 패러다임과 점차 그러한 사유기반을 새롭게 재편하려는 불교적 패러다임이 경쟁하면서 서로 뒤섞이기도 하고, 또 교체되기도 하는 이행 과정을 보인다는 점('낭사'→'낭사・낭승'→'낭승'→'승려')이 충분히 고려되어야 할 것이다.

주지하듯, 신라의 불교 수용 과정에는 이차돈(異次頓)의 순교(527년, 법흥왕 14년)가 상징하듯 1세기 이상에 걸친 피에 물든 핍박의

57) 최철, 「향가의 작자」, 『향가의 문학적 연구』, 새문사, 1983 참조.

역사가 가로놓여 있다. 근대 천주교의 이입 과정을 통해서도 알 수 있듯이 그러한 순교의 역사는 종교를 받아들이는 집단이 미개해서 빚어지는 것이 아니다. 그것은 외래 종교나 이데올로기에 대한 집단 자체의 고유한 신앙이나 신념체계가 대응력을 갖고 있을 때, 거기서 오는 강한 문화적 자존 의식에서 비롯된다. 『삼국사기』 법흥왕 15년의 기록에 왕이 불교 수용에 대한 의견을 묻자, 군신(群臣)들이 "지금 승도(僧徒)란 것을 보니, 동두이복(童頭異服)에 말하는 바가 기괴하고 거짓되어 상도(常道)가 아닙니다."라고 반대하는 장면이 나온다.[58] 머리를 반반히 깎고 납의(衲衣)를 입었을 불승(佛僧)을 두고 당시 사람들이 '아기 머리에 이상한 옷'을 입었다고 비아냥댔던 셈이다. 나아가 신라의 불교 공인(?)을 법흥왕 15년(528)으로 보았을 때, 이로부터 1세기가 훨씬 넘어선 시점(慈藏 귀국 후)에서조차, 조정에서 "불교가 동점(東漸)하여서 이미 오랜 세월이 되었지만 주지수봉(住持修奉)함에 궤의(軌儀)가 갖추어 있지 못하다"라는 논의[59]가 있었던 것은 불교가 공인 이후에도 상당 기간 동안 교세를 제대로 떨치지 못했음을 증명하고 있다. 이러한 사실은 신라인들의 풍월도적 패러다임이 불교적 패러다임에 대해 매우 높은 대응력과 경쟁력을 갖고 있었음을 다시 한번 확인해 준다.

우리 국문학 연구에 있어서 신라 시대의 문학적 논의는 대개 향가에 집중되어 있다. 그런데 향가 자료는 15수(균여 작 11수는 연작(聯作)으로 1편으로 간주된다)에 불과하다. 여기에 「풍요」나 「서동요」처럼 가(歌)가 아닌 요(謠)로 인식되는 작품이 과연 향가일까 하는 의문을 떨칠 수 없다고 보면 현존 향가의 수는 더욱 줄어든다. 향가 문학을 지배하는 신라적 세계관이나 그 담당층에 관한 접근은 더

---

58) 『삼국사기』 권4, 신라본기 4, 법흥왕 15년.

59) 『삼국유사』 권4, 의해, 자장정률.

욱더 심각한 자료적 제약에 시달린다. 풍월도적 세계관이나 화랑에 관련된 기호들은 향가의 이곳 저곳에 잠복해 있는데, 전적으로 의존할 수밖에 없는 『삼국사기』나 『삼국유사』는 그러한 언표의 의미를 각각 나름대로의 독특한 관점에서 제시하고 있으니, 논의만 무성하고 의문은 지속된다. 신라 문학의 보고(寶庫)인 『삼국유사』는 그나마 『삼국사기』의 완고한 자료 취사의 기준으로부터 벗어나 있고, 자료를 제시할 때 세주(細註)와 할주(割註)까지 달아, 상당한 객관성을 담보하고 있기는 하다. 그러나 기본적인 자료 취사와 기술에 편자 일연선사(一然禪師)의 불교적 세계관이 투영되었을 것임은 충분히 짐작되는 바다. 게다가 이 두 사서의 원 자료 기록 당시, 향인(鄕人)들의 한자 표기 방법에 상당한 제약이 있었을 것임을 떠올리게 되면 신라 정통 패러다임의 속시원한 실체 파악은 상당한 어려움에 가로놓인다. 개경파(開京派) 김부식의 정치적 이해 관계와 철저한 유가적 패러다임에 의해 기술된 『삼국사기』와 '신이한 현상'에 대해 편견 없는 기술을 보여주지만 불교적 패러다임이 다분히 투영되었을 『삼국유사』는 삼국시대의 역사를 기록하고 있는 대표적 두 사서임에 틀림없지만, 사료(史料)의 취사와 기술에 있어서 매우 색다른 시각이 잠복되어 있다. 이를 분별하지 못하고 겹쳐보기로 일관할 경우 중·고기 우리 문화에 대한 실상의 파악은 요원한 일이 될 것이다.

3) 『화랑세기』의 문학적 담론

『화랑세기』는 수많은 화랑들의 다채로운 사적을 기록했을 것이라는 저간의 추측과 기대와는 달리, 1세 위화랑(魏花郞)에서 32세 신공(信功)으로 이어지는 역대 풍월주(風月主)들의 세보(世譜)임이 드러났다. 『화랑세기』는 그 발문에서 밝힌 바대로 김대문의 부(父) 오기공(吳起公)이 향음(鄕音)으로 저술하였으나 완성하지 못한 화랑의 세보를 김대문이 이어, 화랑행정(郎政)의 주요 국면과 화랑계파

(派脈)의 정사(正邪)를 밝힌 일종의 계보도(系譜圖)로 향가 관련 기술은 상당히 적은 편이다. 다행히 이 책에는 향찰로 된 향가 1수와 한역된 가요 1수 및 참요(讖謠)에 해당하는 노래 2수가 실려 있어 국문학계는 귀중한 신라 시대 문학 자료를 새로 얻게 되었다. 그러나 무엇보다 중요한 점은 이 책을 통해 신라시대의 풍월도적 패러다임을 정확히 읽을 수 있게 된다는 사실에 있다. 그 파급력은 기존의 신라의 문화적 패러다임을 전면적으로 수정해야 할만큼 강해 보인다. 이를 세세히 논한다는 것은 지금까지의 논지를 벗어날 가능성이 크므로, 앞서 논의해온 향가문학 관련 풍월도적 패러다임에 관한 몇몇 중요 국면만 거론해 보기로 한다.

> 文弩의 낭도들은 武事를 좋아하고 俠氣가 많았다. 薛原(설화랑)의 낭도들은 鄕歌를 잘하고 淸遊를 좋아하였다. 그러므로 國人이 문노의 낭도를 '護國仙'이라 부르고, 설원의 낭도를 가리켜 '雲上人'이라 불렀다. 골품이 있는 사람들은 설원의 도를 많이 따랐고, 초야의 사람들은 문노의 도를 많이 따랐다. 서로 義를 갈고 닦음을 주로 하였다.[60]

『화랑세기』의 이 기록은 앞서 애써 탐색해 보았던 '도의상마'와 '가악상열'에 관한 『삼국사기』 언표의 의미를 간단히 요약해 버린다. 그것의 실체는 풍월도 집단 내의 큰 흐름인 '호국선'과 '운상인'이라는 화랑도 내 두 계파의 풍도(風道)를 의미했던 것이다. 운상인 계파를 이끌었던 설원랑은 '풍채가 아름답고 옥적(玉笛)을 잘 불었다'고 하며, 9세 풍월주 비보랑(秘寶郎)은 '설원공과 같은 해에 태어났는데, 설원공과 함께 노래를 배웠으나 설원공에게 미치지 못하였고, 젓대(笛)를 배웠으나 역시 설원공에게 미치지 못하자, 문노에게 나아가 검(劍)을 배워 마침내 고재(高才)가 되었다'고 한다. 『화랑세기』는

60) 『화랑세기』, 7세 설화랑.

'가악(歌樂)'과 '검술(劍術)'을 통해 심신을 도야하는 것, 이것이 화랑들의 풍월도 수행 방법이었음을 알려 준다. 호국선파와 운상인파는 왕실내 두 골품계파(진골정통과 대원신통)와 이해관계가 맞물리면서 파의(派議)가 분분해졌고 상당한 갈등을 보이기도 하지만, 풍월도의 두 축을 담당하면서 경쟁적 조화를 이루었던 것으로 파악된다. 11세 풍월주 하종(夏宗)조에는 '공은 15살에 화랑에 들어가 토함공에게 사(史)를 배우고, 이화공에게 가(歌)를 배우고, 문노에게 검(劍)을 배우고, 미생공에게 무(舞)를 배워 모두 그 정수(精髓)를 얻었다'는 기록이 있어 계파에 따라 화랑이 어느 하나만을 수득(修得)한 것이 아니라 이 모든 것을 아우르려 했다는 사실도 알 수 있다. 신라 엘리트 교육의 정수를 엿보는 듯하다.

이와 같은 자료를 통해 우리는 향가에 관한 몇 가지 중요한 단서를 찾을 수 있다. 즉 향가는 설원랑처럼 노래와 젓대에 재질이 뛰어나야 할 수 있었다는 점에서 향가는 젓대와 같은 악기를 동반한 선율적으로 세련된 노래이며, 화랑이나 낭도 가운데서도 무술보다는 노래와 악기를 잘 다루는 운상인 계통에 의해 향가가 향유되었다는 것을 추단할 수 있게 된다. 또 향가를 잘하는 낭도들을 운상인이라 불렀는데, 이들은 청유(淸遊) 곧 산수(山水)에 노니는 것을 좋아했다는 것도 알 수 있다. 풍월도의 '운상인' 집단이 주로 '향가와 젓대(笛)'에 능하였다는 데서 '가악상열'의 의미가 비로소 선명해지며, 또 이 '운상인'이란 기호는 필사본 『화랑세기』의 신빙성을 증폭시킨다.

> 신라인 沙湌 恭永의 아들 玉寶高가 지리산 雲上院에 들어가 玄琴을 배운지 50년에 新調 30曲을 自作하여 續命得에게 전하고, 속명득은 貴金先生에게 전하였는데, 귀금선생도 또한 지리산에 들어가 나오지 않았다.[61]

61) 『삼국사기』 권32, 악, 현금.

이 자료는 『삼국사기』의 악(樂)조의 기록이다. 『화랑세기』가 보여준 '향가와 젓대'로 표상되는 풍월도의 '운상인', 『삼국사기』의 언표인 신라 가악(歌樂)에 관련된 지리산 '운상원', 이 두 개의 기호는 실로 절묘한 지점에서 만나고 있다. 신라인의 젓대(笛)에 대한 숭앙은 만파식적(萬波息笛)으로 대변되는 바, 이 신적(神笛)과 현금(玄琴)은 천존고(天尊庫)에 비장(秘藏)되어 이보(二寶)라 칭해졌다.[62] 옥보고가 현금을 배웠다는 '지리산 운상원'은 풍월도 운상인 집단의 유오처(遊娛處)로서 그들 집단의 메카가 아니었나 생각된다. 이 운상원은 이후 신라 궁중음악을 관장했던 '음성서(音聲署)'의 토양으로써 그 기능과 역할을 담당했던 것으로 보인다. 『화랑세기』에 23세 풍월주인 군관공의 부(父) '동란공(冬蘭公)이 음성서의 장(長)으로서 향가를 잘했다'는 기록은 『삼국사기』 잡지, 악(樂)조에 나오는 원랑도(原郎徒 : 운상인 문파를 이끌었던 설원랑의 문도)의 「사내기물악」을 염두에 둘 때, 향가가 궁중 음악과도 상당한 관련이 있음을 짐작케 한다. 또 『화랑세기』 9세 풍월주 비보랑(秘宝郎)조에 계파간 이해관계에 좌절당하는 전방대화랑 대세(大世)라는 인물이 있는데, 비보랑은 대세가 방황하는 것을 헤아려 사문(沙門) 담수(淡水)로 하여금 그를 보살피게 했다는 기록이 있다. 이들 대세와 구칠(仇柒), 그리고 승(僧) 담수의 관련기사는 『삼국사기』 신라 본기, 진평왕 9년 기사에서도 확인되는 내용이다. 범인(凡人)을 면하고 신선(神仙)을 배우기 위해 표연(飄然)히 바람을 타고 혈료(泬寥)한 상공으로 날아가고 싶다고 한 대세(大世)와 교유하던 담수는 서로의 의향과 같지 않았고, 이에 대세는 뜻이 맞는 구칠과 함께 남해에서 배를 타고 떠나갔다고 한다.[63]

---

62) 『삼국유사』 권3, 탑상, 백율사.

63) 『삼국사기』 권4, 신라본기, 진평왕 9년.

대세와 담수의 관계는 화랑과 낭승의 관계로 파악된다. 그런데, 이 승(僧) '담수'는 『삼국사기』 권32, 잡지, 악조의 '「날현인(捺絃引)」은 진평왕 때 사람인 담수(淡水)가 지은 것이다'라고 한 기사의 바로 그 사람이니, 낭승은 풍월도의 가악(歌樂)을 담당한 운상인 계통의 인물이란 점이 사실로 밝혀진다. 이 지점에서 월명사가 경덕왕에게 "승은 국선지도여서 향가를 알뿐이오, 범성(梵聲)은 잘 알지 못합니다"라고 말한 의미가 비로소 선명해진다. 10구체 향가의 주 담당층인 충담사, 월명사, 융천사 등의 이러한 풍월도적 패러다임은 그들의 작품 해석에 전면적인 수정이 가해져야 함을 의미한다.

신라 사람 최치원(崔致遠)은 「난랑비서(鸞郎碑序)」에서 풍월도를 가리켜 '현묘한 도(玄妙之道)'라 칭했다. '현묘지도'로 일컬어진 풍월도는 어떠한 신앙과 사유체계를 지니고 있었을까.

> 화랑은 仙徒이다. 우리 나라에서 神宮을 모시고 하늘에 大祭를 행하는 것은 마치 燕나라가 桐山에, 魯나라가 泰山에 제사지내는 것과 같다. (중략) 예전의 선도는 다만 神을 받드는 일을 주로 하였는데, 國公들이 (봉신을) 행하게 된 이후에는 선도는 道義에 서로 힘썼다. 賢佐忠臣과 良將勇卒이 이로부터 나왔다.[64]

이 『화랑세기』 서문에서 추출되는 풍월도의 개념은 대략 다음과 같다. 즉 풍월도는 신궁(神宮)에서 하늘에 제사를 올리던 고천(告天)의 신앙 혹은 사상체계를 기본 축으로 하였는데, 국공들이 그러한 제사를 맡게 되면서 화랑으로 제도화되며, 도의와 무술을 연마, 국가 동량의 재목이 될 수 있는 인격을 쌓아 '홍방국'의 이념을 지향하는 선도의 신앙과 사유체계라고 정리해볼 수 있다.[65] 신라 신궁(新宮)

64) 『화랑세기』, 서문.

65) 필자는 풍월도의 이러한 사상체계를 神仙主義와 國家主義라는 양대 축으

은 소지왕 때(487년) 시조 혁거세 탄강지인 나을(奈乙)에 창립한 신라 최고의 제전(祭典)이다. 이와 같은 풍월도의 신앙과 사유체계는 현실적으로 '신궁 및 오묘(五廟)의 제향', 그리고 '대사(大祀)·중사(中祀)·소사(小祀)'에서 베풀어지는 각종 제례를 통해 수행되었던 것으로 보인다.66) 이들 제전의 숭앙 대상은 '천령(天靈)·삼산(三山)과 오악(五嶽)·대천(大川)·용신(龍神)' 등이며, 이는 '천지신명(天地神明)'이란 관념으로 집약된다. 결국 이러한 패러다임을 통해 신라인들은 자신의 국가를 '신국(神國)'으로 관념했던 것이다. 운상인 집단의 메카로 보이는 운상원이 위치한 '지리산' 역시, 신라 중사(中祀)의 숭앙대상인 '오악' 가운데 하나이다. 화랑들의 '유오산수'란 것도 삼산, 오악을 위시한 명산대천에 주유(周遊)하며, '재계고천(齋戒告天)'하는 일종의 의식 행위였다고 생각된다. 그리하여 신라인은 자신들의 전통적 사유방식에 대하여 '신국(神國)에는 신국의 도(道)가 있다'(『화랑세기』, 22세 양도공조)는 강한 주체적 신념을 보여주기도 한다. 결국 풍월도는 '홍방국'이라는 국가주의에 '현묘지도'라는 신비주의가 융해된 고등 사유체계—무속적 사유체계를 넘어서고 있다는 점에서—라 하겠다. 풍월도의 이러한 사유체계는 삼국 사이의 치열한 전쟁과정을 겪으면서 '홍방국'하는 국가주의 혹은 호국사상의 이념 지향으로 운용되며 전개된 것으로 생각된다.

이러한 풍월도적 패러다임, 특히 운상인 집단의 패러다임을 고려할 때, 일연이 향가에 대해 '능히 천지귀신을 감동시킨다'고 한 의미가 새롭게 다가선다. 하늘에 해가 둘이 나타나 열흘 동안 없어지지 않아 월명사가 「도솔가」를 지어 불렀더니 그 변괴가 사라졌다는 감응력, 죽은 누이의 영재(營齋)에 「제망매가」를 지어 불렀더니 지전(紙錢)

로 정리하여 논의한 바 있다. 이에 대한 상론은 拙稿, 「향가와 화랑집단」, 『한국 고시가의 거시적 탐구』를 참조.

66) 『삼국사기』 권32, 잡지, 제사.

이 바람에 날려 서쪽으로 떠갔다는 감응력, 혜성이 심대성을 범한 하늘의 재변과 일본병의 내침(來侵)에 융천사가 「혜성가」로 이를 물리쳤다는 감응력, 신충이 효성왕의 신의 없음을 원망해 「원가」를 지어 잣나무에 붙이니 그 나무가 말라죽었다는 목이(木異)의 감응력, 이들은 모두 재계고천하는 '고신명(告神明)'의 문법으로 재해석된다.

물론 모든 향가가 이러한 '고신명'의 문법으로만 이루어지는 것은 아니다. 향가는 형식적으로 단일한 장르 개념을 확보하지 못하니, 그 문법은 다양하게 나타날 수 있다. 또한 향가가 '고신명'의 문법에 기반한다 하더라도 개개의 작품들은 다채롭고 청신한 서정의 수사들로 가득하다. 아무튼 신라 고유의 풍월도적 패러다임을 신라인의 목소리로 들려주는 『화랑세기』가 향가 연구의 좌표와 방향설정에 획기적인 전환점을 마련해 줄 것임은 틀림없다 하겠다.

4) 「송랑가」와 「청조가」의 의미

이제 『화랑세기』에 수록된 향가를 음미하면서 그 가능성을 가늠해 보자.

風只吹留如久爲都	바람이 불다고 하되
郎前希吹莫遣	임 앞에 불지 말고
浪只打如久爲都	물결이 친다고 하되
郎前打莫遣	임 앞에 치지 말고
早早歸良來良	빨리빨리 돌아 오라
更逢叱那抱遣見遣	다시 만나 안고 보고
此好 郎耶 執音乎手乙	아흐, 임이여 잡은 손을
忍麽等尸里郎奴[67]	차마 물리러뇨

(정연찬 해독)

67) 『화랑세기』, 6세 풍월주 세종.

『화랑세기』 6세 풍월주 세종(世宗)조에 수록된 이 노래는 미모의 귀족 여인인 '미실(美實)'이 지은 8구체 향찰표기 향가이다. 미실은 2세 풍월주 미진부공과 묘도부인 사이에서 태어났는데, 뛰어난 미색을 지니고 교태를 잘 부려 진흥·진지·진평, 세 왕에 걸쳐 잉첩으로 총애를 받았으며, 진흥왕이 어릴 때 섭정한 지소태후의 아들 세종전군과 혼인한 여인이다. 그녀의 통정(通情) 관계는 혼인과는 별도로 화랑 사다함 및 동륜태자, 그리고 설원랑, 미생과도 사통(私通)하는 등 매우 복잡했던 것으로 드러난다. 이러한 복잡한 통정관계는 미실 스스로 '빈첩의 도는 색공(色供)에 있습니다'라고 말하고, 자신의 집안을 '풍류접(風流蝶)' 출신(왕실의 혼인 대상을 배출하는 '대원신통' 계파를 의미함)이라 지칭하는 데서 알 수 있듯이, 성골 또는 진골이라는 골품을 유지하기 위한 당대의 패러다임을 고려해야 오해를 불러일으키지 않는다. 가령 '진흥왕이 즉위하니, 휘(諱)는 삼맥종(三麥宗), 즉위시의 나이는 7세, 법흥왕의 아우 갈문왕(葛文王) 입종(立宗)의 아들이다. 모부인은 김씨, 법흥왕의 딸이다'라는 기록[68]에서 보듯 진흥왕의 부(父) 입종은 형 법흥왕의 딸, 즉 조카를 처로 맞고 있는 것이다.[69] 한편 미실은 7세 설원랑 때, 문노의 호국선파와 설원의 운상인파의 세력 다툼이 있게 되자, 화랑제도를 개편하여 이미 폐지된 원화 자리에 올라 그 밑에 남편 세종을 상선(上仙)으로, 국선(國仙)인 문노를 아선(亞仙)으로, 풍월주

---

68) 『삼국사기』 권4, 신라본기 4, 진흥왕.

69) 이와 관련 『삼국사기』 권3, 신라본기, 내물왕 원년 기사에 있는 史臣의 論을 함께 참고할 수 있다. "新羅에서는 同姓을 取할 뿐만 아니라 형제의 子(조카)나 姑姨從姉妹(내종·이종)를 聘하여 妻를 삼기도 하였다."하면서 "비록 외국이 풍속을 달리한다 하여 中國의 禮俗으로써 이를 나무란다면 대단히 잘못이다."라고 기술했다. 곧 신라의 國風이 그렇다는 말이다. '妻를 取함에 同姓으로 하지 않는 것은 別을 두드러지게 하고자 하는 것'이라는 전제로써 유가적 이데올로기를 견지했지만, 엄연한 사실에 대한 주체적 기술을 보여준 것이라 하겠다.

인 설원을 좌화랑(左花郎)으로 거느리는 등 자신이 화랑의 편제에 소속되는가 하면, 동륜태자의 죽음과 관련하여 원화에서 물러난 뒤에도 화랑 임명과 직제 개편 등에 막강한 영향력을 행사하는 인물로 나온다.

아무튼 미실이 지은 향가는 그녀의 애인이었던 화랑 사다함과 관련된다. 『삼국사기』 열전을 통해 잘 알려진 화랑 사다함은 진골 출신으로 내물왕의 7대손이고, 구리지(仇梨知) 급찬(級湌)의 아들로 '높은 가문의 귀한 자손으로 풍채(風采)가 청수(淸秀)하고 지기(志氣)가 방정(方正)하였다'고 기술되었다.[70] 『삼국사기』에 따르면 진흥왕이 이사부로 하여금 가야(대가야)를 치게 했는데, 이 때 사다함이 16세의 어린 나이로 종군을 청하여 출전해서 가야를 멸하는데 큰 공(功)을 세웠다고 한다. 『화랑세기』에는 미실이 사다함의 가야국 출정시 이 노래를 지어 그를 전송했다(其出征時以歌送之)고 한다. 애인인 화랑의 출정을 전송하며 지었다는 작품의 주지를 고려하면 이 노래의 제목은 「송랑가(送郎歌)」가 적당할 것이다.

「송랑가」는 직솔한 감정을 별다른 수사 없이 노래했는데, 그 '수사 없는 직정(直情)의 토로'가 더없이 아름답다. 시행 배분은 통사적 분단 구조로 살펴볼 때, 2구 1행, 전 4행을 이루는 8구체 향가의 기본 성격을 유지하고 있다. 전 4구와 후 4구로 통합되는 2단 구조를 취하는 것으로 보아도 문제는 없다. 노래의 세부적인 질서는 그렇게 단순치만은 않아, 전 4구가 순행병렬로 이어지는 2행의 반복구조를 지니는데 반해, 후 4구는 다시 내부적으로 두 시행 사이의 차단을 보인다. 즉 후 4구의 앞 시행, 즉 5·6구는 전 4구 방향으로 의미적 지향을 보여 2단 구조의 괴리를 극복하고, 7·8구는 전체 시상을 마감하는 양식적 완결성을 지향한다.[71]

---

70) 『삼국사기』 권44, 열전, 사다함.

71) 이러한 의미구조는 「처용가」의 그것과 일치한다. 이런 점에서 후대에 변형된 고려 「처용가」 아닌 신라시대 「처용가」의 향가적 맥락과 작품성격을 이

'바람'과 '물결'은 임 앞에 불어닥칠지 모르는 나쁜 조짐이나 고난을 의미한다. 전장(戰場)으로 나가는 임 앞에 바람이 불고, 물결이 친다면 큰일이다. 제발 그런 일이 일어나지 말아야 한다는 간절한 청원인데도 호소하지는 않는다. 그래서 바람과 물결을 향해 명령하는 듯한 당위의 어법으로도 다가온다. 애정의 간절함이 청원의 어법과 반복의 시행을 통해 고스란히 묻어 난다. 그런 어법은 어미 '～고'로 인해 발생하는 듯 싶다. 원문에는 '～고'로 해독된 '遣'이 모두 4번 나오는데, 제 6 구의 '안고 보고(抱遣見遣)'에서 보듯, '～고'가 한번은 연결어미로 한번은 감탄형 종결어미로 쓰였으니, 제 2 구의 '말고'는 연결어미로, 제 4 구의 '말고'는 종결어미로 읽는 것이 더 자연스럽다. 이 노래가 서정 연가(戀歌)로서 풍부한 정감을 발산하고 있다면 그것은 제 6 구 '다시 만나 안고 보고'에서일 것이다. 전장으로 떠나는 임을 두고 '빨리빨리 돌아 오라, 다시 만나 안고 보고'라니. 참으로 담백하고 직솔한 어법(語法)이다. 노래는 '아흐'라는 차사와 함께 완결된다. '임이여, 그대는 이런 내 마음을 알고도 우리가 잡은 이 손을 차마 놓을 수 있겠나요' 정도로 음미해 볼 수 있겠다. 작별 시 두 사람의 손끝마디가 눈에 선하다. 그런데도 이 노래에선 사랑의 집착 따윈 느껴지지 않는다. 아름다운 여류 가인(歌人) 미실이 「송랑가」를 부른 것은 진흥왕 23년 가을, 지금으로부터 천년하고도 약 사 백년 전의 일이지만, 그 사랑의 정감은 그리 멀게 느껴지지 않는다.

『화랑세기』에 의하면 사다함은 온갖 방법으로 미실을 위로하고 출정했다고 한다. 『삼국사기』 본기의 기록을 통해 전장(戰場)의 사다함을 보기로 한다.

> 왕이 이사부에게 명하여 (가야를) 칠새, 사다함이 그를 보좌하였다. 사다함이 五千騎를 거느리고 먼저 栴檀門으로 달려들어 白旗를 세운

해하는데 도움이 크리라 생각된다.

즉, 城中 사람들이 두려워하여 어찌할 바를 몰랐다. 이에 이사부가 군사를 이끌고 이어 臨하니 성중이 일시에 죄다 항복하였다. 전공을 논하매 사다함이 으뜸이었다.72)

『삼국사기』 열전의 기록은 좀더 자세하여 그가 귀당비장(貴幢裨將)으로 출전하여 국경에 닿자 원수(元帥)에게 선봉장이 될 것을 자청하였다고 기록했다. 전쟁에서 선봉장으로 승리를 거둔 사다함의 심정은 어떠했을까. '빨리빨리 돌아 오라, 다시 만나 안고 보고'라 했던 미실의 아름다운 목소리가 제일 먼저 떠오르지나 않았을까. 그러나 사다함이 돌아왔을 때, 미실은 지소 태후의 명으로 태후의 아들인 세종전군의 부인이 되어 있었다. 『화랑세기』에 실린 한역된 노래 '한단(解)'은 바로 사다함이 전장에서 돌아와 그 사실을 알고 슬퍼하여 지은 「청조가(靑鳥歌)」라는 작품이다.

까닭에 사다함은 「청조가」를 지어 슬퍼하였다. 내용이 몹시 구슬퍼 그 때 사람들이 다투어 서로 암송하여 전하였다. 그 해(解)에 이르기를,

靑鳥靑鳥	청조여 청조여
彼雲上之靑鳥	저 구름 위의 청조여
胡爲乎	어찌하여
止我豆之田	내 콩밭에 머무는가
靑鳥靑鳥	청조여 청조여
乃我豆田靑鳥	너 내 콩밭의 청조여
胡爲乎	어찌하여
更飛入雲上去	다시 날아들어 구름 위로 가는가
旣來不須去	기왕에 왔으면 가지나 말지
又去爲何來	또 간다면 어찌하여 왔는가

72) 『삼국사기』 권4, 신라본기, 진흥왕 23년.

空令人淚雨	공연히 눈물짓게 하고
腸爛瘦死盡	애간장 태워 여위어 죽게 하는가
(吾)死爲何鬼	나는 죽어 무슨 귀신이 될까
吾死爲神兵	나는 죽어 신병이 되리
飛入殿(主)( )( )神	전주에게 날아들어 ( )
朝朝暮暮	아침마다 저녁마다
保護殿君夫妻	전군부처 보호하여
萬年千年不長滅[73]	천만년 길이 사그라지지 않으리

『화랑세기』 5세 풍월주 사다함조에 "「청조가」를 지어…(판독불가)…청조는 미실을 가리킨다. 공은…(판독불가)…노래를 지어 보낸 까닭이다"라는 구절이 보인다. 이 노래는 4구체 민요격 형식을 몇 차례 반복한 연장체(聯章體)로 된 장가(長歌)라고 판단된다. 이 작품은 한시(漢詩)로 지어진 것이 아니라 우리말 노래를 번역해 놓은 것이라는 점, 민요나 무가와 같은 민속가요로 된 집단 창작의 노래 곧 '소리(謠)'가 아니라 사다함이라는 특정 개인이 창작한 고급음악으로서의 '노래(歌)'라는 점에서 일단 향가의 개념 속에 포괄되어야 하는 작품이다. 『삼국사기』에는 노랫말을 상실한 채 이름만 기록된 장가가 여럿 있다. 국인(國人)이 해론을 추모하였다는 장가(長歌) 「해론가」, 김흠운의 죽음에 향인들이 지었다는 「양산가」, 실혜가 직접 지었다는 장가(長歌) 「실혜가」 등의 존재가 그것이다.

사다함의 「청조가」는 이들 장가(長歌)의 실체가 무엇인지 추정해 볼 수 있는 단서를 제공한다. 그것은 민요격 4구체를 반복하는 연장체 형식을 취하되 맨 마지막 연은 작품의 마무리를 위해 몇 구(「청조가」는 2구)를 추가하는 장형(長型) 시가라 할 수 있다. 민요가 똑같은 형식으로 종결하여 열린 마무리를 보이는 것에 반해, 개인 창작

73) 『화랑세기』, 6세 풍월주 세종.

가요는 시상의 완결 형식을 반드시 지니며, 닫힌 종결을 미학적으로 요구한다는 지극히 평범한 원리가 여기서도 입증된다 하겠다.

「청조가」는 '청조여 청조여 저 구름 위의 청조여'와 같이 'a a b a' 형 율격 구조를 1, 2단에서 반복적으로 사용한다. 이 구조는 민요 및 전통 시가의 율격에 빈번히 운용되는 보편 형식이다. 대상에 대한 환기 방법으로 그 대상을 두 번 부른다는 원칙도 아울러 지녔다. 구름 위의 청조가 내 콩밭에 머물렀다가 다시 구름 위로 날아가고 말았다. 앞 두 단의 노랫말은 그렇게 어렵지 않다. 청조가 미실이니 콩밭(豆田)은 사다함 자신의 마음 밭(心田)이다. 기왕에 왔으면 가지나 말지 그렇게 허무하게 갈 것은 또 무어냐. 그 때문에 나는 애간장이 타서 말라죽을 것만 같다는 내용까지가 3단까지의 의미이다. 여기까지 보면 이 노래는 치희(雉姬)를 잃은 유리왕의 「황조가」가 보여주는 표현 방법과 매우 흡사해 보인다.

두 노래 공히 4구체 민요격에 바탕한 한역시(漢譯詩)라는 형식에서도 그렇지만 그 표현방법이 자연물(황조와 청조)에 의탁해서 시적 화자의 정서를 소박하게 표출하는 민요적 취향을 그대로 본받았다. 우리 시가사에서 사랑하는 여인을 상실한 심정을 '새'에 의탁해 노래했다는 예는 이들 말고도 흥덕왕의 「앵무가(鸚鵡歌)」가 더 있으니, 심상히 볼 것이 아니다. 『삼국유사』에는 '즉위 직후 당(唐)에서 돌아온 사신이 앵무 한 쌍을 가지고 왔는데, 오래지 않아 암놈은 죽고 홀아비가 된 수놈이 슬피 울어, 왕이 사람을 시켜 거울을 앞에 걸어 놓았더니 거울 속 자기 모습을 짝으로 생각하여 거울을 쪼다가 허상임을 알자 슬피 울다가 죽었다. 왕이 노래를 지었다하나 자세치 않다'고 했는데, 『삼국사기』에는 그 노래에 대한 언급은 없고, '왕비 장화부인이 졸(卒)하자 왕은 사모(思慕)에 쌓여 창연불락(悵然不樂)하였다. 군신이 새로 비(妃)를 정할 것을 청하니 "외짝 새도 짝을 잃은 슬픔이 있거든 하물며 사랑하는 배필을 잃었음에랴. 차마 어찌 무정하게 재취를 할까 보냐"하고 따르지 않았다'라고 기록되었다. 이러한 심정에서 지은 흥덕왕의 「앵무가」 역시 그 시상(詩想)은 「황조가」와 「청조가」의 서정적 비애에서 그리 멀 것 같지 않다.

그러나 「청조가」는 비록 민요적 취향의 표현과 형식을 지녔다고 하더라도 풍월도적 패러다임에 기초한 개인 서정 시가로서의 면모를 확연하게 보여준다. 원시에 '운상지청조(雲上之靑鳥)'와 '비입운상거(飛入雲上去)'란 표현이 있는데, 그 '운상(雲上)'이 앞서 살핀 '운상인(雲上人)'과 '운상원(雲上院)'의 그 '운상'과 교차하니 단순히 소박하게 '구름 위'로만 이해할 것은 아니다.74) 즉 「찬기파랑가」에서 충담사가 찬양하고 존경을 표한 기파랑이라는 화랑을 '흰 구름 따라 떠간 달'이라 환유함에서, 다시 말해 '구름 위(雲上)의 달'이 화랑(기파랑)을 환유하는 구절을 통해서도 그 의미가 드러나는 바, 그것은 곧 향가를 잘한 설원랑의 무리가 속한 운상인 계파를 염두에 둔 것이라 여겨진다.

『화랑세기』에서 미실은 호국선파와 운상인파의 대립을 일으킨 장본인인 설원랑에게 편파적인 애정을 가지고 풍월주 승계에 개입, 자신의 남편 세종의 뒤를 잇는 7세 풍월주에 설원랑을 앉히고 있는데, 사다함이 「청조가」에서 청조가 '운상'에서 왔다가 '운상'으로 돌아갔다고 한 것은 이런 점에서 상당한 '시적 긴장력'을 지녔던 것이라 하겠다. 더구나 사랑을 잃은 사다함이 자신이 죽으면 '신병(神兵)'이 되어 전군부처(세종전군과 미실)를 영원히 보호하는 '호신(護神)'이 되겠다고 한 것은, 『삼국유사』 '미추왕 죽엽군'조의 죽엽군(竹葉軍)처럼 사후에 '신군(神軍)'으로 국가를 음조(陰助)한다는 사유체계나, '문호법민왕'조의 문무왕이 죽어서 '동해용이 되어 왜병(倭兵)을 진압하는 호국신(護國神)이 되겠다'고 한 언표와 동일 구조를 갖는다. 이는 '임신서기석(壬申誓記石)'으로 대변되는 바, '서약(誓約)은 반드

74) 雲上은 곧 仙을 의미하므로 雲上人, 雲上院은 仙道 곧 풍월도(화랑도)의 용어임이 확인된다.

시 지켜진다'는 신라인들의 '서원적(誓願的)' 언어 문법이 「청조가」 시상(詩想)의 근저에 자리하고 있는 것이라 하겠다. 「청조가」에 판독이 불가한 두 글자는 '위호(爲護)'가 아닌가 생각된다.

한편 이 노래가 한역가로 기록되어 있다는 점과 '그 가사가 너무 처창(悽愴)하여 그 때 사람들이 다투어 암송했다'는 점으로 보아, 향찰로 표기된 향가와 한역가사인 향가의 상관관계도 주목된다. 『삼국유사』 '수로부인'조에 나오는 두 노래, 즉 향찰로 표기되어 있는 「헌화가(獻花歌)」와 한역가로 기록된 「해가사(海歌詞)」의 관계와 마찬가지로 「송랑가」가 「청조가」보다 고급음악으로서의 가(歌)였음을 반증하는 것이라 판단된다. 특히 장가(長歌)인 「청조가」는 노랫말의 의미가 선율보다 중요한 까닭에 음송으로서도 전승의 충분한 수단을 삼을 수 있었던 것이라고 생각할 수 있다.

사다함의 노래는 그의 죽음을 예고하고 있었는지도 모르겠다. 『삼국사기』는 그가 '사우(死友)의 약속을 한 무관랑(武官郎)이 병들어 죽자, 곡읍(哭泣)하기를 심히 하여 7일만에 함(含)도 또한 죽으니, 그 때 나이 17세였다'고 기록했다. 사다함은 가야 출정에서 돌아온 다음해에 죽었는데, 처음부터 끝까지 '의에 살고 의에 죽었다'고 하는 충의(忠義) 일변도의 그 기록이 그리 미덥지만은 않다.

5) 맺는 말—『화랑세기』의 발견과 향가 연구의 전망

지금까지 『화랑세기』를 통해 앞으로의 향가 연구의 좌표와 방향설정이 어디까지 또 어떻게 이루어질 것인가를 가늠하면서 『화랑세기』의 성격과 거기에 담긴 문학적 담론을 논의해 보았다. 간략히 『화랑세기』의 발견과 관련, 향가 연구에 관한 몇 가지 의의와 전망을 정리해보면서 글을 맺기로 한다.[75]

---

75) 이에 대해서는 拙稿, 「필사본 『화랑세기』의 발견과 향가 연구의 전망」(『국어국문학』 123호, 국어국문학회, 1999)에서 상세히 다룬 바 있다.

필사본 『화랑세기』의 신빙성이 확증될 경우, 「송랑가」는 현존 향가 작품 중 최고(最古)의 작품이 되는데, 이에 따라 향가 연구는 새로운 논의로 가득 차게 될 것이다. 논의를 통해 짐작되었겠지만, 향가의 기층적 패러다임이 향인(鄕人)들의 지배 이데올로기였던 화랑집단을 중심으로 한 풍월도적 사유체계에 놓여 있다는 점, 현존 향가의 자료적 제한에 가려져 있던 연가풍 서정 향가의 존재가 새롭게 인식되어야 한다는 점, 그리고 같은 풍월도적 사유체계에 기반하더라도 화랑 및 낭도 계열은 8구체 향가 양식(「송랑가」-「모죽지랑가」-「처용가」-「도이장가」로 이어짐)을 선호하고, 낭도승 계열은 10구체 사뇌가 향가를 선호했다는 사실을 체계화할 수 있다는 점 등이 될 것이다. 특히 연가풍 서정 향가의 생성기반과 향유에 대한 논의는 『화랑세기』에 서술된 남도(南桃)의 축제 및 의례(儀禮)에 대한 연구가 좀 더 깊이 있게 논의되어야 할 것이다.[76]

「청조가」의 경우는 신라 가요의 한 양식이었던 장가(長歌)의 실체를 알 수 있게 된다는 점, 그것이 독자적 장가 양식원리를 지니면서 그 담당층 역시 풍월도 문화권역에 놓여있다는 점 등이 밝혀질 것이다. 또한 두 노래를 관련해 보면, 이른 시기의 향가의 모습이 구체적

76) 南桃의 儀禮는 그것이 저녁에 南桃의 正宮이 있는 城中에서 임금(진흥왕)과 원화(미실)가 보는 앞에서 이루어지고(6세 풍월주 세종공 조), 풍월주가 주도하며(10세 풍월주 미생공 조), 낭도와 遊花가 짝을 맞춰 손을 잡고 밤새도록 춤추고 노래하는 가운데 성중의 미녀들이 가득 뛰쳐나오고 등불이 온 천지에 빛나고 환호성이 사해에 가득한 축제적 분위기를 이루는 가운데 행해지며(6세 풍월주 세종공 조), 풍월주의 아내가 어려 아직 花主로 취임하기에 미흡하면 南桃之禮를 행하여 일정한 성숙을 꾀하는 절차를 밟는(12세 풍월주 보리공 조) 등에서, 즉 이러한 축제와 의례에서 남녀 사이에 연가의 성격을 띠는 향가가 많이 불려졌을 것으로 추정되기 때문에 이웃 일본의 『만엽집』에 가장 많은 양을 차지하는 戀歌와 대비하여 연구되어야 할 것이다.

으로 파악될 것이고, 또 이 시대에는 「송랑가」와 같은 차사(嗟辭)를 지닌 사뇌가형 향가와 「청조가」와 같은 연장체의 장가(長歌)가 공존했다는 점, 그리고 「헌화가」와 「해가사」의 관계처럼 그들이 향찰표기와 한역가요로 각각 기록되었다는 사실을 통해 볼 때, 향찰로 표기된 향가(鄕歌)는 사(詞)로서의 의미전달에 더 큰 비중을 두는 한역가보다 한층 고급 음악인 '가(歌)'로서의 성격을 분명하게 나타낸다는 점 등이 새롭게 밝혀질 것이다.

끝으로 『화랑세기』의 발견을 국문학과 관련해 의미를 부여한다면, 그것은 신라시대의 문학, 특히 향가 문학의 이해와 해석에 전반적이고도 획기적인 전환점을 가져올 것이란 점이다. 이런 면에서 앞으로 향가 연구는 화랑문화권의 사상과 세계관, 그리고 당대의 생활사 및 문화사적 실상과 좀더 긴밀한 관련을 가지고 연구되어야 하리라 생각된다.

Ⅱ. 악장문학의 정체성

1. 「용비어천가」의 짜임새와 시적 정체성
—「용비어천가」 제대로 읽기

1) 문제의 제기

「용비어천가」에 관한 기존 연구는 1964년에 서울대 동아문화연구소에서 개최한 종합 심포지움[1]에서 하나의 전기를 마련한 이래 다양하고 심도 깊은 논의가 축적되어 왔다. 국어학적 연구 성과는 논외로 하고 문학적인 면에서만 보더라도 작품의 형식과 구조, 장르 성향, 문체, 문학적 성격과 가치, 주제와 창작의도, 미학적 문제, 『시경(詩經)』과의 관련 등 광범위하게 걸쳐 있다. 이러한 선학(先學)들의 수많은 연구성과 가운데 특히 주목되는 것은 성기옥과 조규익의 업적이다. 전자는 서사시로서의 「용비어천가」가 어떻게 읽혀져야 하는지를 연구수준의 정점(頂點)에서 더 이상 나아갈 수 없게 치밀한 천착을 통해 보여 주었으며, 후자는 악장으로서 혹은 교술시로서의 「용비어천가」가 어떻게 읽혀져야 하는지를 두 권의 저술[2]을 통해 보여주었다.

이 두 대표적 성과에 힘입어 우리가 통설로 받아들이게 되는 것이 있다면 「용비어천가」를 두 가지 면에서 읽어내고 해석하는 일이다. 하나는 조선왕조 건국 영웅의 일대기에 기반한 '서사시'로 읽어야 한다는 것이고, 다른 하나는 조선왕조 건국과 관련한 이념적, 주제적,

---

1) 그 결과가 『동아문화』 2집, 서울대 동아문화연구소, 1964에 실림.

2) 조규익, 『조선초기아송문학연구』(태학사, 1986)와 『선초악장문학연구』(숭실대출판부, 1990)가 그것이다.

교훈적 텍스트의 전형 곧 교술문학으로서의 '악장'(혹은 雅頌문학)으로 읽어야 한다는 것이다. 그리고 비록 후자 쪽으로 읽는다하더라도 「용비어천가」의 문학적 혹은 장르적 성격을 이해함에 있어서는 '교술적 서사시'[3]로 보거나 '서사적 교술시'[4]로 파악함으로써 서사시라는 테두리에서 크게 벗어나 있지는 않다. 「용비어천가」는 결국 서사시와의 관련 속에서 이해가 가능하다는 데에 거의 모든 연구가 일치점을 보이고 있는 셈이다.

그러나 「용비어천가」를 서사시로 볼 경우 조선왕조 창업주의 영웅적 일대기를 표상하면서 왜 그다지도 스케일이 초라하고 이야기의 지속성이 없이 파편화되어 있으며 서사적 긴박감이라고는 도무지 찾을 수 없는 것일까? 서사시의 관점에서 볼 때 작품에 형상화 된 영웅상은 왜 그토록 빈약해 보일까? 「용비어천가」가 근본적으로 재검토되어야 한다는 생각은 그것이 과연 서사시이거나 서사시적 지향성을 갖는 교술시일까 하는 이러한 의문에서 출발한다. 서사시 아닌 교술시로 읽는다 하더라도 교술시의 속성상 주제와 이념, 교화성이라는 무게 때문에 대개의 경우 시적 묘미를 맛볼 수 없는 생경한 텍스트로 읽어냄으로써 우리를 실망하게 함은 마찬가지다. 여기서 필자가 특별히 관심 두고자 하는 것은 「용비어천가」의 장르적 성격을 따지자거나 그 해결을 위하여 새삼스레 장르론을 펴자는 것은 아니다. 다만 「용비어천가」를 제대로 읽기 위하여는 이러한 장르적 시각과 직접 혹은 간접으로 연결되지 않을 수 없다는 것뿐이다.

「용비어천가」를 제대로 읽기 위해서는 장르적 전제를 일단 접어

---

3) 조동일, 『한국문학통사』 2권, 지식산업사, 1983, 265~266면에서 「용비어천가」를 '순수 서사시라기보다 교술적 서사시라 해야 마땅하다'라 함.

4) 조규익, 『조선초기아송문학연구』, 237~241면에서는 '서사적 경향을 띤 교술시'라 하고, 박찬수, 「용비어천가연구」, 충남대 석사학위논문, 1994, 56면에서는 서사적 교술시라 함.

두고, 우선 작품의 짜임새와 그 짜임이 갖는 의미를 통해 서술방식과 표현특징이 드러나게 함으로써 작품의 본질에 다가갈 수 있을 것이며, 장르와 관련한 문제도 이러한 작업과정에서 자연스럽게 해명될 것으로 기대해 본다.

2) 「용비어천가」의 짜임새와 그 의미

문학 텍스트의 짜임새를 살펴보고 분석함에 있어서 가장 유념해야 할 사항은 텍스트를 '시간 속의 운동'으로 파악해야지 '공간 속의 대상'인 듯이 공시적으로 다루어서는 안된다는 것이다. 레비스트로스나 야콥슨 같은 구조주의 방법의 맹점이 바로 그러한 것이었다. 「용비어천가」에서 감지되는 영웅의 일생이라는 전기적 구조의 경우도 그것이 시간 속의 운동으로 파악되는 것이 아니라 공간 속의 단락 구조로만 파악된다면 그것은 구조주의자의 맹점을 그대로 따른 것이어서 제대로 읽어내었다 하기 어렵다. 그와 아울러 작품의 짜임새를 조명함에 있어서는 거대 틀과 미세 틀 및 전체 틀과 부분 틀의 유기적 상호관련 속에 논의되어야 함은 물론이다. 이제 이러한 시각에서 「용비어천가」의 짜임새를 살펴보기로 하자.

(1) 『용비어천가』 텍스트의 전체 틀과 그 의미

잘 알다시피 「용비어천가」는 국문시가 단독으로 존재하는 것이 아니고, 『용비어천가』라는 총 10권 5책의 책자로 전한다. 첫권에 정인지의 서(序)와 권제, 정인지, 안지 등이 올린 전(箋)이 있고, 이어서 본문(本文 : 국문시가), 해시(解詩 : 한시), 주해문(註解文 : 한문산문) 및 협주(夾註)의 순으로 125장에 걸쳐 이어지고 마지막권 말미에 최항의 발(跋)이 실려 있다. 여기서 성책(成册)을 위한 서(序)나 전(箋) 및 발문과 작품 이해를 위해 순전히 기능적 역할에 그치고 있는 협주를 제외하고 볼 때 이 책의 핵심적인 전체 틀은 정음식 표기

체계로 된 국문시가와 한시 형태의 해시, 그리고 한문산문으로 된 주해문의 순서로 짜여 있는 셈이다.

이와 같이 이 책자의 전체 틀이 국문시가를 가장 앞세우고, 그 다음에 한문 해시를 배치하고, 마지막으로 한문산문의 주해문을 실었다는 것은 그 중요도에 있어서 국문시가가 가장 으뜸이고 그 다음이 한시이며, 주해문은 이 셋 가운데 중요도가 가장 떨어짐을 의미한다. 이러한 책의 짜임새를 고려하지 않을 경우 국문시가보다 한시에 무게 중심을 두려하거나—이 경우 한시를 『시경』의 영향을 입은 한문악장으로서의 창작시로, 국문시가는 그것의 번역적 변용 정도로 이해함[5]—, 주해문을 국문시가나 한시의 이해를 위한 주해문으로 보지 않고 배경사화(背景史話)라 하여 국문시가와 대등한 비중을 두어 텍스트를 해석해야 한다는 견해[6]를 보임으로써 텍스트 읽기에 문제점을 드러내게 된다.

「용비어천가」에서 국문시가와 한시의 관계는 전자가 본문에 해당하는 창작시가이고 후자가 그것의 이해를 돕기 위한 방편으로서 번역시 형태의 한문시를 덧붙여 묶어 놓은 것임을 전(箋)과 서(序)[7]에서 분명히 한 데서 잘 드러난다. 그리고 주해문의 경우, 배경사화로서의 독립된 구실을 할만큼 자체의 서술 논리에 의해 장(章)들이 연계되지 않고 순전히 해당시가의 서술내용을 이해하기 쉽게 보완하고 설명해

5) 김열규, 「〈용비어천가〉의 문체론」, 주 1)의 책, 232면 참조.

6) 박찬수, 앞의 논문, 3면 및 고영화, 「용비어천가 텍스트의 구성원리 연구」, 서울대 석사학위논문, 1997, 31면 참조.

7) 箋에 '訂諸古事, 歌用國言. 仍繫之詩, 以解其語.(모든 옛일을 바르게 고쳤으며 노래는 나랏말을 썼습니다. 인하여 시를 묶었는데 이 시로써 그 노래의 뜻을 풀었습니다)'라고 한 것과, 序에 '仍繹其歌, 以作解詩 …… (인하여 그 노래를 풀어서 해시를 지었으니 ……)' 라고 한 데서 양자의 관계가 잘 드러나 있다. 이러한 언급을 참고하면 한시로 된 해시는 분명히 국문시가에 대한 2차 자료로서의 의미를 갖는다.

주는 구실에서 그다지 벗어나지 않고 있다는 점에서 그 종속적 성격을 면할 수 없게 되어 있다. 그럼에도 불구하고 대등한 비중을 두어 읽는 태도는 텍스트의 짜임새를 소홀히 한 무리라 아니할 수 없다. 요컨대 「용비어천가」의 전체 틀의 짜임새를 고려할 때 국문시가가 중심에 위치하고 한시나 주해문 및 협주는 국문시가의 무게와 감동적 울림을 밑받침하기 위한 보조적 구실을 한다는 데 보다 큰 의미 비중을 두어야 할 것이다.

(2) 『용비어천가』의 형식 짜임새와 그 의미

가. 서술단락(문단)의 짜임새

「용비어천가」의 서술단락 즉 문단의 구조를 어떻게 이해할 것인가에 관한 문제도 의견의 합치를 보지 못하고 다양한 견해들이 제기되어 있다. 그 양상을 간단하게 요약 정리[8]해 보이면 다음과 같다.

① 3단 구조로 보는 경우

(가) 서사 : 제1장
본사 : 제2～109장
결사 : 제110～125장
(조윤제, 김기동)

(나) 서사 : 제1～2장
본사 : 제3～109장
결사 : 제110～125장
(김상억, 장덕순, 조동일)

(다) 서사 : 제1～2장
본사 : 제3～124장
결사 : 제125장
(김사엽, 김선아, 고영화, P.H. Lee)

(라) 서사 : 제1장
본사 : 제2～124장
결사 : 제125장
(박찬수)

(마) 서사 : 제1～16장(주제 중심의 논리적 짜임)

---

8) 박찬수, 「용비어천가연구」, 충남대 석사학위논문, 1994에 정리된 것을 활용하고 약간의 손질과 보완을 한 것임.

본사 : 제17~109장(서사적 짜임)

결사 : 제110~125장(주제 중심의 논리적 짜임)

(성기옥)

② 4단 구조로 보는 경우

(바) 起詞 : 제1장(총서)

承詞 : 제2~109장(제1, 2차 歌詠)

轉詞 : 제110~124장(제3차 가영)

結詞 : 제125장(총결)

(김문기)

(사) 교술적 화자 : 제1~2장(건국의 지극한 원리 제시)

서사적 화자 : 제3~109장(조종의 행적 제시한 敍事적 부분)

교술적 화자 : 제110~124장(敍事부분에서 도출된 교훈을 반복 제시)

교술적 화자 : 제125장(전체를 요약 반복하여 결말지음)

(조규익)

③ 3단 틀 내의 5단 구조로 보는 경우

(아) 서사 : 제1장

본사 : 서사－제2장

본사－제3~109장

결사－제110~124장

결사 : 제125장

(양태순)

이처럼 다양한 이설이 제기된 원인은 주로 형식보다 내용에 치중한 결과라 할 수 있다. 특히 (가)에서 (라)까지의 이설들은 서사를 어디까지로 보고 결사를 어디에서 끊느냐의 미세한 차이를 보여줄 뿐인데 (그러나 서사와 결사를 단 한 章의 차이라도 다르게 읽는 것은 작품의 문학적 성격과 그 묘미를 읽어내는 데서는 큰 차이를 야기할 수 있어 소홀히 다룰 문제가 아님), 그 근거가 불명확한데 기초하여 비록 타당한 결과에 이르렀다 하더라도 객관적 설득력을 갖기가 어렵게 되어 있다. 이에 비해 (마)에서 (아)까지의 이설은 단순히 내용만을 근거로 삼지 않고 장르 양식을 드러내는 방식이나 한시로 된 해시의 형식 혹은 음악적 제시형식을 함께 고려하였거나((마), (바) 및 (아)가 그러함), 아니면 화자의 진술성격 변환을 내용과 함께 고려함으로써((사)가 그러함) 보다 신뢰성을 확보하고 있다.

그러나 (마)의 경우[9] 본사(本詞)만을 서사시 부분으로, 서사(序詞)와 결사(結詞)를 비서사시 부분으로 보고 있어 작품 전체를 서사시로 볼 경우 왜 그렇게 비서사시 부분이 많은 양을 차지하는지에 대해 납득하기 어렵고, (바)의 경우[10]는 국문시가 부분을 왜 한시의 형식 짜임에 맞추어 기 승 전 결의 4단 구조에 맞추어야 하는지[11] 쉽게 수긍이 가지 않는다. (사)의 경우[12]도 서두나 결말 부분이 초월적 존재자로서 혹은 교훈적 요목을 나열하는 표현방식을 보인다 하여 왜 교술적 화자로만 보는지(이 경우라면 서정화자도 가능하기 때문)와 나머지 중간부분이 사실을 나열하는 사전적(史傳的) 화자의 태도를 보인다 하여 서사적 화자라 지정하는 것은 무리이므로 화자의 변환이란 관점으로 서술단락을 나누는 것[13]도 납득하기 어렵다. (아)의

9) 성기옥, 「용비어천가의 서사적 짜임」, 『백영정병욱선생 환갑기념논총』, 신구문화사. 1981(김학성·권두환 편, 『고전시가론』, 새문사, 1984에 재수록) 이 글에서 참고할 경우는 재수록분의 쪽수를 표시할 것임.

10) 김문기, 「〈용비어천가〉의 구조」, 『국어교육연구』 9집, 경북대, 1977 참조.

11) 우리 시가의 경우 단가 계열의 향가와 시조를 보거나 장가계열의 가사 등에서 보듯이 전통적으로 기승전결의 4단 구조보다는 轉과 結을 통합하여 서-본-결의 3단 구조로 형식화함이 일반적 특징이다.

12) 조규익, 『선초악장문학연구』, 231면 참조.

13) 서사적 화자나 교술적 화자라는 지정이 타당성을 가지려면 그 화자가 이끄

경우[14]는 음악적인 면과 문학적인 면을 아울러 고려했다는 점에서 가장 합리적 접근을 했으나 본사가 본사로서 기능하지 않고 그 자체로서 또 하나의 서-본-결이라는 3단의 완결구조를 가진 것으로 파악한 것은 전체 텍스트로 볼 때 자연스럽지 못하다는 점이 지적될 수 있다.

요컨대 위의 여러 이설들이 공통적으로 안고 있는 문제점은 「용비어천가」의 '형식'구조가 갖는 의미를 서술내용과 함께 고려할 경우라 하더라도 형식의 짜임새보다 내용에 더 큰 비중을 두고 있다는 점이다. 문학 텍스트에서 '형식이 갖는 의미론'은 그것이 단순히 장식적 의미만을 갖는 것이 아니라 문학의 완결미 곧 문학성을 드러내고 결정짓는 절대적 인자라는 사실을 소홀히 해서는 안 될 것이다. 그런 점에서 「용비어천가」의 서술단락은 형식의 짜임새를 우선적으로 고려한 바탕 위에서 파악되어야 할 것이다.

「용비어천가」의 서술단락을 결정짓는 형식적 짜임새는 여러 층위에서 검토될 수 있다. ① 문학적 표현으로서의 행의 짜임새를 비롯하여, ② 제시형식으로서의 음악적 짜임새, ③ 언어적 표현으로서의 서법의 짜임새가 그것이다. 이 세 가지 층위 가운데 「용비어천가」는 일단 노랫말을 악곡에 얹어 부른 악장이므로 ①과 ②가 대등한 고려 대

는 해당부분의 진술이 서사장르와 교술장르로서의 화행짜임을 보여야 하는데 「용비어천가」는 뒤에 상론하겠지만 진술방식에 있어서 억제서술로 일관하기 때문에 화자의 변환을 보이는 것이 아니라 서정화자로 일관된 서술을 보인다는 점에서 수긍하기 어렵다. 교술적 화자가 되려면 章과 行의 연속성을 바탕으로 하는 '확장발화'로 일관해야 하는데 오히려 그와 반대로 매장과 매행마다 서술이 차단되는 '억제발화'의 특성을 보인다. 또 서사적 화자가 되려면 진술에 책임을 지지 않고 순수 중개 역할만 함으로써 허구 서사물의 전달에 적합한 '매개발화'가 중심이 되어야 하는데, 「용비어천가」는 화자가 진술의 책임을 지는 실재 작자의 현실적 목소리를 담고 있다.

14) 양태순, 「〈용가〉의 짜임과 율격」, 『인문과학』 창간호, 서원대, 1992 참조.

상이 될 수 있을 것 같으나 실상은 그렇지 않다. 즉 「용비어천가」는 노랫말이 먼저 지어지고 그것을 악곡에 실었기 때문에 ①이 ②보다 우선적으로 검토되어야 할 것이다. 그리고 ①이 최우선적으로 검토되어야 하지만 그것을 ②와 ③의 제시형식 혹은 표현방식으로 드러내므로 이것도 아울러 고려한 문학 텍스트의 완성으로 읽어내야 할 것이다.

먼저 ①의 층위에서 「용비어천가」는 크게 세 개의 단락으로 나누어짐을 확정할 수 있다. 즉 제 1장은 1행 형식으로, 제 2~124장은 2행 형식으로, 제 125장은 3행으로 문학적 형식이 짜여 있다는 것이다. 문학적 표현 형식을 1행으로 하느냐 2행으로 하느냐 3행으로 하느냐의 차이는 그 각각의 서술단락의 내용을 명확하게 구분 짓는, 결코 무시하거나 간과해서는 안되는, 그리하여 서술단락의 경계선을 구획 짓는 절대적 의미의 응집력으로 기능한다. 즉 1행 짜임 부분은 그것대로, 2행 짜임 부분은 그것대로, 3행 짜임 부분은 그것대로 강한 응집력으로 결속되어 있어서 다른 부분으로의 의미론적 이탈을 막는 기능을 수행한다. 이런 점에서 (라)와 (아)를 제외한 모든 견해들은 「용비어천가」의 서술단락을 제대로 읽어내었다 하기 어렵다. 즉 「용비어천가」에서 행의 짜임새가 서로 다른 제 1행과 2행을 묶거나 혹은 그 이상을 묶어 서사(序詞)로 보거나 제110장에서부터 125장을 규계 내지 물망장(勿忘章)이라 하여 함께 묶어 결말로 보는 것 등은 형식 짜임의 응집력을 고려하지 않은 잘못된 읽기라는 것이다.

이렇게 ①의 층위에 놓고 볼 때 「용비어천가」의 서술단락은 (라)와 (아)가 파악한 바처럼 3단 구조로 짜여져 있음이 명백하다. 그러나 이 경우 본사 부분이 지나치게 비대해서 그 모두를 관현에 올려 악장으로 사용하기에는 물리적으로 불가능하다. 그럼에도 불구하고 악장 초유의 이런 거대한 장편의 작품을 만든 의도는 「수보록」, 「몽금척」 같은 단편 악장으로는 감당할 수 없는 조선왕조 건국에 관련한 사실을 최대한 자료를 수집하여 그것을 모두 망라한 악장으로 만들어야 했던 세종의 의도와 관계되며, 이런 의도가 작품의 본사 부분에 모두 포용되었기 때문이다. 이렇게 하여 이루어진 거대한 본사 부분의 활용도는 다음의 기록에 잘 드러나 있다.

> 지금 「용비어천가」를 내리신 것은 祖宗의 성덕과 신공을 **노래하고 읊게 하기(歌咏)** 위하여 지으신 것이니 마땅히 상하에 통용하여 칭양의 뜻을 극진히 하셔야 합니다. 그것을 종묘에 쓰는 데만 그치게 할 수 없사오니 여민락, 치화평, 취풍형 등의 악을 공사간의 연향에 모두 통용하도록 허락하소서.[15)]

위에 따르면 「용비어천가」의 향유방식은 일단은 그 전편을 모두 관현에 부쳐 노래하는 것으로 되어 있지만(그래서 그 악보가 『세종실록』 권 140~144에 致和平譜가, 권 145에 醉豊亨譜가 실려있긴 하지만) 그것은 물리적으로 실현되기 어렵고, 실제에 있어서는 위의 인용에 나타나 있듯이 '노래하기도 하고 읊기'도 하는, 즉 일부는 가(歌)로, 일부는 영(詠)의 방식으로 동시에 통용되었음을 알 수 있다. 이는 곧 이러한 이중의 향유방식이 노래의 제작에 반영되지 않을 수 없었음을 의미하는 것이기도 하다. 즉 악장으로서는 감당할 수 없는 거대한 장편의 본사 부분에 있어서 그 일부는 언제나 관현에 부쳐 노래로 향유 가능한 부분으로 짜여져야 하고(樂歌부분), 나머지는 읊조려서 향유하는(詠부분), 그래서 장편화가 가능한-이중 구조의 짜임새가 마련되었을 가능성을 생각할 수 있다. 따라서 ②의 층위가 고려되지 않을 수 없게 된다. 즉 본사 내에서 노래하는 부분(실제로 봉래의로 연행될 때 치화평의 경우는 2~16장, 취풍형의 경우는 2~8장이 연행되므로 최대 16장까지 해당함)과 읊조리는 부분(나머지 1

---

15) 『세종실록』 권116, 29년 6월 을축.

7~109장)으로 다시 서술단락이 나뉘게 되는 것이다.

아울러 「용비어천가」의 제작 목적은 위의 인용에서처럼 공사 연향에서 가영(歌詠)하기 위함만이 아니라 왕조의 영속을 위한 후대왕에의 규계가 또 하나의 중요한 의도였음은 최항의 「용비어천가」 발문에서, 그리고 무엇보다 물망장(勿忘章 : 110~124장)을 통해 작품으로 실현하고 있다. 따라서 「용비어천가」는 공사연향에서 향유하는 데 필요한 부분과 후대왕에의 규계라는 또 하나의 중요한 필요성을 동시에 충족해야 했으며 이에 서로 다른 언어적 표현이 동시에 요구되는 이중적 짜임을 보이게 된 것으로 이해된다. 여기에 ③의 층위가 고려대상이 되지 않을 수 없다. 즉 연향에 필요한 부분은 군신간에 공동으로 향유하는 부분이니 서술(명제)내용에 대한 화자의 태도는 그 서술이 사실(진실)로 주어지는 것으로 원칙까지 유효하다는 원칙법 선어말어미 '-니'로, 혹은 추측의 '-리'로 서술을 종결함으로써 평교간의 반말체를 사용함에 반해, 후대왕에 대한 규계부분은 향유집단 밖에 소속된 out group에 대한 언술이므로 그에 대한 예우적(禮遇的) 거리를 두는 표현으로 '-ᄒᆞ쇼셔'체를 사용하게 된 것이다. 이에 따라 전자와 후자에 해당하는 부분이 언어적 표현으로서의 서법이 다른 짜임새를 보이게 된 것이다.

이상을 종합하여 「용비어천가」의 서술단락을 도표로 보이면 다음과 같다.

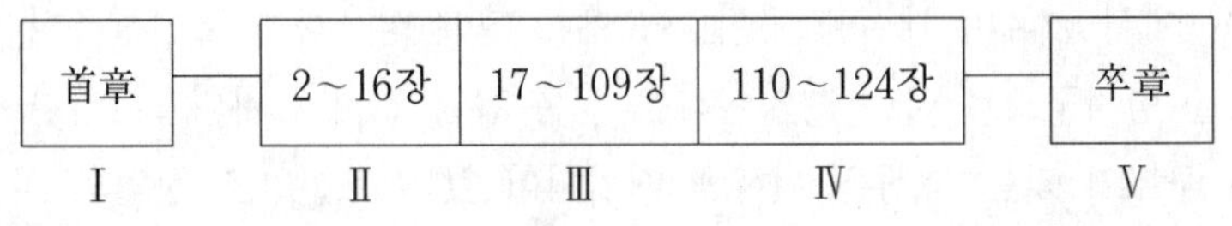

이처럼 Ⅰ(서사)과 Ⅱ, Ⅲ, Ⅳ(본사)와 Ⅴ(결사)의 3단 구조가 「용비어천가」의 거시구조(행의 짜임새의 차별성에 의해)로 파악되고, 그

틀 안에서 다시 본사부분이 3개의 단락으로 나누어져 II와 III, IV가 음악적 제시 형식에 의해 가(歌)와 영(詠)부분으로 구분되고, 또 II III과 IV는 언어적 표현으로서의 서법의 차이에 의해 구분됨으로써 전체가 5단 구조를 이루는 것이 미시구조의 짜임새라 할 것이다.「용비어천가」를 단순히 3단 구조로 파악하는 것과 이처럼 미시구조를 감안하여 5단 구조로 파악하는 것은 작품의 문학성 곧 시적묘미를 읽어내는 데 커다란 차이를 가져온다. II, III, IV 부분의 짜임새가 서로 다른 texture를 형성하며 감정의 파고(波高)를 달리 일으키기 때문이다. 이 부분에서 성기옥이 발견한 주기적 순환원리의 서술 순차(4조→태조→태종의 3회 반복)[16]도 서사적 짜임의 원리로서가 아니라 '서정적 결을 이루는 파동의 곡선'으로 이해해야 할 것이다.

나. 章과 行의 짜임새

「용비어천가」의 장과 행의 구조적 특징에 관하여는 선학의 연구에 의해 거의 완벽할 정도로 밝혀졌기 때문에 더 이상의 천착이 필요 없을 정도이다. 다만 여기서 문제 삼고자 하는 것은 그러한 짜임새가 갖는 '형식의 의미론'에 관한 문제다.

「용비어천가」의 장(章)구조는 작품 전체를 이끌어 내는 서두부로서의 수장(首章 : 제1장)과 작품 전체의 완결을 위한 총결부로서의 졸장(卒章 : 제125장)을 제외하고는 본사 전체가 앞절 1행과 뒷절 1행의 병치로 짜여진 2행 구조로 되어 있고, 또 그 대부분이 앞 절(행)에서 중국의 사적을 뒷 절(행)에서 그에 상응하는 조선왕조의 사적을 병치구조로 하는 짜임이라는 점은 널리 알려진 바다. 이러한 장의 구조가 갖는 특징은 뒷행에 배치되어 있는 조선왕조 창업의 사적에 관한 사건을 하나의 완결된 이야기(스토리 차원에서든 플롯 차원에서든)로 끌어나가는 연계 장치로서는 적절하지 않다는 점에 주목

16) 성기옥,「용비어천가의 서사적 짜임」, 318~319면 참조.

해야 할 것이다. 즉 앞행에 배치되어 있는 중국사적이 뒷행의 이야기 형성의 지속을 매장마다 차단하는 짜임새여서 각 장에서 다루고 있는 육조(六祖) 사적이 서사 텍스트로서의 적층을 이루면서 뒷장으로 연계되는 데에 근본적으로 장애를 가져오는 짜임새로 되어 있다는 것이다.

이러한 이야기성의 차단 구조는 앞행의 중국 사적에 의한 차단 장치로 끝나는 수준에 머물고 있지 않다. 각 장의 핵심 소재를 이루고 있는 이야기의 최소 단위인 모티프의 배열에 있어서도 수 개 장(章)의 유기적 연계에 의한 삽화(에피소드)의 형성이 여간해서 이뤄지지 않는다는 점이 장의 연계에 의한 이야기성(서사적 인과관계에 의한 유기성)을 또다시 차단하고 있다.[17] 이는 각장이 그 자체로 강한 완결성을 갖고 있다는 것이고 이 점은 선학의 연구에서 장의 독립성과 파편화로 이미 지적된 바다. 이러한 장(章)의 짜임새는 「용비어천가」의 화행 짜임이 장의 계속적인 연계에 의한 '확장발화'의 진술양식으로 짜이지 않고 반대로 각 장을 단위로 최대한 압축하여 완결하려는 '억제 발화'의 진술양식으로 짜여져 있음을 의미한다. 이는 「용비어천가」가 확장 발화를 양식적 특징으로 하는 서사나 교술의 장르 양식을 보이는 텍스트가 아니라 억제 발화를 양식적 특징으로 하는 서정 양식의 텍스트임을 의미한다(희곡양식은 대화가 중심이 되는 교환발화임). 그런 점에서 「용비어천가」를 서사시로 읽어내려 하거나 교술시

---

17) 성기옥, 「<용비어천가>의 구조와 서사성」, 『고려가요 악장 연구』, 국어국문학회 편, 태학사, 1996, 516~522면에 의하면 「용비어천가」는 하나의 삽화를 가지고 여러 장(연)에 걸쳐 상세히 서술하는 일이 거의 없으며 대부분 하나 또는 두 장에 걸치고 많아야 네 장 이상을 넘지 않는다고 한다(네 장에 걸치는 경우는 왜구와의 咸州 전투와 창왕의 폐위 등 두 가지 사례뿐이라 함). 그나마 시간순의 배열을 따르는 삽화의 배열들이 인접 삽화와 서사적 인과관계를 지니지 못하고 단순한 열거현상을 드러낸다고 한다. 이는 서술내용을 삽화 중심(서사의 단위로 작용)이 아니라 모티프 중심(서정의 정황으로 기능)으로 서술하기 때문이다.

로 읽어내려 하는 것은 문제가 된다.

「용비어천가」를 서사시로 보려는 시도에서도 이러한 장별구조의 차단성은 이미 지적된 바이지만 그럼에도 불구하고 서사시로 끝내 보고자 했던 것은 작품의 본사를 이루고 있는 서술단락이 '영웅의 일생'이라는 맥락으로 짜여져 그것을 서사적 통일성의 원리로 삼고 있다는 데에 근거하고 있다.[18] 그러나 본사의 서술단락이 '고귀한 혈통→비범한 성장→탁월한 능력→투쟁에서 승리'라는 영웅의 일생 구조의 순서를 보인다 하더라도 그러한 서술단락들이 확장발화에 의한 서술의 연계성을 보이지 않기 때문에 서사적 통일성을 갖는 유기적 서술 맥락으로서의 서사적 짜임으로 읽어낼 수 없게 한다. 즉 「용비어천가」에서 영웅의 일생이라는 4단계의 서술 단락은 서사시의 인과관계로 짜여 있기보다 서정시로서 작중의 '서술 상황'으로 개별적 역할을 하거나 소주제로서의 적층에 의한 대주제의 형성에 기여할 뿐이다.

「용비어천가」의 억제발화라는 서술 특징은 이처럼 장구조나 장(하나의 중심 모티프가 하나의 장을 이룸)배열의 차원에 머무는 것이 아니라 장을 이루는 하위단위인 행구조에서도 보인다. 이미 선학의 치밀한 연구성과[19]에 의해 밝혀진 바 있듯이 「용비어천가」의 각 행은 3 개의 구(句), 즉 율격행으로 짜여져 있고 각 구는 앞의 두 구가 율격적 고정성(2음보로 규칙화 됨)을, 마지막 구가 율격적 가변성(2~4음보로 불규칙)을 보이는 짜임으로 이루어져 있다. 이러한 율격상의 비연속성(2음보로 연속되지 않고 가변부에 의해서 매 행마다 연속성이 차단되는)은 행의 수준에서도 서술의 억제가 일어난다는 의미로 보게 한다. 이러한 행의 서술 차단 구조는 이미 시조의 3장 구조에 비의되면서 앞의 두 구가 시상 전개부로, 뒤의 한 구가 시상 집약부

18) 성기옥, 「〈용비어천가〉의 서사적 짜임」 및 「〈용비어천가〉의 구조와 서사성」 참조.

19) 성기옥, 「〈용비어천가〉의 구조와 서사성」 참조.

로 기능한다는 점이 지적된 바 있다.[20] 즉 「용비어천가」는 시상의 연속적 전개를 율격적으로 차단하는 행의 짜임을 보임으로써 매 행마다 시상을 일단 완결해야 하는 서술의 억제 장치를 갖고 있어서 이 점이 더욱 서정시로 읽어야 하는 당위로서 작용한다는 것이다.

3) 「용비어천가」의 서정성과 그 묘미

「용비어천가」는 이처럼 장구조나 장배열은 물론 행의 수준에서도 철저한 억제발화에 의해 화행짜임이 이루어져 있기 때문에 이러한 짜임을 무시하거나 소홀히 하고 한 편의 서사시나 교술시(서사적 교술시나 교술적 서사시도 마찬가지다)로 읽어내려는 시도는 문제가 아닐 수 없다. 서사시로 읽으려 할 경우 그 이야기성의 파편화와 스케일의 빈약함, 그리고 무엇보다 서사적 갈등에 의한 위기 극복의 장엄한 모습을 도무지 볼 수 없다는 점은 서사시가 아닌 것을 서사시로 읽으려는 데서 오는 결과라 하겠다. 이를 한국 서사시의 특수성으로 합리화할 수는 없다. 또한 교술시로 읽는 문제점도 이에 못지 않다. 「용비어천가」를 지나치게 정치적 텍스트로 읽거나 어용적(御用的) 아유(阿諛)로, 혹은 유교의 공리성(功利性)에 의한 기호의 효용적 가치에 치중했다는 이해[21]가 그러하다.

「용비어천가」는 시적 짜임새가 갖는 형식의 의미론을 통하여 어느 정도 감지할 수 있듯이 그러한 짜임새에 바탕을 둔 한 편의 서정시로 읽을 때 그 문학성과 시적 묘미가 오롯이 살아날 수가 있는 것이다. 그 서정성의 맛을 다음의 몇 가지로 나누어 살펴보기로 한다.

---

20) 이러한 점에 대하여는 정병욱, 「용비어천가의 형식구조」, 『한국고전시가론』(증보판), 신구문화사, 1984 및 김대행, 「용비어천가의 권점에 대하여」, 『국어교육』 49·50 합집, 한국국어교육학회, 1984에서 지적된 바 있다.

21) 김열규, 앞의 논문, 233면 참조.

(1) 노래하기의 맛

「용비어천가」의 가장 큰 특징은 그것이 노래하기의 묘미를 맛볼 수 있도록 미학적 짜임을 갖고 있다는 것이다. 이 경우 노래하기는 문학적 표현양식으로서의 의미이며, 텍스트의 제시형식으로서의 노래하기와는 다른 개념이다. 노래하기는 그것이 행의 수준이든 그 이상 혹은 그 이하의 수준이든, 어느 수준에서 서술의 억제 발화가 일어나 통사적 의미구조의 차단에 의한 의미생산적 율동화로 실현된다. 서정 장르양식은 바로 이러한 노래하기의 진술방식 곧 억제발화가 작품 전편의 진술양식으로 실현화됨을 특성으로 한다.[22] 그런 점에서 「용비어천가」는 서정시로서 노래하기의 진술 특성을 전형적으로 보여준다.

「용비어천가」에서 노래하기는 여러 수준(句, 行 혹은 章)에서 실현되는데, 그 중에서도 장(章)의 완결구조에 의한 서술 차단이 가장 중심구조를 이룬다. 작품에 수많은 삽화가 동원됨에도 불구하고 이야기성을 갖는 확장발화로 서술내용이 연계되지 못함은 바로 이 '장'의 수준에서 통사 의미적 서술 차단이 지속적으로 실현되기 때문이다. 즉 「용비어천가」는 장의 수준에서 서술 차단이 이루어져 노래하기의 전형적 특성을 보인다. 그리하여 성기옥이 발견한 태조 이성계를 중심으로 한 '고귀한 혈통→비범한 성장→탁월한 능력→투쟁에서 승리'라는 영웅의 일생이라는 서술맥락 마저도 그러한 서술 내용을 통해 태조의 신성한 공적(神功)을 순차적으로 노래하려 한 것이지, 이야기하려 하거나(이래야 서사시가 됨), 알리려 하거나 설명하려(교술시가 됨) 하지 않고 있음을 주목해야 한다.

우리가 잘 아는 「용비어천가」의 수장(首章)을 보자.

海東 六龍이 ᄂᆞᄅᆞ샤/ 일마다 天福이시니/ 古聖이 同符ᄒᆞ시니

22) 이에 대하여는 성무경, 「가사의 존재양식 연구」, 성균관대 박사학위논문, 1997 참조.

이처럼 한 개의 장(章)이 한 개의 행(行)으로 완결되고 있어 말하고자 하는 서술 내용이 최대한 억제되고 있다. 그리고 졸장(卒章)은 3행으로, 나머지 장은 모두 2행으로 완결되는 억제발화의 구조를 갖고 있음은 잘 알고 있는 바다. 이러한 억제발화구조는 응집력을 최대한 높이기 위한 표현장치이고, 이러한 응집력이 발현되는 지점에 시적효과 곧 서정성이 실현되는 것이다. 서정시는 노래하기의 특성으로 인하여 이처럼 구조적으로는 단순성을 보일 수밖에 없는데 이러한 구조적 단순성을 보상하는 표현장치로 심미적 복합성—언어적, 문학적, 형식적 복합성—을 활용하게 된다. 위의 인용에서 육룡(六龍)같은 비유나 암시를 통한 의미론적 차원의 언어적 심상들이 심미적 복합성을 드러내는 장치이다.

아울러 「용비어천가」는 육룡(六龍)을 노래한다고 수장(首章)에서 천명하고 있음을 주목해야 한다. 다시 말하면 태조라는 일룡(一龍)을 '영웅의 일생구조'로 노래하는 것이 아니라는 것이다. 태조를 서사(敍事)의 주동인물로 보면 서사시로서 갖추어야 할 반동인물이 부각되어 있지 않음을 설명할 길이 없고, 육룡(六龍)의 일원인 사조(四祖)는 배경인물로 전락하고 태종은 유기적 역할을 하지 못하는 부연적 인물 혹은 섬약한 인물로 의미가 강등된다.[23] 그러나 「용비어천가」는 이들 육룡(六龍)에 한결같이 대등한 의미 부여를 하고 있을 뿐 어떤 특정의 인물이 중심이 되고 나머지는 배경인물이거나 부연적 인물이 되는 것이 아님은 각 인물들을 개별화하지 않고 육룡(六龍)이란 말로 대등하게 포괄적으로 묶어서 지칭하고 있음에서 잘 드러난다. 뿐 아니라 이들 육룡(六龍)의 행적을 명시적으로 드러내어 서술하지 않고 행위의 주체를 익명화함으로써 각각의 행적이 차별화 되지 않음에서도 이들이 대등하게 다루어지고 있다는 근거가 된다. 또한

---

23) 성기옥, 「용비어천가의 서사적 짜임」에서 이런 견해를 보인 바 있다.

이처럼 서술행위의 주체가 익명화되어 표현됨은 서사시처럼 특정인의 구체적 행위로 서술하지 않고 서정시에서 볼 수 있는 '비특정 전환표현'으로 되어 있음을 의미한다.

아울러 이들 육룡(六龍)간에 서술 분량 면에서 현저한 차이를 보이는 것[24]은 정보자료(해당 관련 事蹟)의 많고 적음에 따른 것이라 이해해야 할 것이다. 이는 태종과 사조(四祖)의 비중을 따져보면 쉽게 드러난다. 즉 본사에서 사조의 사적은 네 명을 모두 합쳐야 총 18개장에 나타나지만, 태종의 경우는 단독으로도 총 22개장에 나타나고 있어 양적인 면에서는 이처럼 태종이 사조를 앞지르지만 그렇다고 서술 비중의 질적 측면에서까지 그러하다고 볼 수는 없는 것이다.

「용비어천가」의 노래하기는 본사(本詞)를 다시 3단 구조(II-III-IV)로 나누어 언어적 결을 달리함으로써 감정의 파고와 의미의 파동을 달리하는 것으로 나타나며 이것이 서정적 묘미를 한결 더하고 있다. 이는 제시형식이나 서법의 다름을 노래하기에 반영한 것으로 이 때문에 본사의 3단 구조에서 같은 인물에 대한 동일 모티프의 사적을 다룸에 있어 표현상의 질적 차이에 의한 서정적 결(texture)의 다름을 보이게 된다. 이러한 표현상의 차이에 대한 논의는 선학[25]에 의해서 일찍이 장르 양식상의 차이—서정과는 무관하게 서사적 짜임의 표현이냐 아니냐의 차이—로 설명된 바 있지만, 과연 그것이 서정적 표현내의 질적 차이에 의한 것이냐 서사와 비서사의 차이에 기인한 것이냐를 확연하게 알아보기 위해 선학이 표본적인 예로 들고 있는 문제의 장(章)을 재검토해 보기로 하자.

---

24) 김문기와 성기옥의 논문에 六龍 관련 사적의 분포 양태가 어떻게 나타나는지 잘 분석되어 있다. 이에 따르면 四祖 관련 행적은 18개 장에 걸쳐서, 태조 관련은 82개 장에, 태종 관련은 22개 장에 걸쳐서 나타나는 것으로 되어 있다.

25) 성기옥, 「용비어천가의 서사적 짜임」, 320~322면 참조.

① ᄫᆡ야미 가칠 므러 즘겟가재 연ᄌᆞ니 聖孫將興에 嘉祥이 몬졔시니 (제7장)

② 雙鵲이 ᄒᆞᆫ 사래 디니 曠世 奇事ᄅᆞᆯ 北人이 稱頌ᄒᆞᅀᆞᄫᆞ니 (제23장)

이 두 개의 장은 도조(度祖)가 두 마리 까치를 쏘아 죽였는데 뱀이 이를 먹지 않고 나무 위에 걸쳐두었다는 동일한 삽화를 소재로 한 것으로 선학(성기옥)의 설명에 의하면 모티프의 선택이나 표현의 방법에 있어서 차이를 보인다. 즉, ①이 현재적 시점에서 과거의 상서로운 증거(뱀이 가치를 가지에 걸어두는 모티프 선택)를 들어 조선 건국이 필연적임을 강조하는 현재적 의미 표현에 중점을 둠으로써 주제가 훨씬 포괄적이며 직설적인 방법으로 제시됨으로써 논리적 짜임의 특성을 보임에 비해, ②는 도조의 뛰어난 무용(武勇)〔두 마리 까치를 쏘아 맞치는 모티프 선택〕을 강조하는 서사내용의 개별적 의미 표현에 중점을 둠으로써 작품의 전체 주제에 점진적으로 접근해 나가는 서사적 짜임의 특색을 보인다는 것이다.

그러나 ①과 ②에서 설령 그러한 차이가 감지된다 하더라도 그것이 장르 양식상의 차이로 설명될 성질의 것은 아니라고 생각된다. 그것은 특히 ②가 선학(先學)의 설명대로 서사내용의 개별적 의미제시를 통해 '점진적'으로 작품의 전체 주제에 접근해 나가는 '부분'으로서의 주제 표출 방법을 보이는 것이라면 서사적 짜임의 일환으로 볼 수 있겠으나 사실은 그렇지 못하다. 왜냐하면 ②의 서술내용이 전후(前後)의 서술문맥(제 23장의 앞 뒤 章과의 관계)에서 행동을 동기화 하는 인과(因果)로 작용하지 않고 다만 그 자체로 독립적이고 자족적인 구조로서 정서적 감응을 일으키는 장면화 혹은 양태화를 일으키는데 기여할 뿐이어서 그것이 플롯의 형성에 참여하여 서사내용을 점진적으로 일구어나가는 서사적 짜임의 일부로 역할을 한다고 보기는 어렵기 때문이다.

따라서 ①이 주제를 보다 포괄적이고 직접적으로, ②가 상대적으로 서술내용의 개별적 의미 표현을 중점적으로 드러낸다 하더라도 둘 다 서정적 짜임 내에서 그러한 표현상의 질적 차이를 드러내는 것으로 이해되어야 한다. 즉 ①과 ②가 모티프 선택이나 표현상의 차이를 보이는 것은 서술 내용을 보다 짧은 길이(제 2~16장까지)에 담아 노래해야 하는 상대적 **집약화**의 부분—악가(樂歌)로 연행되는—에 위치하느냐, 구체적인 사적의 내용을 음미할 여유를 상대적으로 훨씬 많이 갖는(제17~124장까지) 보다 **상세화**의 부분—여기서도 악가를 표방하긴 하나 실제로는 읊기(詠)로 향유되는—에 위치하느냐에 따른 제시형식의 다름이 반영된 결과이지 장르양식상의 차이로 이해될 성질의 것은 아니라고 본다. 이러한 제시형식의 다름은 결국 '4조→태조→태종'의 반복 서술이 단순 반복이 아닌 서정적 결을 이루는 파동의 곡선으로 실현되도록 함으로써 시적 감동의 묘미를 맛보도록 하는데 기여하는 것이다. 이 때의 시적 감동은 각 장(章)의 독립성을 바탕으로 한 장(章) 한 장마다 서정적 울림으로 다가오는 그런 것이어서, 매 장의 연계적 누적에 의해 총체적으로 다가오는 서사시로서의 울림과는 감동의 질과 성향이 다름을 분명히 감지할 수 있다.

(2) 여백(애매 모호성)의 맛

서정시에서 서술의 억제가 갖는 기능은 구조적으로 간결 단순한 발화를 통해서 심미적 복합성이 가장 훌륭하게 작용할 뿐 아니라 시적 연관성의 풍요로움과 밀도를 더하게 한다. 그리고 억제발화는 통사적으로 생략어법을 최대한 활용하는 것으로 나타나는데 이는 강한 여운을 남겨 그 여백 속으로 청자(독자)를 유인하는 상승된 호소력과 감동력을 지닌다. 아울러 억제발화는 언어 표현의 애매 모호성을 유발하는데 이 애매 모호성이야말로 서정시의 각별한 묘미—여백의 맛으로 기능 한다.

「용비어천가」는 억제 발화에 따른 극도의 생략어법으로 인하여 행위의 주체도 알 수 없고 사건의 정황도 파악할 수 없는 '비특정 전환 표현'이어서 이러한 표현특징을 갖는 텍스트를 서사시로 읽어내려 한다면 결함 투성이가 되겠지만 서정시를 본질로 하는 텍스트이기에 오히려 여백의 묘미를 맛보게 한다. 서정발화는 서사발화처럼 사건진행의 서술에 대해 의무를 가질 필요가 없고, 극적발화에서처럼 상황변화의 의무를 지는 것도 아니어서 그러한 표현이 가능한 것이다. 즉 서정시이기에 언어 표현에 있어 의미론적으로나 통사론적으로 명료성에의 어떤 의무도 가질 필요가 없는 것이다. 「용비어천가」의 거의 모든 표현이 그러하지만 임의로 제62장의 경우를 예로 들어 살펴보자.

> 도ᄌᆞᄀᆞᆯ 나ᅀᅡ가보샤/일후믈 알외시니/聖武ㅣ어시니 나아오리잇가
> 도ᄌᆞ기 겨신ᄃᆡᆯ무러/일후믈 저ᅀᆞᄫᆞ니/天威어시니 드러오리잇가
>
> (돌궐족)도둑을 나아가 보시어 이름을 알리시니, (당태종은) 聖武이시므로 (적이 감히) 나아오겠습니까
> (倭寇)도둑이 (이태조의) 계신 데를 물어 이름을 두려워하니, (이태조는) 天威이시니 (도둑이 감히) 들어오겠습니까

이처럼 괄호 친 부분을 보강해야 겨우 그 통사-의미적 문맥이 어느 정도 애매 모호성[26]에서 벗어날 수 있고, 나아가 관련 사건의 추이를 제대로 이해하려면 사건에 얽힌 원상황(ur-situation)을 밝혀 놓은 한문산문으로 된 주해문을 참고해야 비로소 가능하다. 「용비어천가」의 언어적 표현은 이와 같이 애매 모호한 묘미—이것을 낯설게 하기에 의한 극단적인 초점화로 보아도 좋다—를 가지고 수수께끼적

---

26) 「용비어천가」의 국문시가에 보이는 이러한 애매 모호성은 William Empson이 "Seven Types of Ambiguity"에서 말한 애매성과는 차이가 있음을 알 수 있다. 즉 「용비어천가」의 경우는 통사적 결속과 관련한 cohesion으로서의 애매 모호성이 대부분이고, Empson의 경우는 하나의 암호로부터 두 가지 이상의 의미가 파악되는 의미의 함축성과 관련한 애매성이기 때문이다.

으로 수용자에게 다가와 정서적 신비감과 강한 여운을 남긴다. 이런 면에서 각 장(章)의 구조가 중국의 사적과 조선의 사적을 서술내용으로 하면서 철저히 병치구조(댓구형식)를 이루되 그 대부분이 정사대(正事對)로 짜여 있고,[27] 거기다 앞 절(行)과 뒷 절(행)의 음보는 물론이고 음수율까지 동일화하려는 표현의 특성을 『문심조룡(文心彫龍)』의 잣대를 따라 미학적 수준이 떨어지는 작품으로 평가하려는 견해[28]는 쉽게 수긍이 가지 않는다. 극단화된 애매 모호성으로 일관된 「용비어천가」를 읽어내는 데 있어서 정사대(正事對)의 대구(對句)적 표현장치는 그나마 극단적인 애매 모호성에서 벗어나 수용자에게 서정의 통로를 열어주는 최소한의 효율적 장치로 이해되기 때문이다. 중국 사적을 앞세운 것도 사대적 모화(慕華)가 아니라 서술의 중심이 되는 우리 사적의 지나친 생경성(아직 널리 알려진 사적이 아니라는 의미의 생경)으로 인한 낯설음을 중국사적(상대적으로 낯익음)을 통해 완화시키고 나아가 중국 사적과 대등한 무게(의미 비중)를 갖도록 하는 서술장치로 이해할 수 있다.

그러나 무엇보다 「용비어천가」의 서정성은 각 장의 앞 뒤 절에 언표되어 있는 서술내용들이 서술의 억제와 애매 모호한 표현에 의해 심미적 복합을 일으켜, 언표된 그대로의 세계가 아닌 새로운 의미생산을 가져오고 서사적 서술마저 집중화·초점화함으로써 그 서사적 비전을 정서적 상관물로 전환시킨다. 그리하여 육룡(六龍)의 하나 하나의 사적들이 축적되어 점진적으로 서사적 비전을 제시하는 짜임이 아니라 그 각각의 사적이 시적 긴장을 일으키며 서정적 울림으로 다가오도록 한다. 여기에는 율격의 관여에 의해 의미질서가 긴장을

27) 이에 대하여는 정병욱, 「용비어천가의 문학적 가치」, 『동아문화』 2집, 서울대 동아문화연구소, 1964와 김문기, 앞의 논문 및 성기옥, 「〈용비어천가〉의 구조와 서사성」에서 지적된 바 있음.

28) 정병욱, 앞의 논문, 249~250면이 대표적임.

갖는 시적 율동을 일으키게 하며 서사성이 농후한 행위나 사건조차도 장(章)을 경계로 하여 서술의 연계성을 차단함으로써[29] 정서적 상관물로 전환하게 하는 것이다. 「용비어천가」를 서정시로 읽어야 하는 이유가 바로 이러한 정서적 상관물로 전환한 육룡(六龍)의 사적을 서정적 감흥(찬양하고 기리는)으로 읽어야 하는 텍스트이기 때문이다.

4) 맺는 말

「용비어천가」는 역사적 사적에 관련한 사건을 다루고 있다. 사건은 서사적으로도 교술적으로도 서정적으로도 그리고 희곡적으로도 표현할 수 있다. 역사나 사건을 읊고 있다 하여 그것을 곧바로 서사시로 단정하는 것은 옳지 않다. 그것은 서정시로도 교술시로도 읊을 수 있기 때문이다. 「용비어천가」의 경우 관련 사적을 이야기성에 의한 확장발화로 노래하거나 그것을 교시적으로 알리거나 설명하려 하지 않고 억제 발화에 의한 의미생산적 율동화로 표현했기 때문에 서정시로 읽어야 하고 서정성을 통해 그 묘미를 밝혀내어야 한다. 이 글은 그런 취지에서 씌어진 작은 시도이다.

이러한 시도에 대해서 우선 제기될 수 있는 문제는 과연 서사나 교술이 반드시 확장발화만을 양식적 특징으로 하고 억제발화만이 서정적 양식의 텍스트를 규정짓는 특징으로 확정할 수 있을 지에 대한 의문이다. 소설이나 희곡에서도 서정적 요소를 찾을 수 있고, 시도하기에 따라서는 단편의 서정시에서도 서사적 요소를 내포하는 경우가 있

29) 물론 각 장은 무조건 독립되어 있는 것이 아니라 내적으로 긴밀하게 연결되어 있다고 할 수 있다. 그러나 이 작품에서의 章間의 연결은 플롯이나 스토리 혹은 논리적 설명틀을 이루는 서술의 연계와는 거리가 먼(그래서 서사시나 교술시로서의 내적 연결과는 분명히 구분되는), 서정시로서의 연계성(장별 소주제에서 텍스트 전체의 대주제로 향하는)을 가질 뿐이다. 다른 예를 들면 연시조에서 각 연의 텍스트 적층에 의해 작품의 전체틀을 이루는 내적 연결과 같은 성질의 것으로 이해하면 된다.

을 수 있기 때문이다. 그러나 소설이나 희곡 속에서 찾을 수 있는 서정적 요소나 서정시에서 발견되는 서사적 요소는 작품의 미적 가치를 드높이거나 독특한 문채(文彩 : figure)로 기능하는 '진술기법'에 불과할 뿐 그것이 장르 양식을 규정짓게 하는 본질적 '진술방식'은 아닌 것이다. 그리고 이질적인 진술기법이 보인다 하여 해당 텍스트를 장르적 복합성으로 규정하는 것도 마찬가지로 타당성을 인정받기 어렵다. 진술기법은 어디까지나 기법에 불과한 것이지 그것이 장르적 본질로 될 수는 없기 때문이다.

「용비어천가」에 관련한 또 다른 근본적인 문제는 그것이 「동명왕편」, 「제왕운기」, 「월인천강지곡」으로 이어지는 우리 서사시의 전통적 특수성 속에 놓인 작품으로 이해하려는 것이다. 그러나 이러한 작품들도 모두 소재를 신화나 역사에서 끌어왔을 뿐 진술방식에 있어서는 한결같이 억제발화에 의한 노래하기의 진술양식을 취하고 있으므로 서정시의 장르적 본질에서 벗어나지 않고 있다. 또한 이들 작품의 공통점은 서정시가 가장 꺼리는 '주석적 말하기'나 '부연적 해설'을 삼가고 부기(附記)된 주석부분을 따로 설정하여 작품(본문 텍스트)의 서정성을 견지해나감으로써 서정시로서의 긴장된 시적 울림을 끌어내고 있다는 점이다. 그런 점에서 이들 작품이 서정시로서의 묘미를 갖춘 독특한 전통을 이어가고 있음을 말해주는 것이라 하겠다.

요컨대 「용비어천가」는 한편에서는 「동명왕편」 같은 신화의 숭고성을 이어받고, 다른 편에서는 「제왕운기」나 「역대세년가(歷代世年歌)」[30] 등 영사시(詠史詩)[이것도 장르적으로는 서정시에 해당]의 전통을 이어받으면서 악장이란 역사적 장르로 실현된 서정시가라 할 것이다. 악장 자체가 본래 서정 장르인데 그에 속한 「용비어천가」를 서정 아닌 서사로 본 것이 문제였다.

---

30) 이 작품에 대하여는 陳在教, 「역대세년가 연구」, 『東方漢文學』 14집 참조.

2. 동아시아 시학으로 본 「용비어천가」의 시적 특성

—「용비어천가」의 짜임새와 시적 묘미를 바탕으로

1) 머리말

조선 초기 세종 시대에 우리의 고유문자인 훈민정음의 창제와 더불어 창작된 「용비어천가」는 국문학에 있어서 악장문학을 대표하는 거작으로 널리 알려지면서 그에 상응하는 연구가 다양하게 이루어져 왔다. 국어학적인 성과나 음악학적인 업적은 일단 논외로 하고 우리의 관심 분야인 국문학 쪽만 살펴보더라도 초창기의 조윤제·김사엽 등에 의한 정지작업을 이어받아 정병욱·장덕순·P. H. Lee 등에 의해 보다 심화된 연구가 이루어졌으며, 이를 기반으로 성기옥 등 후학에 의해 괄목할만한 성과가 축적되어 왔음은 익히 알고 있는 바다. 이러한 선학들의 업적에 힘입어 「용비어천가」는 작품으로서의 문학성과 미학성이 다각적으로 규명될 수 있었던 것이다.

그러나 모든 연구가 다 그러하듯이 「용비어천가」에 관한 선학들의 성과가 모든 문제를 다 해결한 것은 아니라고 본다. 특히 악장문학으로서의 지나친 교술성의 강조와, 문학적 짜임 혹은 장르적 성향에 있어서 서사시로서의 텍스트 읽기는 「용비어천가」를 온당하게 읽어내는 데에 상당한 문제가 있는 것으로 보인다. 이에 필자는 최근에 「용비어천가」의 텍스트 짜임새를 전면적으로 재검토하고 이를 토대로 이 작품을 교술시나 서사시로서가 아니라 서정시로 파악해야 제대로 읽기가 가능함을 제안한 바 있다.[31]

그 동안 우리가 「용비어천가」를 교술시로 혹은 서사시로 잘못 읽어 온 연유는 대체로 '교훈성'을 강하게 지향하기만 하면 '교술(주제

---

31) 졸고, 「용비어천가의 짜임새와 시적 묘미」, 『국어국문학』 126호, 국어국문학회, 2000 참조.

적, 혹은 전술 양식이란 용어를 쓰기도 하는 제 4의 장르 양식을 지칭함)시'로 간주하고, '인물과 사건의 서술적 진술'이 중심성향으로 드러나기만 하면 '서사시'로 보려했던 선입견이 크게 작용한 결과라 생각된다. 그러나 '교훈성'은 교술문학에만 보이는 독점적 전유물이 아니라 서정이나 서사, 극문학에도 얼마든지 나타나고,[32] '인물과 사건의 서술적 진술' 역시 서사문학 아닌 다른 장르에 얼마든지 나타날 수 있는 것이다.[33] 문제는 그러한 교훈성과 서술적 진술이 서정의 진술방식으로 양식화되었는지, 아니면 서사, 극, 교술 등 어느 다른 진술방식으로 양식화되었는지에 달려 있는 것이다. 그런 점에서 필자는 「용비어천가」의 경우 앞 논문[34]에서 종래에 서사시 혹은 교술시로 잘못 이해하여 왔던 점을 지적하고, 서술의 '억제발화'에 의한 서정시로 읽어야 작품의 실상에 맞는 이해가 가능함을 밝혀보고자 했던 것이다.

「용비어천가」가 서정시에 해당함에도 불구하고 서사시 혹은 교술시로 읽어온 데 대한 반성은 해당 텍스트의 온당한 이해를 위한 중요한 첫걸음이지만, 그것을 단순히 서정시로 읽어야 한다는 지적은 막연한 감을 벗어날 수 없다. 왜냐하면 서정시라는 용어 자체가 지극히 보편성을 지향하는 개념이어서 구체적으로 그러한 서정시로서의 시적 특질이 무엇인가를 규명하지 않을 경우 해당 텍스트의 실체를 파악하기란 불명확하기 때문이다.

---

32) 예를 들면, 서정시가인 「훈민가」 등의 교훈시조나 장편 서사시인 밀튼의 「실락원」, 극시인 괴테의 「파우스트」 등에서 교훈성이 중심성향으로 드러남을 생각해보면 이해가 쉬울 것이다.

33) 이를테면 譚詩로 번역되는 '발라드(ballad)'는 이야기가 중심이지만 서술서정시(narrative lyric)라 하여 서정 장르로 규정되고, 교술장르의 대표문학이라 할 수 있는 수필에서 인물과 사건의 서술적 진술이 중심이 되는 사례는 흔하게 볼 수 있음에서 쉽게 짐작이 갈 것이다.

34) 주 31)의 논문을 가리킴. 필자는 거기서 「용비어천가」가 왜 서정시로 읽혀야 하는지를 상술해 놓았으니 참고하기 바람.

상식적인 얘기지만 「용비어천가」를 그저 보편적인 서정시로만 성격을 지정함은 커다란 의미를 갖기가 어렵다. 「용비어천가」는 보편적 서정시로 존재하는 것이 아니라 조선시대 초기라는 특정한 역사 속에서 구체적으로 산출된 특수성을 갖는 서정 텍스트이기 때문이다. 따라서 「용비어천가」를 서구시와의 공통성을 통해 보편성을 찾아내는 것[35]도 중요하고, 혹은 중국으로 대표되는 동아시아의 보편 시학으로 그 의의와 위상을 규명해 내는 일[36]도 중요하지만, 그러한 보편성을 넘어서서 역사적 특수성을 갖는 텍스트로 이해할 때 작품의 진정한 모습이 드러날 것이다. 본고에서는 이 점에 유의하여 「용비어천가」가 서구시와는 다른 문학적 토대—곧 동아시아의 보편적 시학을 바탕으로 하고 있으면서도 한국적 특수성으로서의 시적 특성을 보인다는 관점에서 그것이 구체적으로 어떠한 양상으로 나타나는지에 대해 천착하고자 한다. 이를 위해 시경체 악장이라는 역사적 장르로서의 특성과 동아시아, 나아가 한국의 서정시가라는 양식을 통한 특성, 그리고 작품의 표현 및 서술 특성이라는 세 가지 측면에서 검토하고자 한다.

2) 시경체 악장으로서의 시적 특성

잘 아는 바와 같이 「용비어천가」는 예사 노래의 하나이거나 단순한 서정시가 아니라 조선 세종대라는 특정의 시대에 국가의 공식적 행사에서 엄격한 의례 절차와 격식을 갖추어 거행되는 악장으로 소용

---

35) 이러한 작업은 Peter H. Lee, *Songs of Flying Dragons, A Crit Reading*, Harvard University Press, 1975에 잘 되어 있다. 이 책은 김성언의 번역으로 『용비어천가의 비평적 해석』 태학사 1998, 출간된 바 있는데, 본고의 이 책에 대한 논의는 편의상 번역판을 사용하기로 한다.

36) 이러한 작업의 대표적인 예를 들면 서수생, 「〈용비어천가〉에 미친 시경의 영향」, 『경북대논문집』 9집, 1965와 김문기, 「〈용비어천가〉의 구조」, 『국어교육연구』 9집, 경북대, 1977 등이 있다.

된 작품의 하나다. 악장이란 중국의 전통적 예악제도를 본 받아 수용한 것인 만큼 그 절차나 법식 역시 중국의 정통 악장에 모범을 두는 엄격함이 지켜졌고, 더욱이 조선왕조 초기에는 새 왕조의 건국과 더불어 예악 정비의 일환으로서 왕업의 정통성과 치국의 성덕을 기리기 위한 악장의 개찬과 제작이 특별히 중요성을 띠게 되었는 바[37] 바로 이러한 시대적 특수성 위에서 「용비어천가」가 제작되었던 것이다. 이러한 특수성을 고려하지 않고 「용비어천가」를 예사로운 시가와 동질의 것으로 보고 서구의 시학으로 바라보거나 재단해서는 온당한 이해에 도달할 수 없음을 의미한다.

그런 점에서 P. H. Lee가 「용비어천가」에서 서구 영웅서사시와의 동질성을 발견해 낸 여러 시도들은 그 차별적 시학이나 미학에서 오는 차이를 간과한 무리한 시도임을 알 게 될 것이다. 즉 「용비어천가」는 서구의 영웅서사시처럼 '**영웅**의 행적을 노래한 **서사시**'가 아니라, '성인(聖人)의 공덕을 기리고 왕조의 영속을 갈망하는 **서정시**'라는 점에서 근본적인 차이가 있는 것이다.

이처럼 조선초기에 예악정비의 일환으로 제작된 「용비어천가」는 예악을 선진시대의 고제(古制)—특히 주왕가(周王家)를 법(모범)으로 삼아야 한다는 기본 이념하에 주악(周樂)의 구체적 표상물이라 할 『시경(詩經)』의 유음(遺音)을 이어받아 그 정신을 재현하려는 의식의 절정에 놓인[38] 작품이라는 점을 감안한다면, 『시경』의 성격과의 관련을 통해 그 시적 본질과 성격을 이해함이 타당성을 가질 것이다. 그렇다면 「용비어천가」가 전범으로 삼은 『시경』에 서사시는 존재하는가? 이에 대해 중국학자들의 견해를 보면 요지숭(姚志崇)은 『시경』의 대아(大雅)중에 「생민(生民)」 「공유(公劉)」 「면(緜)」 「황

37) 이에 대한 상론은 최정여, 「樂章·歌詞 攷」, 『한국시가연구』(서수생선생 환갑기념논총), 형설출판사, 1981, 249~258면 참조.

38) 성기옥, 「〈용비어천가〉의 문학적 성격」, 『진단학보』 68호, 진단학회, 1989 참조.

의(皇矣)」「대명(大明)」 같은 작품의 경우 민족 영웅의 전설과 역사로서 서사적 형식을 갖추어 민족적 서사사시(敍事史詩)의 대표작이라 할만하지만 순수한 서사시로 볼 수 없다[39]고 했고, 호적(胡適) 역시 『시경』 300편 중 대아(大雅)의 「생민(生民)」, 상송(商頌)의 「현조(玄鳥)」 같은 작품은 서사시로서의 제목을 달고 있지만 서사시로 되지는 않았다[40]고 했다. 이처럼 『시경』에는 서사시로 될 법한 작품도 서사시로 작품화되지 않고 서정시로 나타나 있다는 견해에 일치를 보이고 있다.

중국문학에서 이처럼 서사시를 발견하기가 어렵고 서정시로 풍부하게 나타나는 현상에 대해, 중국학자는 전통적 서구를 대표하는 그리스 예술에서는 자연에 대한 모방 곧 재현성이 강한 서사시, 조소(彫塑), 희곡이 더 발달된 반면, 중국에서는 음악(서정시가)이 더 중요한 지위를 차지했으니 이것이 중국예술의 정감 표현의 공능(功能)이 현저하게 중시됨을 의미한다[41]고 했다. 그리고 서구학자들도 중국에 영웅서사시가 부족한 이유로 중국인들의 이지성(理智性)을 들고 있으며,[42] 혹은 영웅서사시에 등장하는 영웅들의 용맹성은 유학자들이 선호하는 인간적 특성이 아니기 때문[43]이라 했다. 우리 시가에서도 영웅서사시를 찾아보기 어려운 것은 중국과 같은 맥락에서라 이해된다.

그렇다면 우리 시가에서 악장의 절정에 놓여 있다고 평가된 「용비어천가」에 있어서 『시경』의 영향은 '절대적'인 것일까? 이 점에 있어

39) 요지숭, 『中國文學發展史』, 臺灣 中華書局, 151면 참조.
40) 호적, 『白話文學史』 上卷, 75면 참조.
41) 李澤厚 · 劉綱紀 편, 권덕주 · 김승심 역, 『중국미학사』, 대한교과서주식회사, 1993, 25면 참조.
42) C. M. Bowra, *Heroic Poetry*, London, 1952, 47면.
43) J. R. Levenson & F. Schurman, *China*, Berkeley, 1969, 53면.

서 기존의 논의들은 대체로 긍정적인 관점을 보인다.[44] 그러나 「용비어천가」를 직접 제작하지는 않았지만 그 제작 방향에 절대적 영향을 미친 바 있는 세종의 예악에 대한 관점을 이해할 때 그러한 시각은 문제가 있는 것으로 보인다.

세종의 문화정책이나 음악관은 중국에의 맹목적 추종이 아니라 상당히 자주적이고 주체적이었음은 이미 잘 알려진 바 있다.[45] 이를테면 "우리나라 음악이 비록 진선(盡善)은 못되나 반드시 중국에 비해 부끄러움이 없을 것이며, 중국음악이라 해서 또한 어찌 그 바른 것을 얻었다 하겠는가"(『세종실록』 권50, 12년 12월 계유조)라든가, "우리나라는 본래 향악을 익혀 왔는데, 종묘제향 때 먼저 당악을 연주하고 삼헌(종헌)에 이르러서야 향악을 아뢰니 조고(祖考)들이 평일에 듣던 음악을 씀이 어떠한가"(『세종실록』 권30, 7년 10월 경인조), "아악은 본시 우리 음악이 아니고 중국음악이다. 중국인은 평일에 이 음악을 들어 익숙할 것이매 제사에 연주하는 것이 마땅하겠으나 우리나라 사람들은 살아 생전에는 향악을 듣고 죽으면 아악을 아뢰니 어찌된 일이냐"(『세종실록』 권49, 12년 9월 을유조) 등과 같은 세종의 발언이 그것을 입증해준다. 이 점을 유의하면서 『시경』의 영향관계를 살펴야 할 것이다.

「용비어천가」에 미친 『시경』의 영향에 대하여는 (1) 「용비시(龍飛詩)」[46]가 4언 4구체의 시경체를 주축으로 하고 있다는 점은 널리 알

44) 그 대표적인 예가 서수생, 앞의 논문 및 김성언, 「용비어천가에 나타난 조선초기 정치사상 연구」, 『石堂論叢』, 동아대, 1984이다.

45) 장사훈, 『세종조 음악연구－세종대왕의 음악정신』, 서울대출판부, 1982에 그러한 면이 잘 드러나 있다.

46) 이 용어는 「용비어천가」의 한 부분을 이루고 있는 한역시를 따로 지칭한 말로 『세종실록』 권109, 27년 9월 계미조와 권 110, 27년 11월 갑술조 및 권 114, 28년 11월 임신조 등 여러 곳에서 사용하고 있어 본고에서도 그러한 용례를 따르기로 한다. 이에 대해 특별히 국문시가 부분만을 따로 지칭

려진 바이고, (2) 그 표현의 문구(文句)와 내용에서마저 일부 그대로 따온 것이 있으며,[47] (3) 「용비가」를 권점 표시에 의해 4개의 단위로 4언 4구의 시경체 형식에 맞추려는 노력이 보이며,[48] (4) 표현 방법에 있어서 전체 125장 중 78%인 98장이 중국 사적(史蹟)과 대비하여 읊되 중국측 사적을 전행(前行)으로 삼고, 후행(後行)에 육조(六祖) 사적을 대비하여 읊은 것은 시경육의(詩經六義)의 하나인 '흥(興)'의 수사법을 쓴 것으로 볼 수 있다[49]는 것 등이 지적된 바 있다. 이러한 『시경』의 영향은 타당한 지적이긴 하지만 그 내용의 실질은 다소 차이를 보이고 있음을 알 수 있다.

즉, (1)의 경우 사실이긴 하지만 작품의 얼굴에 해당하는 첫 시작(제1장, 즉 首章)과 마무리 부분(110~124장과 마지막 총결부인 卒章)에는 굳이 시경체의 4언 4구를 따르지 않았다[50]는 점은 양적이 아닌 질적 비중면에서 볼 때 결코 소홀히 할 수 없는 무게를 가지며 그런 면에서 세종의 자주적이고 주체적인 음악관을 감지해 낼 수 있다고 생각된다.[51] (2)의 경우 전체 비중으로 볼 때 극히 미미한 부

할 필요성이 있을 때는 「용비가」라는 용어를 쓰기로 한다.

47) 서수생, 앞의 논문, 20면에 「용비시」의 3·4·5장에 『시경』 대아의 「면(緜)」에 있는 일부 표현구가 그대로 수용되어 있고, 「용비가」의 11장의 한 자어구에도 「면」의 표현구가 보이며, 「용비가」의 103장의 내용이 『시경』에 보이는 내용과 일치한다는 점을 지적하고 있다.

48) 이에 대하여는 성기옥, 「<용비어천가> 권점의 언어적 기능과 미적 기능」, 『문학과 언어의 만남』, 신구문화사, 1996 참조.

49) 김문기, 앞의 논문, 65면 참조.

50) 제1장(수장)은 4言으로 된 1구와 5언으로 된 2구의 3구 구조로 되어 있고, 110~124장은 5언 3구로 일관하며, 마지막 졸장은 8언과 7언 및 6언으로 된 각 1구씩과 4언으로 된 6구의 복잡한 구조를 보이고 있어, 시경의 4언 4구와는 거리가 먼 것으로 되어 있다.

51) 「용비시」를 실제로 악장으로 부를 때는 與民樂이라는 악곡에 얹어 부르는데 이 때 작품 전체를 부르는 것이 아니라 제1장인 수장과 2~4장 및 졸장

분을 차지할 뿐 아니라 그러한 실제 표현구의 수용은 독창적 개성을 글쓰기의 모범으로 삼는 서구의 시학과는 달리, 전고(典故)와 용사(用事)를 글쓰기의 미덕으로 삼는 동아시아의 보편 시학으로 볼 때는 그리 중요한 의의를 점하는 문제는 아니라고 본다.

(3)의 경우 하나의 작품행이 통사 의미론적으로 3분단되는 데다가 율격론적으로도 3분단(각 작품행이 3개의 율격행으로 구조화됨을 의미)되는 「용비가」마저도 4언 4구체의 한역시에나 적절한 4분 형식의 권점 유형을 택하여 표기하고 있다는 것은 권점의 사용을 통해 국문가사를 4언 4구의 시경체 악장형식에 맞추려는 의식의 반영으로서 「용비가」를 『시경』의 경지로, 국문악장을 한문악장의 수준으로 끌어올리려는 노력의 일환이며, 아울러 「용비가」를 얹어 부르는 향악계 음악인 치화평과 취풍형의 음악 형식마저도 구조적으로 불안정함을 감수하면서까지 4분구조의 중국계 음악형식에 맞춤으로써 『시경』의 음악적 전통 안에 두려는 집요한 의지를 보인다[52]는 점에서 타당한 지적이라 생각된다.

그러나 권점에 의한 그러한 의지의 집요함을 보이면서도 「용비가」에서 여전히 통사 의미론적으로 3분단되는 노랫말을 고수하고, 율격면에서도 3분 구조의 비안정적 구조를 일관되게 보인다는 점은 시경체 한역시의 네 구가 두 구씩 짝을 지어 대를 이루는 쌍분 형식으로서의 안정된 대칭적 틀을 가짐에도 적어도 **언어형식**으로서는 거부하고[53] 권점이라는 **기호적** 의미로만 『시경』의 전통을 따르는 모양새를

만을 취하여 총 5개장만을 부르는 것으로 되어 있다. 이처럼 실제 악장으로 실현되는 경우, 수장과 졸장의 비중은 더욱 높아짐에도 불구하고 그것이 4언 4구의 시경체를 따르지 않았음은 세종의 자주적인 음악관과 밀접한 관련이 있는 것으로 이해해야 할 것이다.

52) 성기옥, 「〈용비어천가〉 권점의 언어적 기능과 미적 기능」, 91~96면 참조.

53) 중국 미학이 형식미를 고도로 중시하며, 예술형식의 규범화, 程式化를 중시하는 한도내에서 고도의 자유를 획득하는 방향으로 형식과 정감 표현이

취하고 있음을 간과할 수 없다.

또한 음악적 양식 면에서도 「용비시」를 얹어 부르는 여민락의 경우는 중국계 음악 특유의 대칭적 구조에 부합하도록 4개의 선율단위가 같은 크기의 64정간으로 통일되어 있지만, 「용비가」를 부르는 치화평이나 취풍형의 경우는 중국음악의 전통을 따르지 않고 향악계 음악 특유의 비대칭적 구조에 맞게 선율의 크기를 배분함으로써 향악의 전통을 그대로 고수하고 있어, 이 또한 중국음악과의 차별화를 분명히 의식하던 세종의 향악관이 그대로 반영되어 있음을 알 수 있다.

(4)의 경우 「용비어천가」가 동아시아의 보편 시학이라 할 『시경』의 육의(六義)에서 그 수사법의 특징을 살펴보는 것은 바람직한 태도라 생각된다. 그러나 「용비어천가」의 중심을 이루는 수사법이 과연 '흥'일까에 대하여는 의문이 아닐 수 없다. 왜냐하면 『시경』의 작품은 총 305편 1141장으로, 주희(朱熹)의 『시집전(詩集傳)』을 따라 보면 풍(風)·아(雅)·송(頌)의 3분 체재 아래 작품을 내용상으로 분류하고 각 장마다 부(賦)·비(比)·흥(興)으로 표주(標注)해 놓았는데, 풍은 대부분 '흥'으로 주를 달아 놓았고, 아와 송은 대부분 '부'로 표시되어 있음이 특징이기 때문이다. 그렇다면 악장의 대표 작품이라 할 「용비어천가」는 『시경』 가운데 민요에 기반하는 풍보다는 종묘와 조회의 악가(樂歌)로 불린 아송을 이어받은 것[54]이므로 수

상호 연계되어 나타남에 비해(이에 대하여는 이택후 등 편, 『중국미학사』, 28면 참조), 우리 시가의 형식 미학은 중국보다 정식화 규범화를 일탈하는 정도가 상대적으로 훨씬 큰 것으로 보인다. 「용비어천가」의 형식도 매 장의 율격이 각 행의 제3율격행에서 부동성(2~4보격의 자유로움 보임)을 보임에서 그러한 점이 잘 드러난다.

54) 魯迅은 풍아송을 비교하여 '風者, 閭巷之情詩, 雅者, 朝廷之樂歌, 頌者, 宗廟之樂歌'라 구분한 바 있으며, 이런 견해에 반대하는 경우는 없다(노신의 견해에 대하여는 夏傳才, 『詩經 言語藝術』, 臺北 雲龍출판사, 1985,

사(修辭)상으로 흥보다는 부에 경사되어 있을 것으로 보는 것이 순리일 것이다.

실제로 이들 수사법의 특징을 살펴보더라도 「용비어천가」는 흥보다는 부가 중심 축을 이루고 있음을 알 수 있다. 노신은 이 세 수사법을 대비하여 "부(賦)란 그 감정을 직접 펴는 것이고, 비(比)란 사물을 빌어 그 사물을 말하는 것이고, 홍(興)이란 사물에 의탁하여 홍을 일으키는 말"이라 구분한 바 있고, 주희는 "흥이란 먼저 다른 사물을 말하고 진술하고자 하는 말을 환기하는 것이고, 비란 어떤 사물을 가지고 표현하고자 하는 사물을 비교하는 것이고, 부란 그 사실을 부연 진술해서 그것을 직접적으로 말하는 것"[55]이라 했다. 노신과 주희의 이러한 설명을 참고로 하여 「용비어천가」의 표현특징을 직접 검토해보면 아송문학에 가장 흔하게 보이는 '부'가 주축이 됨을 의심할 수 없다.

홍이라 보는 견해는 중국사적과 우리사적의 대비를 통한 우리사적의 뜻을 돋보이게 하는 후광(後光) 암시의 설득력에 주안점을 둔 것[56]이어서 긍정이 가지만, 그러나 홍의 가장 중요한 특징은 자연현상으로써 홍을 일으켜 인간사를 서술한다는 점, 즉 물(物 : 자연사)을 앞세워 거기서 정(情 : 인간사)이 환기되는 '자연사-인간사'의 서술 관계라는 점에서, 중국사적에 이어 우리사적을 대등하게 읊은 「용비어천가」는 '인간사—인간사'의 대비(물론 단순대비가 아니라 무게중심은 우리사적에 둠)여서 분명한 차이를 보이므로 홍과는 거리가

57면에 있으며, 본고에서는 신은경, 『고전시 다시 읽기』, 보고사, 1997에서 참조함). 실제로 최항이 쓴 「용비어천가」의 발문에도 시경의 아송을 따랐음을 밝히고 있다.

55) 노신과 주희의 이러한 견해는 夏傳才, 앞의 책에 있으며, 여기서는 신은경, 앞의 책, 404면 참조.

56) 김문기, 앞의 논문, 65면 참조.

있다고 보아야 할 것이다.

3) 賦의 서정시가 양식으로 본 시적 특성

세종의 음악관에 의해 「용비어천가」가 『시경』의 아송을 모범으로 하면서도 맹목적인 추수가 아니라 자주적인 면모를 보이고 있으며, 그 수사법은 아송에서 흔히 볼 수 있는 '부'가 중심이 됨을 앞에서 밝힌 바 있다. 주희가 부의 수사적 특징을 "그 사실을 부연 진술해서 그것을 직접적으로 말하는 것(賦者, 敷陳其事而直言之者也)"이라 지적한 것은 최항이 「용비어천가」의 발문에서 "모두 실제 사적에 의거하여 노랫말을 지었고 옛 것에서 주어 모아 지금을 헤아리도록 되풀이 부연 진술했으며(反復 敷陳), 경계하는 뜻으로 끝을 맺었습니다"라고 한 말과 일치하고 있어 「용비어천가」의 수사는 '부'가 주축이 됨을 확인해준다.

「용비어천가」의 서정시가로서의 양식적 특성이 이처럼 동아시아 서정시가—특히 예악의 전범이라 할 『시경』에 기반을 두며 아울러 그 수사적 특징인 '부'를 중심 축으로 한다면 작품에 실제로 드러나는 양상은 어떠한가? 본 장에서는 이 문제를 검토해 보기로 한다.

이미 언급한 바와 같이 부의 수사적 특징은 어떤 사실을 부연 진술하되 여느 서정시에서 흔히 볼 수 있는 것처럼 그러한 사실을 복잡한 수사나 의미론적 중층성, 혹은 우회적 표현을 통해 서술하는 것이 아니라 직접적 언술(直言)을 지향한다는 점에서 서정 작품으로서의 심미적 가치나 깊이가 저급하다는 평가를 받을 수 있을지 모른다. 그러나 그러한 평가는 동아시아 시학의 특수성에 기반한 서정성을 고려하지 않은 것으로 정당한 것이라 하기 어렵다. 왜냐하면 동아시아 서정시학의 전범이라 할 『시경』의 시정신이 단순한 예술작품으로서의 심미적 가치를 지향하는 것이 아니라 그러한 예술적 심미적 가치를 초월하는 역사 문헌으로서의 진리적 가치 즉 예술의 진실성에도 아울러 무게를 두기[57] 때문이다.

「용비어천가」의 이러한 예술작품으로서의 시학적 단순성은 이에 그치지 않는다. 주지하다시피 작품의 첫 장(수장)과 맨 마지막 장(졸장)을 제외하고는 작품 전체가 예외 없이 2행구조로 한 개의 장을 이루는 대구(對句)의 단순구조로 짜여 있는 데다가 그러한 2행구조의 서술방식이 거의 대부분 정사대(正事對)로 되어 있어 "유협(劉勰)의 소론에 근거하여 본다면 용가(龍歌)의 댓구는 성공적이라 할 수 없는"[58] 미학적 수준이 떨어지는 작품으로 이해하는 근거가 되기도 한다. 과연 그럴까? 유협이 댓구 가운데 정대(正對)를 급이 낮은 것으로 보고, 반대(反對)를 높은 것으로 본 것은 어디까지나 예술 작품으로서의 심미적 가치가 어느 정도 중시되는 개인의 사적인 창작시가를 근거로 한 것[59]이어서 「용비어천가」와 같은 집단적이고 공적인 시가 작품(악장에 해당하는)에 적용하는 것은 꼭 적절한 것이라 하기 어렵다.

그렇다면 「용비어천가」의 그러한 특수성을 감안하더라도, '부'로서의 무미건조함과 '정사대'로서의 단순함을 넘어서는 서정시로서의 묘미를 어디에서 찾아야 하는 것일까? 그것은 언술에 있어서 극도의 '**압축성**'과 '**모호성**'이라는 특징에서 찾아야 할 것으로 보인다. 앞에서 인용한 주희의 부에 대한 수사적 특징 "賦者, 敷陳其事而直言之者也"에서 그 핵심적 개념은 부진(敷陳 : 부연 진술)과 직언(直言 : 직접적 언표)이다. 이 두 개념은 전자(부진 : 부연 진술)가 '압축성'을 저해하고 후자(직언 : 직접적 언표)가 '모호성'을 저해한다는 측면에

57) 이택후·유강기 편, 앞의 책, 45면 및 468면 참조.

58) 김문기, 앞의 논문, 72면 참조. 이러한 견해는 정병욱, 「용비어천가의 문학적 가치」, 『동아문화』 2집, 서울대 동아문화연구소, 1964에서도 찾아볼 수 있다.

59) 유협, 『문심조룡』 권7, 麗辭 三五條에 의하면 댓구의 이러한 심미적 등급을 언급하는 근거로 司馬相如와 宋玉, 王粲, 張載 등의 개인 창작 작품을 예로 들고 있다.

서 오히려 작품의 서정 지향성을 역방향으로 끌어갈 소지가 충분히 있다.

실제로 「용비어천가」를 보면 부의 수사적 특징인 부진과 직언을 전형적으로 보여주고 있다. 예를 들면 사조(四祖)와 태조 및 태종의 사적을 그 동기화 내지 초점화는 다르지만 3~16장과 17~109장, 그리고 110~124장 사이에 3회에 걸쳐 순차적으로 '반복하여 부진'되고 있으며, 작품의 모든 장들은 예외 없이 직언으로 표현되어 있는 것이다. 거기다가 작품의 전체 크기가 무려 125장에 해당하는 장편이어서 서술의 억제라는 서정 장르와는 배치되는 크기를 가진다고 할 수 있다. 이런 측면에서 볼 때 인물과 사건을 125장이라는 장편으로 확장 서술해나간다는 면에서는 「용비어천가」가 서사시로 될 가능성을 필요조건으로 일단 갖추었다 할 수 있다.

그러나 아무리 인물과 사건을 중심 축으로 한 서술의 확장을 보인다 하더라도 그 서술이 이야기선(story-line) 혹은 플롯을 형성하는 데까지 나아가는 입체적 확장이 이루어지지 않는다면 서사시가 될 수는 없는 것이다. 그렇다면 이야기선이나 플롯이 형성되는 입체서술까지는 아니라 하더라도 서술 내용을 평면적으로 확장하여 부연 진술해 나간다면 교술시로서의 조건은 어느 정도 갖춘 것으로 볼 수 있는 것인지? 다시 말하면 「용비어천가」는 과연 장편의 틀 속에서 서술의 확장이 입체적 수준이 아니라면 평면적 수준으로는 이루어지고 있는지, 아니면 그 반대로 서술의 억제가 지속적으로 일어나고 있는지를 작품의 실상을 통해 확인해 볼 필요가 있을 것이다.

선학(先學)의 연구에 의해 이미 널리 입증된 바와 같이 「용비어천가」의 서술 특성은 작품에 수많은 모티프나 삽화가 동원됨에도 불구하고 그것이 이야기선을 갖는 서술의 연계에 의해 입체적으로 긴밀하게 짜여지거나, 아니면 그러한 서술 내용이 평면적으로나마 지속적인 확장으로 나아가거나 하지 않고 각 장(章)을 단위로 서술의 독자성 혹은 강한 독립성을 보인다는 점이다.[60] 이는 「용비어천가」의 전체 크기가 125장에 달하는 장편이라 하더라도 그것이 장편의 크기로 작용하지 못하고 각 장을 독립 단위로 하는 서술의 억제가 일어나고 있음을 의미한다. 「용비어천가」가 하나의 삽화를 가지고 여러 장에 걸쳐 지속적으로 서술되는 일이 거의 없으며, 대부분 하나의 삽화는 하나 또는 두 개의 장에 걸치고, 많아야 네 개의 장을 넘어서지 않는다는 보고[61]에서도 그 점은 잘 드러난다. 그나마 네 장에 걸치는 경우는 왜구와의 함주 전투와 창왕의 폐위 등 두 가지 사례에 불과하다. 그러면 서술 내용이 가장 많은 장에 걸친다는 함주 전투 관련 삽화의 텍스트 양상을 살펴보기로 하자.

말이ᅀᆞᆸ거늘 가샤 긼ᄀᆞᅀᅢ 軍馬 두시고 네 사ᄅᆞᆷ ᄃᆞ리샤 셕슬 치자ᄫᆞ시니
내 니거지이다 가샤 山 미틔 두시고 온 사ᄅᆞᆷ ᄃᆞ리샤 기ᄅᆞ말 밧기시니

「58장」

東都앳 도ᄌᆞ기 威武를 니기 아ᅀᆞᄫᅡ 二隊玄甲ᄋᆞᆯ 보ᅀᆞᆸ고 저ᄒᆞ니
東海옛 도ᄌᆞ기 智勇ᄋᆞᆯ 니기 아ᅀᆞᄫᅡ 一聲白螺ᄅᆞᆯ 듣ᄌᆞᆸ고 놀라니

「59장」

出奇 無端ᄒᆞ실ᄊᆡ 도ᄌᆞᄀᆡ 알ᄑᆞᆯ 디나샤 도ᄌᆞ기 ᄠᅳᆮ 몰라 몯 나니
變化ㅣ 無窮ᄒᆞ실ᄊᆡ 도ᄌᆞᄀᆡ ᄉᆞ싈 디나샤 도ᄌᆞ기 ᄠᅳᆮ 몰라 모ᄃᆞ니

「60장」

60) 이러한 연구의 대표적인 예로 성기옥,「〈용비어천가〉의 구조와 서사성」, 『새터강한영교수 고희기념논문집』, 아세아문화사, 1983과, 배석범, 「〈용비어천가〉의 독특한 질서를 찾아서」, 『국어학』 27집, 국어학회, 1996 및 고영화, 「〈용비어천가〉 텍스트의 구성원리 연구」, 서울대 석사학위논문, 1997 등을 들 수 있다.

61) 성기옥, 「〈용비어천가〉의 구조와 서사성」 참조.

일후믈 놀라ᅀᆞᄫᆞᄂᆞᆯ ᄒᆞᄫᆞᅀᅡ 뒤헤 셔샤 手射數人ᄒᆞ샤 五千賊 이기시니
일후믈 저ᄊᆞᄫᆞᄂᆞᆯ ᄒᆞᄫᆞᅀᅡ 뒤헤 나샤 手斃無筭ᄒᆞ샤 百艘賊 자ᄇᆞ시니

「61장」

「용비어천가」의 모든 장이 그러하듯이 위의 네 개장은 그 첫 장(제 58장) 끝에 길게 산문으로 서술되어 있는 배경사화(背景史話)의 도움 없이는 도대체 무슨 내용을 노래하고 있는지 감이 잡히지 않을 정도로 서술이 극도로 억제되어 있다. 우선 행위의 주체가 누구인지조차 알 길이 없다. 거기다가 행동이나 사건은 있되 그 어떤 행동도 '전개'되지는 않으며, 어떠한 '갈등'도 없어[62] 서사시의 양식과는 너무도 먼 거리에 있다. 더구나 사건의 추이와 인물들의 갈등이 해당 배경사화에는 너무나 잘 나타나 있음에도 불구하고(당 태종과 이태조의 사적이 이야기선을 이룸) 「용비어천가」에는 그러한 스토리선을 갖는 서술에는 전혀 관심이 없으며, 다만 그 가운데 극히 일부를 선택하여 사건들(인물의 행동이나 상태에 의해 야기됨)을 열거형식으로 제시하는데, 여기서 사건은 작중상황이나 환경의 영역으로 기능할 뿐이어서 작품 속의 행동들이 그러한 영역에서 '감정'이나 '기분'의 층위로 솟아오르도록 할 뿐이다. 이것이 「용비어천가」로 하여금 서사시가 아닌 서정시로 읽히게 하는 기반이 된다.

---

62) 이야기를 구성하는 요소는 사건이지만 사건을 열거한다고만 해서 이야기선을 이루거나 플롯이 형성되는 것은 아니다. 이야기선을 이루려면 적어도 한 개 이상의 행동적 사건과 두 개 이상의 상태적 사건이 시간의 연쇄나 인과관계, 혹은 顚倒라는 조건을 충족시켜야 성립된다. 이것을 최소스토리라 하는데, 서사물이 되려면 복수의 최소스토리가 인과적 연쇄를 통해 플롯을 형성하는 데까지 나아가야 하는 것이다. 사건의 전개와 갈등에 의한 서술의 입체적 확장은 이렇게 해서 이루어지는 것이다. 이에 대하여는 프랭스(최상규 역), 『서사학』, 문학과 지성사, 1988 및 채트먼(한용환 역), 『이야기와 담론』, 고려원, 1991 참조.

「용비어천가」의 서정시로서의 기반은 무엇보다 작품의 테두리(크기의 한계성)가 극히 '한정'되어 있다는 것이다. 그럴 수밖에 없는 것이 위에 인용한 작품을 보더라도 해당 배경사화에 보이는 그 많은 인물들의 행위와 사건의 얽힘을 네 개장의 총 8행 분량에 선택적으로 담아 노래했으니 그 압축의 정도는 충분히 짐작이 갈 것이다. 이처럼 서정시는 서술의 '한정'이, 장(章)의 크기나 행(行)의 크기, 그리고 나아가 작품 전체의 크기로 나타나는데, 이 제한된 테두리 안에서 발화의 분절이 일어나고 의미의 생산적 율동화[63]가 일어나게 된다. 제한된 크기 내에서 발화를 하자니 말의 압축이 일어나게 되고, 말이 극도로 압축되면 독자(향유자)는 이 압축된 말을 '음미'하면서 읽어야 한다. 정서적 촉발이 일어나 서정이라는 심미적 직관이 작용하도록 하는 계기가 고도로 압축된 말을 '음미'하면서 읽는 데서 생성되는 것임은 말할 것도 없다.

이 경우 배경사화의 사적들은 작품의 후경(後景)으로 작용하고[64] 배경사화의 해당부분을 떠올리면서 「용비가」의 전경화(前景化)된 시어들을 한 음보 한 음보 음미하면서 읊조려 나감으로써[65] 의미생산적

---

63) 서정시의 특징으로서 서술의 억제에 의한 발화 조건과 의미생산적 율동화에 관하여는 디이터 람핑(장영태 역), 『서정시 : 이론과 역사』, 문학과지성사, 1994 참조.

64) 「용비어천가」에서 '배경사화'를 「용비가」(국문시가)를 위한 후경 기능을 하는 정도로 이해하지 않고 대등한 의미비중을 갖는 텍스트로 이해하는 견해(박찬수, 「〈용비어천가〉 연구」, 충남대 석사학위논문, 1994 및 고영화, 앞의 논문 참조)가 있으나, 최항의 「용비어천가」 발문에 "… 「용비어천가」라는 이름을 내리셨습니다. 다만 서술된 사적이 비록 역사책에 실려 있으나 사람들이 두루 보기가 어려우므로, 臣과 박팽년 … 등에게 명하여 註解(배경사화를 가리킴 : 인용자 註)를 **덧붙이도록** 했습니다."라고 하여 배경사화(주해문)가 처음부터 국문시가와 대등한 배열을 점하는 이중 구조로 창작된 것이 아니라 「용비가」의 이해를 돕기 위해 추가된 것임을 분명히 하고 있다.

65) 『세종실록』 권116, 29년 6월 을축조에 "지금 「용비어천가」를 내리신 것은

율동화가 실현되는 것이다. 당태종과 이태조의 사적을 담은 위의 텍스트들은 그 배경사화를 후경으로 하고 극도로 압축하여 전경화된 국문시가를 한 음보씩 읽어감으로써 정서를 촉발하는 서정의 울림으로 독자에게 각인되는 것이다. 여기서 「용비어천가」의 운율이 텍스트에 미치는 작용은 전경화된 「용비가」를 감성적 텍스트로 전환시키고, 독자로 하여금 전경(前景)에서 떠나지 못하게 견인하며, 후경에 놓여 있는 실제 인간의 자취를 전경화 함으로써 지나간 시대의 삶을 현재적인 것으로 독자가 체험할 수 있는 구체적인 형태로 다가오게 한다. 무미건조한 부(賦)체의 사적이 서정으로 음미될 수 있는 요체가 여기에 있다.

4) 표현 및 서술 특성으로 본 시적 묘미

「용비어천가」를 어디서나 발견할 수 있는 보편자료가 아니라 역사성을 갖는 특수자료로 이해하려 할 때 그 표현이나 서술상의 특성은 앞에서 논의한 두 가지 측면에서 규명되는 것이 바람직할 것이다. 하나는 『시경』을 모범으로 하는 예악의 악장으로서, 또 하나는 '부'의 수사를 중심 축으로 하는 서정시로서다. 이를 드러내는 방법으로는 여러 가지가 가능하겠으나 본고에서 특히 주목하고자 하는 것은 악장으로서의 표현 특징으로 종지형 서법을, 서정시로서의 표현 특징으로 비특정 전환표현을 문제삼고자 한다.

주지하는 바와 같이 「용비어천가」의 종지형 서법은 '~니, ~리'가 중심이 되는 종결어미 절단형[66]과 '~니이다, ~리잇가, ~쇼셔' 등

祖宗의 성덕과 신공을 노래하고 읊게하기(歌咏) 위하여 지은 것이니 마땅히 상하에 통용하여 ……" 라는 기록에서 「용비어천가」의 향유방식이 歌뿐 아니라 咏(읊조림)의 방식도 있었음을 알 수 있다.

66) '~니, ~리'를 어미 절단형이 아닌 연결어미(비절단형)로 보는 견해도 있으나(김형규 및 김사엽), '~니'는 '~니이다, ~니잇가'의, '~리'는 '~리이

이 중심이 되는 비절단형의 두 가지 계열로 실현된다.「용비어천가」의 단락 짜임새를 세부적으로 5개의 단락으로 나눌 때[67] 그 종지법이 드러나는 구체적인 양상은 다음과 같다.

Ⅰ 단락 (제1장 : 수장) : 절단형 '~니'로 실현됨.

Ⅱ 단락 (제2~16장) : 절단형(제2~7장) → 비절단형(제8장) → 절단형(제9~13장) → 비절단형(제14 및 15장) → 절단형(제16장)

*〈절단형 : 비절단형=12 : 3〉

Ⅲ 단락 (제17~109장) : 비절단형(제17장) → 절단형(제18~20장) → 비절단형(제21장) → 절단형(제22~25장) → 비절단형(제26장)→ 절단형(제27장) → 비절단형(제28장) → 절단형(제29~30장) → 비절단형(제31장) → 절단형(제32~33장) → 비절단형(제34~35장) → 절단형(제36~42장) → 혼합형[68](제43~44장) → 절단형(제45장) → 비절단형(제46~48장) → 절단형(제49장) → 비절단형(제50~54장) → 절단형(제55~61장) → 비절단형(제62~63장) → 절단형(제64~66장) → 비절단형(제67장) → 절단형(제68장) → 비절단형(제69장) → 절단형(제70~71장) …… 비절단형(제108장)→절단형(제109장)

*〈절단형 : 비절단형=61 : 30〉(혼합형은 제외)

Ⅳ 단락 (제110~124장) : 비절단형(제110~111장) → 절단형 혼합[69]

다, ~리잇가'의 생략형(허웅, 정병욱 등 대부분 이에 속함)으로 보는 것이 작품의 문맥상으로 보나 발화상황(악장으로 쓰이는)으로 보나 타당성이 있다고 생각된다.

67) 「용비어천가」의 서술단락의 짜임새에 대한 상론은 졸고, 앞의 논문, 173~179면 참조.

68) 혼합형이란 이를테면 한 장 안에서 앞행은 비절단형으로, 뒷행은 절단형으로 나타나듯이 서로 다른 유형이 함께 나타남을 의미한다.

69) 앞행에는 절단형(~니, ~리)으로 나타나고 뒷행에는 비절단형인 '~쇼셔'로 실현되어 있는 유형을 말한다.

(제 112~121장) → 비절단형(제122장) → 절단형 혼합(제123~124장)

Ⅴ 단락 (졸장 ; 제125장) : 절단형 '~니'와 절단형 '~리이다' 및 '~니잇가'의 혼합으로 실현됨.

이러한 종지형 서법의 쓰임에서 주목되는 것은 Ⅰ, Ⅱ, Ⅲ 단락에는 절단형이 주류를 이루며 지속되다가 비절단형이 가끔씩 나타나 교체되는 양상을 보이는 것이 특징이고, Ⅳ 및 Ⅴ단락은 그 반대로 비절단형이 주류를 이루고 절단형이 여러 군데 나타나 혼합형태를 이루는 것으로 되어 있다. 이러한 현상에 대해 어떤 이는 절단형을 '하게체(평교간의 반말)'의 원칙법 어형으로 보고 비절단형은 '하소서체(극존대)'로 보아 전자는 청자가 보통백성일 때, 후자는 왕손일 때 쓰이는 것으로 차별화 된다고 보았다.[70]

그러나 「용비어천가」의 청자가 보통 백성을 포함한다는 의견은 이 작품이 궁중의 악장으로 소용되었음을 생각해본다면 받아들일 수 없음을 쉽게 알 수 있다. 「용비어천가」가 실제로 악장으로 쓰였음은 다음의 기록에서 명백하게 확인할 수 있다.

> 이제 「용비어천가」를 내리신 것은 祖宗의 융성한 덕과 거룩한 공을 노래하고 읊게 하기 위하여 지으신 것이오니, 마땅히 上下에 통용하여서 칭송하고 찬양하는 뜻을 극진히 해야 할 것이옵고, **종묘**에서 쓰는 데만 그치게 함은 불가하오니, 여민락 · 치화평 · 취풍형 등의 음악을 公私間의 **연향**에 두루 통용하도록 허락하시되 …… 일정한 제도가 되게 하소서 하니, 그대로 따랐다.[71]

---

70) 고영근, 「중세국어의 시상과 서법에 대한 연구」, 서울대 박사학위논문, 1981, 8~9면 참조.

71) 『세종실록』 권116, 29년 6월 을축조.

이처럼 「용비어천가」는 궁중의 제례악인 종묘악으로 혹은 군신간의 각종 연회악으로 쓰였기에 백성들이 청자가 될 수는 없는 것이다. 그렇다면 이 작품의 종지형 서법이 특히 Ⅰ~Ⅲ 단락에서 반말체의 절단형이 전체를 주도하고 극존대의 비절단형은 간간이 나타남은 어찌된 까닭인가? 비록 극존대의 비절단형이 간헐적으로 나타난다고는 하지만 그것이 엄연히 존재한다는 것은 「용비어천가」의 서법이 경어적 환경[72]에 놓여 있음을 의미하며, 다만 그러한 경어적 환경에서는 서술·의문·명령·감탄형의 종결어미[73]를 굳이 나타내지 않고 절단하여 불분명하게 서술하는 것이 청자에게 오히려 부담을 주지 않는다는 측면에서 절단형이 오히려 더 적합하다 할 수 있고 그런 면에서 절단형이 주류를 이룸이 자연스럽다 할 수 있다. 만약 125장에 걸치는 장편의 「용비어천가」가 종묘의 제례악으로 혹은 궁중의 연회악으로 소용되는 악장으로서의 엄숙한 격식에 걸맞게 단 한 장의 예외도 없이 시종일관 비절단형의 극존대로만 서술된다면 그 표현의 경직성이 어느 정도일지 상상이 갈 것이다.

「용비어천가」에서 절단형은 격식을 엄격하게 갖추지 않아 청자에게 부담을 주지 않는 정감적 표현이라면, 비절단형은 극단적 존대의 서법으로 격식을 분명히 갖춤으로써 청자에게 부담을 주는 경직되고 엄숙한 표현으로 차별화 된다. 따라서 절단형 서법이 주류를 이룰수록 **정감성**이 강화되고, 비절단형 서법이 주류를 이룰수록 **엄숙성**이 강화될 수밖에 없는데 「용비어천가」는 이 두 가지의 '적절한 교체'[74]와

72) 악장의 청자는 종묘악에서는 왕실의 祖宗이 되고, 연향에서는 왕실과 고관대작(향유자를 포함할 경우)이 되므로 극존대의 경어적 환경에 놓임은 당연한 것이다.

73) 「용비어천가」에는 이 네 가지 종결어미가 모두 나타나는데 그 대표적인 것을 적시하면, 서술형으로 '~니이다', 의문형으로 '~리잇가', 명령형으로 '~쇼셔', 감탄형으로 '~샷다'(이 경우는 단 한 군데인 제 100장에만 보임)가 있다.

'절묘한 조화'[75]를 이룸으로써 서정시로서의 시적 묘미를 드러내는 악장 특유의 표현미학을 드러낸 작품이라 하겠다. 즉 Ⅰ, Ⅱ, Ⅲ 단락에서 궁중의 악장으로서의 숨막히는 경직성을 벗어나기 위해 어른끼리의 말, 즉 친교간에 정감어린 표현으로 흔히 쓰이는 반말체의 비절단형 서법으로 지속해 나가다가 간간이 극존대의 비절단형 서법을 내비침으로써 작품 전체가 반말체가 아닌 악장으로서의 품위와 엄숙성을 갖춘 극존대의 경어적 환경에 놓인 표현체임을 환기시켜 주는 것이다.

이에 비해 Ⅳ단락의 이른바 물망장(勿忘章)[76]이라 불리는 110~124장의 뒷행에 '~쇼셔'라는 극존대의 명령형 서법을 일관되게 보임으로써 작품으로 하여금 정감성보다 엄숙성을 강화하는 정서의 역(逆)파동을 보이고 있다. 이는 청자를 후대왕(後代王)으로 한정하여 암묵적으로 지목하고[77] 거기다 엄격한 격식을 갖춘 비절단형 서법을

74) 앞에서 제시한 바와 같이 Ⅱ와 Ⅲ단락은 절단형과 비절단형의 적절한 교체로 시종일관한다. 다만 Ⅲ단락에서 혼합형이라 제시한 제 43과 44장만은 앞행이 비절단형으로 뒷행이 절단형으로 되어 있어 교체가 章內에서 실현되어 절단형과 비절단형의 절묘한 조화를 예외적으로 보여준다.

75) Ⅳ단락은 첫 시작(제 110과 111장)을 엄숙성을 강화하는 비절단형으로 시작해서 청자(후대왕)에게 부담을 주는 것으로 출발하고, 그 다음 장부터는 앞행에 절단형을, 뒷행에 극존대 명령형의 비절단형을 시종일관 배치함으로써 절단형과 비절단형의 절묘한 조화를 보여준다. 단 제 122장만은 비절단형으로 되어 예외적이면서 해당 지점에서 엄숙성을 다시 환기시키는 기능을 강화하고 있다.

76) 「용비어천가」에서 '물망장'의 설정은 다음과 같은 동아시아의 음악관으로 볼 때 필수 사항이다. "무릇 음악으로써 덕을 편안하게 하고, 의로써 처신하며, 예로써 행하고, 믿음으로써 지키고, 인으로써 독려한다. 그런 연후에 나라를 안정시킬 수 있고 …… 이것이 이른바 음악이다. 『書』에서 말하기를, **'편안함에 거하면서도 위급함을 생각한다'**라고 했다."(『左傳』, 양공 11년)

77) 그러나 마지막 제 125장에 이르러서는 마침내 청자의 정체가 '님금하'라는 호격에 의해 명시적으로 그 실체를 드러내게 된다.

뒷행에 일관함으로써 청자인 후대왕으로 하여금 주어진 책무를 다 할 수 있도록 강한 부담을 안겨줌으로써 이 대목에서 적절한 서법이라 할 것이다. 요컨대 「용비어천가」에서 정감성은 절단형 서법에, 엄숙성은 비절단형 서법에 밀착되어 있으면서 이 둘의 절묘한 조화와 교체에 의해 정서의 파동이 야기된다 하겠으며, 특히 절단형 서법은 서술의 억제라는 서정 양식의 **압축성**과도 긴밀하게 연관되어 있음 또한 주목해야 할 것이다.

「용비어천가」의 표현특질로서 반드시 짚고 넘어가야 할 다른 하나를 든다면 모호성과 관련되는 비특정 전환표현으로서의 서술 특성이다. 그러한 현상을 보여주는 몇 개의 사례를 임의로 들어보면 다음과 같다.

> 行宮에 도ᄌᆞ기 둘어 님그미 울어시늘 赴援設疑ᄒᆞ샤 도ᄌᆞ기 도라가니
> 京都애 도ᄌᆞ기 드러 님그미 避커시늘 先登獻捷ᄒᆞ샤 님금 도라오시니
> 「33장」

> 楚國엣 天子氣를 行幸ᄋᆞ로 마ᄀᆞ시니 님금 ᄆᆞᅀᆞ미 긔 아니 어리시니
> 鴨江앳 將軍氣를 아모 爲ᄒᆞ다 ᄒᆞ시니 님금 말ᄊᆞ미 긔 아니 올ᄒᆞ시니
> 「39장」

위에 인용한 텍스트의 표현 특징은 억제 발화에 따른 극도의 생략어법으로 인하여 서술이 극단적으로 압축되어 있다는 점과 행위의 주체나 사건의 정황을 알려 주는 정보들이 비특정 전환표현으로 되어 있어 그 구체적인 파악이 불가능한 **모호성**을 보인다는 점이다. 이를테면 제33장에서 앞 뒤 행에 모두 보이는 도적과 임금은 구체적으로 누구인지, 그리고 그러한 문제상황의 해결사(행위의 주체)는 누구인지 도무지 알 수 없게 서술되어 있다. 그러나 그 배경사화를 보면 앞

행의 중국사적이 돌궐(도적)의 침입으로 곤경에 처한 수양제(임금)가 당태종(해결사)의 탁월한 전략으로 구원 될 수 있었음을 노래한 것이고, 뒷행의 우리사적이 홍건적(도적)의 침입으로 난관에 빠진 공민왕(임금)을 이태조(해결사)의 탁월한 능력으로 구원할 수 있었음을 노래한 것임을 알 수 있게 된다. 이로써 본다면 「용비어천가」는 사건의 정황이나 전개, 혹은 그 변화에는 전혀 관심이 없고, 오직 노래하고 싶은 것은 덕망을 갖춘 선인이 악인을 물리칠 수 있었던 그 공적의 의미에 초점이 맞춰져 있다는 것이다. 따라서 사건의 주인공이나 행위의 주체, 혹은 반동인물이 구체적으로 누구인지, 사건의 정황은 구체적으로 어떠하든 상관이 없으며 그러기에 도적이나 임금으로 범칭화하는 비특정 전환표현의 모호한 서술이 가능하고, 그러한 탁월한 능력을 보인 인물조차도 문면에 내세우지 않고 숨기는 데까지 이르는 것이다.

이러한 **모호성**과 연관되는 표현 특징은 39장의 뒷행에 보이는 바와 같이 이태조 마저도 '아모'라는 부정칭을 사용하는 것으로 나타난다. 이는 이태조라는 구체적 인물의 영웅적 행동이나 그 전개에는 전혀 관심이 없음을 다시 확인해 주며, 따라서 「용비어천가」는 이태조를 비롯한 육조(六祖) 개개인의 특정한 영웅으로서의 활약상과 그 구체적 전개를 노래한 것(이렇게 되면 서사시가 됨)이 아니라, 여섯 성인(聖人)의 덕망 높은 행적과 그것이 주는 의미를 감동적으로 기리는 노래(서정시가 됨)가 되는 것이다.

5) 맺는 말

지금까지 필자는 「용비어천가」라는 역사적 특수성을 갖는 자료를 대상으로 하여 그 시적 특성이 어떠한 양상으로 구현되고 있는지를 동아시아 시학의 관점에서 살펴보았다. 이는 그 동안의 연구가 발생의 토대를 전혀 달리하는 서구의 시학에 의해 잘못 재단되어 온 데 대한 반성에서 출발한 것으로서 기본적으로 우리의 시가 텍스트는 동아시아 시학에 기반을 둔 것으로 이해해야 한다는 명제를 전제조건으로 한 것이다. 그렇다고 우리 시가가 전적으로 동아시아의 보편시학의 전범인 것처럼 이해하는 것도 온당한 태도라 하기 어렵다는 관점도 아울러 견지하였다. 그 결과를 요약하는 일은 생략하기로 하고 다만 여기서는 이러한 방법론과 관련하여 앞으로의 연구 과제와 방향을 전망해 보는 것으로 결론을 대신하고자 한다.

본고에서 다룬 「용비어천가」를 비롯하여 우리 시가 문학에서 국문시가든 한시 양식이든 등장인물과 인물의 행위(사건)가 서술되어 있는 다소 긴 길이를 가진 서술물(narrative works에 해당하는 개념으로서 서사, 즉 epic과는 다른 개념임)들이 눈에 띄기만 하면 으레 서사시로 다루고 이해하려는 경향이 지배적으로 확산되어 있다. 이규보의 「동명왕편」을 필두로 이승휴의 「제왕운기」, 「역대세년가」, 「월인천강지곡」들을 그렇게 보아왔고, 근자에는 『이조시대 서사시』[78]라는 이름의 책자로 상당히 많은 양의 장편 한시들을 묶어 서사시라 명명하여 출간하기에 이르렀다. 그러나 『이조시대 서사시』를 포함하여 이들 중에 어느 한 편도 서사시라 할 만한 작품은 없는 것으로 보이며 대개의 경우 서술 서정물(narrative lyric)에 해당하는 서정시가 작품들이라 보는 것이 타당할 것이다.

이들 작품을 서사시가 아닌 서정시로 이해하는 것은 단순히 장르 분류상의 문제에 그치는 것이 아니다. '장르'란 현실을 이해하고 파악하는 방법과 수단이라 할 때, 작가는 장르의 시선(양식적 장치)으로 다루고자 하는 인물과 인물들의 행위를 파악하고 기술하기 때문이다. 따라서 같은 작품을 서정시로 읽느냐 서사시로 읽느냐는 엄청난 거리가 있는 것이다. 문제는 서정시를 서사시로 잘못 읽는데서 심각한 사

---

78) 임형택 편역, 『이조시대 서사시』, 창작과비평사, 1992.

태가 발생한다. 서정시는 억제발화를 통해 사태를 직관적이고 정감적으로 노래하는데 비해, 서사시는 확장발화를 통해 치열한 갈등을 입체적으로 플롯화 해서 기술하기 때문이다. 이런 사정을 고려하지 않고 장편의 서정시를 서사시로 잘못 이해하여 당대 사회의 격렬한 갈등의 모습이나 인물들의 영웅적인 궤적, 혹은 사건의 예리한 전개를 기대하는 것은 처음부터 잘못된 것이다. 서정시가는 서정시가로 읽어줄 때 그 시적 묘미가 살아나 심금을 울리는 감동으로 다가오는 것이다. 그런 면에서 본고에서 다룬 「용비어천가」를 비롯하여 앞에서 거론한 작품들은 서정시가로 자리매김하고 서정시로서의 시적 특성과 묘미가 새롭게 규명되어져야 한다. 본고의 작업은 이 방면에 작은 첫발을 내디딘 것에 불과하며 앞으로 동학들의 많은 참여가 있기를 기대한다.

우리 문학사에서 일부 구비 서사시를 제외하고는 서사시가를 발견하기란 쉽지 않다. 그것은 무엇보다 우리 시가가 본고에서 논의한 바 있듯이 서사시가 발달하지 않은 동아시아 문화권에 놓여 있기 때문이다. 그런 점에서 앞으로 우리 시가 연구에 있어서 동아시아 시학에 바탕한 접근 방법은 우리 시가의 특수성을 인정하는 범위 내에서 더욱 강조되어야 하리라 생각된다.

Ⅲ. 시조문학의 정체성

1. 시조의 정체성과 그 현대적 변환 문제

1) 시조의 정체성—고시조와 현대시조의 거리

근자에 필자는 본 논문을 준비하기 위해 현대시조 전문지 몇 권과 현대시조선집 몇 권을 접하게 되었고, 거기 실린 작품 수편을 감상함과 아울러 함께 붙어 있는 시조비평과 작품의 해설문을 읽을 기회를 갖게 되었다. 읽고 난 소감을 솔직히 말한다면 국문학계나 국악학계에서 고시조에 관해 이룩한 학문적 성취가 시조 창작계나 시조 비평계의 어느 쪽에도 거의 반영되어 있지 않거나 곡해되고 있는 부분이 너무나 크고 심각하다는 것이며, 그로 인해 당혹감과 놀라움을 금치 못했다는 것이다. 학계와 문단간의 이와 같은 소통단절 혹은 잘못된 소통은, 문단으로 하여금 시조의 정체성에 대한 이해 부족 혹은 오해를 야기하는 결과를 낳았고, 그로 인해 가장 심각한 폐해는 시조를 시조로서 대하지 않고 마치 현대 자유시를 창작하거나 비평하는 것처럼 대하고 있어[1] 시조의 정체성, 특히 현대시조의 정체성 파악에 상당한 혼란을 보인다는 점이다.

현대시조의 정체성을 올바로 파악하기 위한 방법은 그것과 근원적

---

1) 이 점은 현대문학 전문의 시인 비평가는 물론이고, 시조를 전문으로 창작하고 비평하는 이들까지 예외가 아니다. 현대시조와 자유시가 엄연히 장르 정체성을 달리함에도 자유시와 하등의 차이 없이 비평하고 해설한다면 해석의 정합성을 얻었다 하기 어렵다. 시조는 시조의 장르 독자성에 맞추어 이해하고 판단해야 하기 때문이다.

연결고리 관계에 있는 고시조의 정체성 파악부터 선행되어야 한다. 그리고 여기에 덧붙여 그것과 대립적 경쟁관계에 있는 자유시와의 관계 설정에도 명백한 인식을 가져야 한다. 이는 너무나 당연한 명제임에도 정작 문단에서는 소홀히 여겨왔던 데에서 혼란의 요인을 찾을 수 있는 것이다.

잘 알다시피 현대시조의 정체성은 그 명칭에 명백히 드러나듯이 현대성과 시조성을 동시에 충족해야 하는 데서 확립될 수 있다. 현대성을 충족해야 이미 역사적 사명을 다하고 사라진 고시조와 변별되는 존재이유를 찾을 수 있고, 시조성을 획득해야 자유시와 경쟁관계에서 존재이유를 찾을 수 있다. 그러기에 현대성을 무시하고 시조성만 추구하는 방향으로 현대시조가 나아간다면, 엄청나게 달라진 현대인의 미의식에 걸맞는 공감대를 획득하기 어려우므로 시대착오적 복고주의 혹은 국수주의로 매도되어도 할말이 없게 된다. 이와 반대로 시조성을 무시하고 현대성으로 과도하게 기울어 추구한다면 자유시와의 경계선이 모호해져, 그러려면 차라리 자유시 쪽으로 나오라는 비난에서 자유로울 수 없는 것이다.

그렇지만 현대시조는 고시조가 갖지 못한 현대성을 갖기에 현대에 존립해야 할 명백한 이유를 가지며, 자유시가 갖지 못한 시조성을 갖기에 자유시와 당당하게 맞서 경쟁관계를 가지고 존립할 수 있는 기반을 가지는 것이다. 여기서 먼저 고시조가 갖지 못한 현대성이란 구체적으로 무엇인지를 살피는 일이 현대시조의 정체성 확립에 중요한 지침이 될 것이다. 이를 위해서는 고시조와 현대시조가 갖는 거리 혹은 차이를 분명히 함으로써 그 해결의 실마리를 찾을 수 있을 것이다.

고시조와 현대시조는 우선 제시형식에서 근본적인 차이를 갖는다. 고시조가 가곡창 혹은 시조창이라는 음악의 악곡구조에 담아 실현됨에 반해 현대시조는 음악과는 상관없이 언어의 내적 질서에 기반을 두어 실현되기 때문이다. 즉 노래하는 시와 읽는 시로서의 차이를 갖는다는 것이다. 이 점은 일찍이 가람 이병기가 노랫말로서의 창사성(唱詞性)을 벗어나 시조시(時調詩)로 전환해야 함[2]에서 시조의 나아갈 방향을 찾은 이래 누구나 상식적으로 알고 또 강조하고 있는 점이기도 하다. 그럼에도 이를 새삼스레 들추는 것은 고시조와 현대시조의 거리를 인식하는 데 있어서 가장 근본적인 문제임에도 불구하고 너무 피상적인 수준에서 그것을 인지하거나 받아들이고 있기 때문이다.

고시조는 노래하는 시였기 때문에 노랫말 자체보다는 그것을 담아내는 악곡의 선율과 리듬의 다양화를 통해 조선시대 500년이란 장구한 기간 동안 사대부층의 중심 예술양식으로[3] 향유될 수 있었다. 그리하여 고시조는 5장에다 중여음과 대여음이 결합된 악곡구조를 갖는 유장하고 완만한 가곡창으로 실현되는가 하면, 그와 병행하여 그보다는 상대적으로 짧고 경쾌한 3장의 악곡구조를 가진 시조창으로 실현되기도 했다.[4] 그리고 이 두 가지 연창 형태도 시대의 변화에 따라 구체화되는 방식이 실로 다양했음은 각양각색의 악곡명들이 그것을 증거해 주고 있다. 가곡창의 경우만 보더라도 15세기에서 16, 17세기를 거치는 동안 가장 느린 템포의 만대엽에서부터 출발하여 중대

2) 이병기, 「시조의 발생과 가곡과의 구분」, 『진단학보』 권1, 1934 참조.

3) 사대부가 향유한 가장 중심적인 예술형식은 물론 詩(한시)였지만 그들은 시조를 詩餘라 하여 시의 연장선상에서 시를 통해 못다한 흥취나 감회를 시조로서 풀었으며, 더욱이 詩歌一道라는 이념적 시각에서 시와 대등한 의미를 부여하여 시조를 향유했음은 시조 가집의 서문 혹은 발문에 잘 드러나 있다.

4) 가곡창 가운데 이삭대엽을 연행하는 시간을 계산하면 중여음과 대여음을 합해 12분 정도가 소요되고 중여음과 대여음을 빼고 노랫말의 창만 계산해도 8분 33초 정도가 소요된다고 한다(장사훈, 『국악논고』, 서울대출판부, 1988, 300면). 45자 내외의 짧은 노랫말을 연행하는 데 걸리는 시간과 오늘날 유행하는 대중음악에서 이보다 몇배의 긴 노랫말을 가진 발라드나 랩이 대략 4~5분의 시간이 소요됨과 비교해보면 그 유장함의 정도가 어느 수준인지 알만하다. 가곡창의 이러한 유장함에 비해 시조창은 4분 전후여서 훨씬 짧아지고 대중화되었다.

엽을 거쳐 삭대엽으로 가는 보다 빠른 템포로의 변화를 보였으며, 18세기에 가곡을 전문으로 하는 가객의 등장과 함께 가곡의 연창이 보다 세련되고 정제되면서 삭대엽계 가곡의 다종다양한 분화가 일어나게 되고, 19세기에 이르면 여러 다양한 악곡들을 일정한 질서에 따라 '엇결어' 부르는 편가(篇歌) 형식의 '가곡 한바탕'이 완성되기에 이르며 여기에 남창가곡과 여창가곡의 전문화가 자연스럽게 생겨나게 된다.

이러한 시조 악곡의 여러 변화 층위 가운데 특히 주목을 요하는 것은 가곡창의 경우 정격형(이것도 시대에 따라 평조, 우조와 계면조 등의 다양한 악조로 불림)과 대응되는 변격형(이른바 弄·樂·編이 중심이며 그것들의 다양한 분화로 나타남)의 존재와 시조창에서 평시조나 지름시조와 대응되는 사설시조의 존재다. 이들의 가풍(歌風)은 상당히 달라서 그에 담긴 노랫말이 추구하는 미학도 상당한 거리를 갖기 때문이다.

고시조의 이같은 다양한 음악적 분화와 발전은 어디까지나 단(單)시조에 해당하는 것으로서 이는 시조의 본령이 단시조임을 말해준다. 즉 시조는 사대부층의 순간의 솔직한 감정을 3장 12마디의 짤막한 형태에 담아 완결하는 단수(單首)를 지향하며 길어야 두어 수를 넘지 않되 그마저 각수는 자체 완결의 독립적 성향을 강하게 드러낸다. 그렇지만 이와 같이 짧은 호흡의 단시조만으로는 사대부가 포착한 세계상의 깊고도 넓은 인식세계와 감정양식을 표현하기에는 한계가 있으므로, 연시조 혹은 연작시조라는 시조의 확장 형태를 창작하여 그러한 욕구에 부응했다. 따라서 단시조가 음악적 연행욕구에 다양하게 부응해 갔다면 연시조는 그 반대로 노랫말에 담긴 의미세계가 중시되어 사대부의 문학적 욕구를 나름대로 몇 가지 유형적 형식(예를 들면 「도산십이곡」 같은 6歌계나 「고산구곡가」같은 9歌계통 등)으로 부응해 갔던 것이다. 그리고 다른 한 켠에서는 사람과 사람 사이의 감정의 교류를 위하여 말 건넴과 그에 대한 화답 형식의 수작시조라는 것도 있었다.

고시조는 이처럼 다양한 악곡의 변화 발전을 통해 여러 향유 형태를 보이면서 500년의 긴 세월동안 향유될 수 있었지만 현대시조는 사정이 그와 전혀 다르다. 우선 고시조는 당대의 국문시가 장르로서는 중심부에 자리하고 있어서 장구한 세월동안 독점적 우세 속에 변화 발전을 거듭할 수 있었지만 현대시조는 잘 알다시피 자유시라는 중심 장르의 그늘에 가리워져 주변부로 내몰리는 열세 속에서 자유시와 힘겨운 경쟁을 해야 하는 절대적으로 불리한 위치에 놓여 있다. 거기다가 고시조는 세계인식에 있어서 이성적 합리주의(조선 전기)에서 경험적 합리주의(조선 후기)에 걸치는 시대에 각각 거기에 걸맞는 '안정적이고 조화로운 양식(정격형 : 평시조)'과 함께 안정적 조화 내에서 그것을 '멋스럽게 일탈하는 양식(변격형 : 사설시조)'을 통해 당대의 미적 감수성에 무난하게 대응해 갈 수 있었지만, 현대시조는 그와 달리 경험적 합리주의 사유가 불신되고 무너지면서 부조리와 불확정의 시대로 전환되어 가는 상황에서 그러한 변덕스럽고 혼란스러운 세계인식을 바탕으로 한 미적 감수성에 어떻게 '안정적인 조화'나 혹은 그 '안정 속의 일탈'로서 대응해나갈 수 있을지 심히 불안하기 짝이 없게 된 것이다. 이러한 힘겹고 불안한 상황에 더하여 현대시조는 고시조와 달리 음악적 연창이라는 제시형식을 상실한 언어예술로서, 더 정확하게는 시문학으로서, 모든 것을 언어에 담아 말해야 하는 또 하나의 어려움에 놓여 있는 것이다.

이처럼 현대시조는 주변부 장르로서의 열세 속에서, 부조리한 사유와 불확정 시대를 살아가는 현대인의 미의식을 음악의 든든한 뒷받침을 상실한 채 오로지 언어로서 그 모든 것을 감당해 나가야 하는 상황에 처해진 것이다. 따라서 현대시조의 돌파구는 노래 아닌 시로서 고시조가 누렸던 아름다움의 무게를 지탱해야 하고, 거기다 오늘을 살아가는 현대인의 감수성에 절대적인 공감을 획득해야 하는 것이다.

문제는 이러한 현대인의 욕구에 대하여는 이미 자유시가 감당해 오고 있는 터이므로 현대시조는 자유시와는 다른 분명한 정체성을 가지고 거기에 대응해야 한다는 것이다. 현대시조가 자유시와의 동일 지평에서 그저 자유시를 뒤따르기에 급급하거나 흉내내는 모방의 수준에서 크게 벗어나지 못한다면 굳이 존립해야 할 이유가 없으며, 자유시쪽의 냉대와 독자층의 외면은 당연한 결과인 것이다. 그런 점에서 현대시조가 나아가야 할 길은 장르적 정체성의 확립이며, 이는 장르에 대한 인식을 어떻게 갖느냐에 관건이 달려 있으므로 그 문제로 눈길을 돌려보기로 한다.

2) 장르 인식의 문제점

장르(여기서는 **역사적 장르**를 의미하는 것으로 사용함)란 문학사에서 자기만의 독특한 형식적 틀로서 존재한다. 향가, 속요, 경기체가, 시조, 자유시[5] 등이 모두 자기대로의 독특한 틀을 가지고 있음은 그 때문이다. 그러나 그 틀은 그저 단순히 역사적으로 주어진 형식적 틀이 아니다. 그 틀을 통하여 세계상을 이해하고 완결시키는, 즉 현실을 파악하는 방법과 수단이 되는 것이다. 따라서 개개의 장르는 그 나름으로 세계상 혹은 현실을 바라보고 이해하는 방법과 수단으로 기능하며, 역으로 그 독특한 방법과 수단이 결정적으로 장르를 특징짓게 한다. 즉 작가는 장르의 시선으로 세계상(현실)을 바라보고 그에 대한 생각이나 감흥을 완결하게 되는 것이다. 따라서 어떤 장르의 선택은 그 장르의 시선(방법과 수단)으로 세계상을 파악하고 미적 감흥에 심취하겠다는 것에 동의함을 의미한다. 장르가 작자에게는 '글쓰기의 본(本)'〔모형 : 模型〕이 되고 독자(수용자)에게는 '기대의 지평'

---

5) 자유시도 형식이 없는 것이 아니라 내재율의 통어를 받는 형식적 틀을 갖는 것으로 이해해야 함을 의미한다.

이 되는 까닭이 여기에 있는 것이다. 어떤 사람이 현대시조의 장르를 선택하는 순간 그는 현대시조라는 장르 시선(수단과 방법)으로 세상을 이해하고 완결하며 그러한 미적 감동에 젖어들겠다는 것을 의미한다는 것이다.

그러면 현대시조에 대한 장르 인식은 어떻게 가져야 하는 것일까? 한마디로 현대시조는 고시조를 현대인의 미적 감수성과 시대 인식 및 사유방식에 걸맞게 현대적으로 변환한 것이므로 먼저 고시조에 대한 장르인식부터 분명하게 가져야 현대시조의 나아갈 방향이 제대로 잡혀질 수 있을 것이다. 따라서 고시조의 장르 정체성부터 제대로 파악하는 일이 우선되어야 함은 말할 것도 없다.

고시조를 비롯한 우리의 모든 고전시가는 노랫말과 악곡의 상호제약적 관계 속에서 관습적으로 형성되고 향유되어 온 것이므로 **노랫말**과 **악곡**이라는 두 가지 측면을 모두 고려해야 해당 장르를 제대로 인식할 수 있게됨을 유의해야 한다. 우선 고시조의 '노랫말'은 다음과 같은 형식적 틀을 철저히 준수하며 이것이 창작자에게는 글쓰기의 모형으로, 향유자에게는 기대지평으로 작용해 왔음은 익히 알고 있는 바다.

1) 통사 의미론적 연결고리를 이루는 3개의 장(초 · 중 · 종장)으로 시상이 완결된다.
2) 각 장은 4개의 음절마디(평시조의 경우) 혹은 통사 · 의미마디(사설시조의 경우)로 구성된다.
3) 시상의 전환을 위해 종장의 첫마디는 3음절로, 둘째마디는 2어절 이상으로 하여 변화를 준다.

이러한 노랫말의 완강한 형식적 제약은 그것을 싣는 악곡(가곡창 혹은 시조창)과의 상호제약 관계에서 생성된 것인데, 노랫말의 이러한 초 긴축적 제약으로 인해 발생하는 서정적 미적 감흥의 미흡성[6]은 바로 거기에 실린 악곡이 충분히 보완해 주게 된다. 가곡창만 해도, '가지풍도형용(歌之風度形容)'이라 하여 몇 군데 가집에 그에 대한 설명을 해놓고 있는데, 이를 통해 시조의 노랫말이 어떠한 가풍(歌風)에 실려 그러한 미흡성을 보완했는지 알 수 있다. 이제 구체적 작품에서 고시조의 장르적 독특성을 점검해 보자.

> 風霜이/ 섯거틴 날의/ 갓픠온/ 黃菊花를//
> 金盆의/ ᄀ득 담아/ 玉堂의/ 보내오니//
> 桃李야/ 곳인체 마라/ 님의 뜻을/ 알괘라/// (宋 純)

널리 잘 알려진 이 작품은 평시조의 간결한 형식적 틀에 맞추어 순간의 감정을 솔직 담백하게 노래한 것이다. 노랫말로서만 본다면, 즉 **시가**로서가 아니라 **시**로서만 본다면 이 작품은 걸작이라 하기 어렵다. 작자가 임금이 옥당에 특별히 하사한 황국화 화분을 보고 무슨 뜻으로 보냈는지를 알겠다고 노래한 것이므로 서술 상황을 어떠한 수사적 기교도, 시적인 멋도 없이 그저 담담하게 그대로 표출했을 뿐이기 때문이다. 그럼에도 불구하고 이 작품은 송강 정철이 노랫말의 극히 미미한 부분을 다듬어서 자신의 작품으로 수용할 만큼 절대적 공감을 얻었는가 하면,[7] 진본 『청구영언』같은 초기 가집에서부터 『가곡원류』의 여러 이본 같은 말기 가집에 이르기까지 무려 25종의 가집에 실릴 만큼 인기를 끌었던 것이다. 무엇이 이 작품을 조선시대 내내

---

6) 세계상에 대한 감흥을 3장 12마디라는 超短型의 형식에 모두 압축하려니 시조 작품의 대부분은 시적 상황이나 홍취를 직접적으로 무미건조하게 서술할 수밖에 없었음을 이해해야 할 것이다.

7) 이 작품은 정철의 작품집 『松江歌辭』에 일부 字句가 수정되어 수록되어 있는데 이로 인해 작자를 송강으로 잘못 인식하는 경우까지 있었다.

오랜 세월 동안 절창으로 애호받게 했을까?

먼저 노랫말의 솔직 담백함에서 오는 무미건조함은 우조 혹은 계면조의 악조에다 이삭대엽이나 혹은 같은 이삭대엽 계통으로서 약간의 변화를 주는 중거(中擧)로, 때로는 삼삭대엽 등으로 시대의 변화에 완만하게 적응하면서 노래판의 분위기나 노랫말에 걸맞는 악곡에 얹어 불려짐으로써 미적인 깊이와 감동의 폭을 보완할 수 있었던 것이다. 즉, 이 작품이 이삭대엽계로 불려질 때는 "공자가 행단(杏壇)에서 제자에게 강학(講學)을 하듯, 비가 알맞게 내리고 바람이 고르게 불 듯(杏壇說法, 雨順風調)" 노래하는 곡이라는 풍도형용(風度形容)의 설명처럼, 가장 유장하고 안정적이며 조화롭고 아정(雅正)한 노랫말을 얹어부르기에 적합한 곡[8]이어서 이러한 가풍(歌風)이 노래말의 무미건조성을 충분히 보완했으므로 애창되었다는 것이다. 나아가 이 작품이 삼삭대엽으로 불려질 때는 "군문(軍門)을 나선 장수가 칼을 휘두르며 적을 거느리듯(轅門出將, 舞刀提敵)" 노래하는 가풍에 실리므로 이삭대엽과는 상당히 다른 분위기와 파동을 타고 노랫말의 의미가 전달되기도 한다. 그러나 이 작품이 이삭대엽으로 불리든 삼삭대엽으로 불리든 가곡창의 정격형에 해당하는 것이어서 전아(典雅)함과 고상함을 이상적인 미적 경계(境界)로 삼음으로써 속(俗)티를 부정하고 귀(貴)티〔雅〕를 지향하는 사대부층의 음악적 취미와 기호에 부응하는 범위 내에서의 변화를 반영한 것이고, 이러한 아적(雅的) 지향이 그토록 오랜 세월동안 애호될 수 있는 조건이 되었던 것이다.

8) 시조 가집의 악곡 편성을 보면 우리가 익히 알고 있는 작자가 알려진 대부분의 시조작품이 이러한 이삭대엽 곡에 얹어부르는 것으로 되어 있는데, 이런 점에서 이삭대엽으로 불리는 평시조 노랫말이야말로 작자가 자기 이름을 내세워 실존적 존재를 드러내는 인격적 표현을 하기에 적절한 형식틀이었음을 알 수 있게 된다.

고시조가 애호될 수 있는 조건은 비단 음악적인 면에서의 아적(雅的) 이상(理想) 충족 때문만은 아니다. 그와 분리될 수 없는 **노랫말**의 지향 또한 아적(雅的) 이상을 추구하기에 가능한 것이다. 앞에 인용한 작품만 보더라도 도리(桃李)의 화려한 아름다움보다는 온갖 풍상을 꿋꿋하게 견뎌내는 국화의 지절(至節)을 높이 산다는 사대부의 고아한 이상 추구가 그대로 드러나 있다. 이러한 세계상의 이해방식은 사대부층의 보편적 **이념** 가치인 세한고절(歲寒高節)의 미적 규범성을 기반으로 한 것으로, 생활의 절도에서 우러나온 절제성과 여유 있고 고상한 정신적 풍모가 어우러져 빚어낸 사대부 특유의 전형적 풍류성에 닿아 있는 것이다. 사대부의 풍류성은 이처럼 화려함이나 세속적 풍요로움을 지향하는 인간의 욕망을 부정 혹은 제한하고, 천리(天理)를 보존하는 도심(道心)의 구현으로 나타나는데, 이는 전아(典雅)를 높이 평가하고 속(俗)을 반대함으로써 아정(雅正)을 추구하는 사대부의 **도학적 이념**에 기반한 것임은 말할 것도 없다. 앞의 작품이 갖는 무미건조성은 아정한 음악뿐 아니라 아정한 노랫말이 갖는 **이념적 깊이**가 뒷받침됨으로써 이중으로 보완 극복될 수 있었던 것이다. 이러한 이념적 뒷받침은 일반적으로 고시조의 **'후경(後景)'**으로 작용하여 해당 작품을 점잖으면서도 고귀한 분위기로 상승시키거나(유가적 전아함을 바탕으로 할 경우), 한적하면서도 담박한 자유로움의 분위기(유가에 기반하면서도 도가적인 취향에 이끌릴 경우)로 끌어올리는 기능을 해왔던 것이다.

그러나 사대부가 중심이 되는 고시조의 향유층은 언제까지나 도학(성리학)적 고상함과 냉혹성에만 매몰될 수는 없었다. 이미 중국 쪽에서 송대 이후에는 법도가 엄정한 유가적 전아(典雅)보다는 담(淡)과 일(逸)이 절대적 우위를 점하는 도가적 전아가 사대부의 추구하는 이상적 경계가 되었고, 특히 시민이 성장하고 발흥하는 명대(明代) 중·후기로 넘어오면서는 사대부들이 시민 계층의 도시적·세속적인 분위기와 대면하면서 도심(道心)에 반대하는 동심(童心), 격식에 반대하는 성령(性靈), 이(理)에 반대하는 지극한 정(情)에서 생겨나는 심미적 사조가 무르익어 아(雅)와 반대되는 속(俗)이라는 참신한 경계(境界)를 창조하는 분위기로 나아갔다.[9)]

이러한 사정은 우리 쪽도 마찬가지여서 한편으로는 도학자를 중심으로 하는 아(雅)의 추구가 가곡창계에도 주류적인 미적 패러다임으로 군림하고 있었지만 다른 한편으로는 도시의 성장을 배경으로 향유되어 온, 속된 것을 미학의 최고 경계로 삼는 시정(市井)의 노래가 17세기에서 18세기로 넘어가는 즈음에 '만횡청류'[10)]라는 이름으로 가곡창계에 본격적으로 수용됨으로써 가곡창의 변격형인 농(弄) 낙(樂) 편(編)이라는 다양한 악곡에 실려 시조의 미적 경계를 확장 혹은 보완해 갔던 것이다. 이것이 오늘날 이른바 사설시조라 칭하는 시조의 변격형으로서, (평)시조가 **아(雅)**를 추구함에 비해 사설시조는 그와 반대되는 **속(俗)**을 추구함으로써 평시조가 갖는 미학의 한계를 사설시조가 보완할 수 있었던 것이다.

이처럼 사설시조는 세속적 욕망에 기초한 속을 최고의 이상적 경계로 삼기에 만횡청류를 처음으로 가곡창계 가집에 싣고자 할 때 그 발문을 쓴 마악노초가 그것의 가치를 일러 "**정(情)**을 따라 인연을 펴내되 …… **이항(里巷)**의 노래에 이르면 곡조가 비록 세련되지 않았으나 무릇 그 기뻐하고 원망하고 탄식하며 미쳐 날뛰고 거칠고 험한 정상과 모습은 각각 **자연의 진기(眞機)**에서 나온 것이다"라고 한 진술에 그 점이 잘 나타나 있다. 만횡청류(사설시조)는 도시의 이항을 중심으로 인간의 정을 따라 자연스럽게 표출된 것이어서, 인간의 정(情)이나 욕망을 부정하고 이(理)로서 다스려 조절하는 도심(道心)에 기

---

9) 장파(유중하 외 역), 『동양과 서양, 그리고 미학』, 푸른숲, 1999 참조.

10) 조규익, 『우리의 옛노래 문학 만횡청류』, 박이정, 1996에 작품과 함께 상론되어 있어 참고가 된다.

반을 둔 평시조가 미치지 못하는 부분을 미학적으로 보완하는 위치에 있었던 것이다. 사설시조의 이러한 미학은 중국의 동심설(童心說)이나 성령설(性靈說) 혹은 천기론(天機論)과 통하는 것으로 이 가운데 탕현조나 이지(李贄)의 동심설(童心說)[11]은 다음의 사설시조를 이해하는 데 큰 도움이 된다.

> 불가버슨 兒孩들리/ 거뮈줄 테를 들고/ 개川으로/ 往來ᄒᆞ며//
> 불가숭아 불가숭아/ 져리가면 죽ᄂᆞ니라/ 이리오면 ᄉᆞᄂᆞ니라/ 부로나니 불가숭이로다//
> 아마도/ 世上일이 다/ 이러ᄒᆞᆫ가/ ᄒᆞ노라///

이 작품은 이(理)로 인간의 감정을 조절해야 한다는 도심(道心)과는 거리가 멀다. 발가숭이 아이가 발가숭이인 잠자리를 잡으려고 개천가를 이리저리 분주히 뛰어다니는 모습이 재미있게 묘사되어 있으며, 특히 잠자리를 잡으려고 저쪽으로 달아나면 살고 이쪽으로 오면 잡히는데도 그 반대로 말함으로써 잠자리를 유인하려는 아이의 사심 없는 욕망이 잘 드러나 있다. 도심(道心)은 이러한 인간의 감정을 부정하고 속(俗)된 것으로 천시하는데, 동심설에서는 오히려 이러한 동심이야말로 진심이고 성령이며 천기로 보는 것이다. 그리하여 이 작품에서 보듯 마음을 따라 행하고, 본성을 따라 드러내며, 정(情)을 품고 나아감으로써 속(俗)이라는 새로운 미학을 창조해내는 것이 사설시조의 미학이었던 것이다. 마악노초가 '자연의 진기'라고 한 것은 이러한 미학의 드러냄을 의미한다.

---

11) 이들의 동심설은 도가에서 강조하는 無知혹은 無慾과는 다른 개념으로 동심에서 흘러나온 성정만이 진심이고 私心이며 속된 마음(俗心)이라 하고 반대로 정과 욕을 조절하거나 제거하여 형성된 것은 거짓된 것이라 했다. 장파, 앞의 책, 361면 참조.

그런데 사설시조가 추구하는 속(俗)의 미학은 의미의 차원에서 보면 광기(狂)·기이함(奇)·재미(趣)를 드러내는 특징을 가진다. 이는 사설시조의 주체가 되는 시정(도시)의 시민들이 즐겨 추구하는 향락적 특징이 그러하기 때문이다. 이 가운데 특히 재미는 가장 중요한 특징으로 보인다. 사설시조에 풍자는 거의 나타나지 않고[12] 시정의 해학이나 익살로 가득 차 있는 것도 재미를 추구하는 사설시조의 미학 때문이다. 앞에 인용한 사설시조도 발가숭이(아이)가 발가숭이(잠자리)를 잡는 해학적 재미가 중심 주제를 이루고 있는 것이다.[13] 그리고 사설시조가 추구하는 속의 미학은 언어의 차원에서 보면 직설(直)·폭로(露)·비속함(俚)·참신함(新)으로 표현되는 특징을 가진다. 이는 동심·성령·지극한 정(至情)에 바탕하여 맘대로 행하며, 본성대로 드러내는 광기·기이함·재미로 인해 필연적으로 생겨나는 표현방식인 것이다.[14] 만횡청류의 많은 작품들, 이를테면 중놈, 승년, 백발에 화냥 노는 년, 장사꾼 등등 도시를 배경으로 욕망을 따라 행동하는 군상들을 노래한 것들이 모두 속의 미학을 드러낸 대표적인 예다. 인간 본연의 모습을 드러내려니 속될 수밖에 없으며, 인물의 말, 행동거지를 통해 그 정신을 전달하려다 보니 속되게 될 수밖에 없었다. 사설시조는 결국 직설적이고 폭로적이고 비속하고 비루

---

12) 흔히들 사설시조에 풍자가 많이 나타나는 것으로 인식하고 있는데 이는 잘못된 판단으로 보인다. 풍자가 되려면 약자가 강자를 신랄하게 측면 공격하는 비판 정신이 기반이 되어야 하는데 사설시조에서 그런 풍자적 작품을 찾아보기 어렵다.

13) 이러한 사설시조의 미학 때문에 이 작품의 종장의 의미가 심각하게 받아들여지지 않는다. 만약 평시조로 노래되는 상황에서 똑같은 종장이 붙여졌다면 세상사에 대한 심각한 비판적 의미로 받아들여져야 할 것이다.

14) 사설시조의 이러한 속의 미학이 갖는 특징은 같은 시정문화권에서 생성된 판소리 혹은 판소리 서사체(판소리계 소설)의 미학에도 그대로 적용된다. 속의 미학적 특징에 관하여는 장파, 앞의 책, 362~365면 참조.

하게 표현될 수밖에 없었던 것이다. 또한 사설시조에는 평시조처럼 사대부적 풍류와 맥이 닿으면서 말만 많아진 경우도 흔히 볼 수 있는데 이는 단순히 평시조 미학의 연장이 아니라 사대부적 풍류를 질펀하게 즐기려는 인간의 욕망을 자연스럽게 드러낸 것으로 이해된다. 그 역시 속(俗)의 미학을 구현한 것이었다.

그러나 사설시조의 이러한 속의 미학은 판소리 미학과도 상통하면서도 그것과는 차원을 달리한다는 점을 유의해야 할 것이다. 앞에 인용한 발가숭이 노래만 보아도 농(弄)이라는 가곡창의 변격형 악곡에 얹어 부르게 되어 있는데, 이는 "맑은 물에서 깁을 빠니 물결따라 나부낀다(浣紗淸川, 逐浪翻覆)"라는 설명에서 보듯이 정격형과는 사뭇 격을 달리하는 흥청거리는 악곡이지만 그러나 판소리와 같은 속된 음악과는 엄연히 구별되는 차원 높은 선율과 리듬으로 실현된다는 것이다. 이 점은 음악적 측면만 그런 것이 아니다. 노랫말의 배분에 있어서도 그 형식적 틀은 아(雅)를 추구하는 평시조의 틀을 준수하는 범위 내에서 일탈하고 있는 것이다. 발가숭이 노래에서 필자가 빗금을 쳐 놓은 바와 같이 평시조의 틀을 철저히 따르되(앞에 인용한 송순의 평시조와 노랫말의 배분을 나타내는 빗금 친 부분이 완전 일치하는 데서 확인할 수 있음), 다만 평시조의 한 장(章)이 4개의 음절마디(음보)로 구성됨으로써 정형적 율격양식을 가지고 있음에 비해 사설시조는 음보수에는 구애받지 않고 대신 4개의 통사·의미마디로 하나의 장을 구성한다는, 그리하여 사설이 많아진다는 차이점을 보이는 것이 다를 뿐이다. 이는 사설시조가 평시조를 자유롭게 일탈할 수 있는 양식이 결코 아님을 의미한다.

평시조가 아를 추구하고 사설시조가 속을 추구한다고 하여 자칫 대항장르로 인식하거나 대립적인 미학을 갖는 것으로 받아들이는 것은 이런 점에서 잘못된 이해라 할 수 있다. 앞에서 사설시조가 시조의 미학을 보완 확장하고 있다고 본 것도 바로 이런 점을 감안한 것이다. 문제는 사설시조에 대한 이러한 장르적 위상에 대하여 특히 현대시조를 창작 혹은 비평하는 문단계에서 잘못 인식하고 있는 경우가 대부분이라는 현실에 있으며[15] 이는 참으로 유감이 아닐 수 없다.

3) 고시조의 현대적 변환 문제—현대시조의 나아갈 길

이상에서 고시조는 3장으로 완결되고 각 장이 4개의 음절마디(음보)로 구성되어야 하는 극도로 절제된 양식이어서 자칫 무미건조함으로 빠지기 마련인데 이러한 결함을 조화롭고 아정한 선율과 리듬에 담아 노래함으로써, 그리고 고상하고 전아한 도심(道心)의 이념적 깊이를 후경으로 깖으로써 상당부분 극복하고 있음을 살폈다. 그리고 이러한 아(雅)의 미학 추구뿐 아니라 도시의 성장과 더불어 발흥한 속의 미학을 사설시조라는 변격형을 통해 구현함으로써 시조의 영역을 확장 보완할 수 있었음도 확인했다.

고시조는 이처럼 당대의 지배이데올로기에 의한 미적 규범성이 예술형식으로 표출된 것이어서 조선시대 5백년간을 향유자의 기대범주에 충분히 부응해 갈 수 있었지만, 그 사회가 무너지고 근・현대라는 새로운 시대가 도래함에 따라 시조는 새로운 미의식의 기대범주에 못 미칠 뿐아니라 새 시대의 확장 욕구를 더 이상 감당해내지 못함으로써 소멸의 위기를 맞게 되었다. 그 대신 자유시가 등장하여 미의식의 패러다임을 근본적으로 달리하는 새시대의 시대정신에 부응함으로써 현대의 중심장르로 부상하게 되고, 그 방향은 고시조의 형식적 틀을 철저히 무너뜨리는 방향으로 나아가게 된 것이다. 즉, 고시조의 형식

15) 다만 신범순, 「현대시조의 양식실험과 자유시의 경계」, 『시조시학』, 2000년 하반기호에서는 사설시조의 시조에 대한 보완적 성격을 제대로 파악하고 있어 다행이 아닐 수 없다. 그렇긴 하나 형식문제에 있어서는 사설시조가 시조의 위반형식이라 하여 추상적 지적에 그치고 있어 그 위반의 정도가 어느 정도인지 파악할 길이 없는 점이 아쉽다.

적 미학적 강제에 대해 무한정 자유롭고자 하는 새로운 시민계층이 자유시를 주도해 나갔다. 근대는 개인이 두각을 나타내는 시대로 모든 중세적 규범을 파괴하고 자유로운 정신으로 표현함으로써 풍부한 개성과 자립정신을 보여주었다. 이러한 개성과 자유정신이 시조의 강제에서 벗어나 주요한의 「불놀이」같은 자유시를 낳게 된 것이다. 그 뒤를 이은 현대는 부조리가 가장 중요한 범주이고, 부조리의 출현은 자유 추구와 관련이 있으므로 현대에 자유시가 계승되어 주류장르로 위상을 굳건히 해나감은 당연한 귀결이라 할 수 있다.

그러나 현대 자유시의 지나친 자유추구는 무한정 자유로움을 추구하는 자들의 기대지평에는 호응을 더해갈 수 있었지만, 다른 한편으로는 그 혼란스러운 형식에 식상한 나머지 안정되고 조화로운 고시조적 정형의 틀에 향수를 갖게 되는 계기를 야기하기도 했다. 신경림이 "나는 시조를 많이 읽는 편이다. 잘 읽혀서 일 것이다. 요즘 시들, 너무 안 읽힌다. 너무 난삽하고 현란해서, 그리고 너무 말이 많아서 읽기가 여간 힘들지 않다. 이에 비하여 일정한 형식과 리듬의 속박을 받는 시조는 훨씬 수월하게 읽힌다. …… 물론 시조가 우리 것이란 사실에 대한 막연한 경도도 있을 터이다."[16]라고 고백한 말에 그 점이 잘 드러난다. 이는 자유시의 형식적 이념적 미학적 혼란스러움에 대한 거부와 시조의 안정된 전통미학과 율조에 대한 공감의 표현으로 이해된다. 그뿐 아니라 나라가 위기에 처하여 우리 문학의 정체성마저 상실할 위기를 맞을 때마다 전통미학을 갈구하는 움직임이 일어났으니 일제시대의 국민문학파에 의한 시조부흥운동과 해방 후 50년대의 시조부흥 논의가 그것이다.

이와 같은 자유시에 대한 두 가지 반발 움직임은 현대시조가 설자리를 마련해주는 든든한 보루가 되고 있다. 자유시가 더욱 불안정한

---

16) 윤금초 편, 『갈잎 흔드는 여섯 악장 칸타타』, 창작과비평사, 1999의 해설문 참조.

혼란 속으로 빠져들수록, 그리고 우리 문학으로서의 정체성을 상실할수록 안정적인 율조와 미학으로 다듬어진 현대시조에 대한 갈망은 더욱 확대되어 갈 것이기 때문이다. 자유시에 대한 현대시조의 장르 경쟁력은 여기에 있는 것이다. 여기서 현대시조의 나아갈 방향이 어느 정도 떠오른다. 고시조가 아닌 현대시조이니 만큼, 현대인의 시대정신과 감수성에 공감력을 갖되, 자유시의 불안정한 혼란을 극복할 수 있는 안정된 율조와 전통미학으로 시조의 정체성을 굳건히 지키며 장르가 수행되어야 한다는 것이다. 현대인의 정신과 감수성에 호소력을 가지려면 고시조의 낡은 양식적 특징에서 멀어질수록 더 훌륭히 수행될 수 있을 것이다. 반대로 안정된 율조와 전통미학을 굳건히 계승하려면 할수록 시조 정체성의 근원인 고시조의 정형적 틀로 다가가려 할 것이다. 현대시조에 작용하는 이 두 가지 방향은 전자가 원심력으로, 후자가 구심력으로 작용할 것이다.

일제시대 육당에서부터 오늘에 이르기까지 지속되어온 시조의 끝없는 형식적 실험은 시조의 낡은 양식적 틀에서 벗어나 현대인의 미적 감수성과 시대정신을 반영하기 위한 모색의 과정임은 말할 것도 없다. 문제는 그 원심력의 작용이 지나쳐 시조의 정체성마저 깨뜨리는 과도한 형식 실험으로 나아갈 때 자유시와의 변별력이 무너지게 된다는 점이다. 그렇게 된다면 차라리 자유시라는 장르를 선택할 일이지 굳이 시조라는 이름을 빌어, 자유시도 시조도 그 어느 것도 아닌 어정쩡한 흉물을 만들어 낼 필요는 없는 것이다. 이런 경향은 자유시와 현대시조를 기분에 따라 양다리 걸쳐 창작하는 시인들에게서 흔히 볼 수 있는데 이 경우 대부분은 시조의 정체성이 무엇인지를 잘 모른 채 작품을 양산하기 마련이다.

반대로 시조의 근원으로 돌아가고자 하는 구심력의 작용이 지나쳐 고시조의 문법적 틀을 한치도 어김없이 준수하고자 하며, 심지어 그 기사(記寫) 방식까지도 시조의 정형적 틀이 드러날 수 있도록 표기

해야한다는 주장까지 하는 경우도 보인다.[17] 이는 현대시조의 형식 실험이 그 정도를 지나쳐 시조의 정체성마저 허물어뜨리는 결과를 가져오는 현상에 대한 반발이며, 어느 정도 타당성이 인정되지만, 그렇다고 시조의 본원적 모습에까지 근접해야 한다는 것은 지나친 구속이어서 기본적으로 개성과 자유로움을 시대정신으로 하는 현대인의 감수성을 충족해내는 데는 한계가 있지 않을까 생각된다. 시조의 정체성을 향한 구심력이 지나치게 작용하면 고시조와의 변별력이 없어지는 문제가 야기된다.

그렇다면 현대시조의 나아갈 길은 어떻해야 할까? 이럴 때 우리의 선인들이 현명하게 선택한 길이 있으니 바로 법고창신(法古刱新)의 정신이다. 지나친 형식 실험은 법고에는 별로 신경 쓰지 않고 창신 쪽으로 치달을 때 나타나는 현상이다. 지나친 형식 실험 가운데 손에 잡히는 대로 몇 가지 사례만 든다면, 우선 양장시조의 실험이 있었는데 이는 시조의 최소한의 형식적 정체성이 3장으로 완결된다는 근본을 허무는 것이어서 호응을 획득하기 어려운 것이었다. 그리고 평시조로 시작하여 사설시조로 갔다가 평시조로 끝나는 실험 혹은 그러한 순서는 아니지만 평시조와 사설시조를 이렇게 저렇게 혼합하는 형식 실험도 상당히 보여 왔는데, 이 또한 평시조와 사설시조는 그 지향하는 미학이 상호 충돌하므로 성공하거나 호응을 얻기가 쉽지 않은 것이었다.

여기서 한 걸음 나아가 평시조와 사설시조는 물론 속요의 일부까지 섞어 넣는 이른바 옴니버스 시조라는 새로운 형식도 보이는데, 이는 속요가 그 기본 율격미학적 바탕을 3보격(불안정적이고 유동적인 율격양식임)에 두고 있으며, 시조는 4보격(정적이고 유장하며 차분하

17) 이런 주장의 대표적 사례는 임종찬, 「현대시조작품을 통해 본 창작상의 문제점 연구」, 『시조학논총』 11집, 한국시조학회, 1995 및 임종찬, 「시조 표기 양상 연구」, 『시조문학』, 2000년 여름호를 들 수 있다.

고 안정적인 정서 표상에 적절한 율격양식)에 두고 있다는 사실을 감안하면 그로 인한 상호충돌이 보다 심각하다는 점에서 역시 성공하기 쉽지 않은 형식 실험이라 할 것이다. 또 어떤 경우는 평시조 형태의 시조 3수를 연 구분하지 않고 모두 붙여 9행시 형태로 제시함으로써 마치 9행의 자유시를 연상시키는 짜임을 보이기도 하는데 이 역시 시조는 일단 3장으로 완결되며, 그것이 여러 수 연결되어 연시조로 간다하더라도 연과 연 사이의 흐름이 자연스럽게 이어질 수 있는 자유시와 달리 시조는 구조적으로 그렇지 못하다는 점에서 연의 강제적 결합은 안정성을 헤치고 불안감만 조성할 뿐, 이 역시 성공적일 것 같지 않아 보인다. 시조는 3장단위로 구조화되는 정형시로서의 형식적 완결성이 어느 장르보다 강하기 때문에 연의 독립성이 그만큼 강한 것이다. 그럼에도 연의 경계를 무시하고 강제로 붙여놓는 것은 자유시 흉내를 낸 꼴이어서 장르 경쟁력이 떨어질 수밖에 없는 것이다.

이와 같이 시조를 열린 형식으로 간주하여 여러 형식 실험을 자의적으로, 자유자재로 하는 것은 문제가 많아 보인다. 시조는 결코 열린 형식이라 할만큼 자유스럽지는 않다. 오히려 시조는 어떠한 경우에도 3장으로 완결해야 하는 닫힌 형식이며, 각 장도 4보격으로 혹은 4개의 통사·의미마디로 구성해야 하며, 종장은 첫째와 둘째 마디에서 시상의 전환을 이룰만한 변화를 보여야 하는, 정형률의 까다로움을 준수해야 하는 닫힌 형식인 것이다. 아니 그만큼 안정된 형식이다.

시조가 열린 형식이라 함은 시행(詩行)의 배열에서나 가능하다고 봐야한다. 고시조와 현대시조의 분기점은 바로 시행배열이 자유로우냐 아니냐에 있는 것이다. 근대와 현대의 시대 정신이 개성과 자유로움의 추구에 있다면 고시조와 변별되는 (현대)시조의 현대성은 바로 이 시행 배열의 개성과 자유로움에서 획득될 수 있기 때문이다. 고시조가 내리박이 줄글식으로 표기되어 음보 구분은커녕 장(章) 구분마저도 잘되어 있지 않음은 노랫말이 악곡에 실리기 때문에 선율과 리들의 아름다운 배분을 따라 정서의 미적 파동이 구현될 수 있기 때문이다. 그에 비해 현대시조는 이러한 악곡구조의 미적·정서적 뒷받침을 전혀 받지 못하므로 오로지 노랫말의 개성적이고 자유로운 배분을 통해 그것을 감당해야 하는 것이다.

그러나 현대시조에서 시어의 개성적이고 자유로운 배분은 시조의 양식적 정체성을 상실하지 않는 범위 내에서 이루어져야 한다.

그러기 위하여는 앞에서 제시한 세 가지 원칙 즉,

1) 통사 의미론적 연결고리를 이루는 3개의 장(초·중·종장)으로 시상을 완결한다.
2) 각 장은 4개의 음절마디(평시조의 경우) 혹은 통사·의미마디(사설시조의 경우)로 구성한다.
3) (시상 전환을 위해) 종장의 첫마디는 3음절로, 둘째 마디는 2어절 이상으로 하여 변화를 준다.

라는 원칙을 준수하는 범위 내에서의 개성과 자유로움을 갖는 열린 형식으로 받아들여야 하는 것이다.

서정시는 시행(詩行)을 통한 발화로 정의된다. 시행은 또, 분절(分節)을 통해서 시적발화를 정상언어적인 발화로부터 이탈하도록 만들어 준다. 이러한 이탈이 작품으로 하여금 서정시가 되게 하는 것이다. 즉 정상언어의 통사론적 단위와는 다른 고유한 발화분절로 실현되어야 한다. 그러기 위하여는 시행을 도식적 운율화가 아니라 의미생산적 율동화로 이끌어가야 한다. 통사론적 단위를 따라 발화하게 되면 시행발화 아닌 산문발화가 되며, 발화 분절이 운율적 필요나 운율적 제약에만 따르면 기계적 운율이 되어 의미생산적 율동화로 나아가지 못하므로 서정적 긴장을 조성할 수 없기 때문이다.[18]

18) 서정시의 이러한 특징에 대하여는 디이터 람핑(장영태 역), 『서정시 : 이론과 역사』, 문학과지성사, 1994 참조.

현대시조도 서정시의 하나이므로 서정성을 조성하기 위한 시행 배분이 그동안 형식 실험을 통해 어떻게 이루어져 왔는가를 대표적 사례 몇 편을 들어 살펴보기로 하자.

먼저 초기에 가장 흔하게 보였던 시조 형태를 들면 다음과 같다.

바람은 없다마는 잎새 절로 흔들리고
냇물은 흐르련만 거울 아니 움직인다
白龍이 허위고들어 잠깐 들석 하더라 (정인보, 「萬瀑洞」 일부)

이런 형태는 가장 복고적인 정통시조 형태라 할만한 것으로, 시행 발화로서의 이렇다할 형식 실험 없이 장(章)구분에 따라 시행을 그대로 배분한 것이고, 각 장의 4음보 구성도 그대로 시조의 운율적 제약을 기계적으로 따른 것이어서 그로 인한 도식적 운율화로 나타날 뿐, 작품의 형식적 짜임이 분절에 의해 의미를 생산하는 율동화로 나아가지 못함으로써 서정적 긴장을 촉발하지 못하고, 결국 무미건조하고 둔중한 작품이 되게 만들었다. 이에 비해,

봄마다
내 몸 속에
죄가 꿈틀, 거린다네.
티 없는 눈길로는 피는 꽃도 차마 못 볼,
들키면 알몸이 되는
죄가 꿈
틀, 거린다네.

죄가 꿈
틀, 거린다네
들키면 알몸이 될,

망치로 후려치고 때릴수록 일어서는 두더지 대가리 같은,
피는 꽃도
차마
못
볼.

(이종문, 「고백」 전문)

이 작품은 시행 배분을 시조의 운율적 제약과는 무관하게 개성적이고 자유롭게 함으로써 개성과 자유로움이라는 시조의 현대성을 첨단에서 보여주고 있다. 특히 '꿈틀'이라는 단어마저도 분절하여 별개의 2개 시행으로 분리 배치함으로써, 제어하기 어려운 성적 욕망의 꿈틀거림이 그것을 부끄럽게 여기는 순수한 감정을 딛고 솟아오르는 충동적 정서를 인상 깊게 드러낸다. 거기다 둘째 수의 중장 전체와 종장 앞구는 장의 경계를 무시하고 임의로 붙여 놓아 유난히 긴 시행발화를 이루도록 하는가 하면, 종장의 뒷구는 그 반대로 1~2음절어 마저도 행을 구분하여 극히 짧은 시행발화가 되도록 했다. 이처럼 이 작품은 시조의 운율제약과는 무관하게 자유자재로 행을 배분함으로써 개성적이고 자유로운 시행발화에 의한 의미생산적 율동화에 성공하여 서정성을 강하게 불러일으키고 있다. 그러나 이 작품이 담고자 하는 꿈틀거리는 성적 욕망의 정서가 평시조라는 극도의 절제되고 안정된 형식적 장치와 잘 부합되지 않아 현대시조로서 폭넓은 공감대를 획득하기에는 정인보 작품과는 정반대의 이유로 해서 마찬가지로 어려운 것으로 보인다. 평시조의 극도로 억제되고 안정된 형식 장치로서는 아무래도 그러한 욕망을 자유로이 드러내기보다는, 반대로 그것을 도심(道心)이나 그에 버금가는 절제된 수양으로 다스리는 정서를 드러내기에 적합하기 때문이다.

이 밖에 현대시조가 시도한 다양한 형식 실험들은 시행발화 면에서

본다면 정인보가 보여준 정통의 형태에서부터 이종문의 최첨단 형태에 이르는 양극단 사이의 어느 지점에 각기 개성적으로 놓여 있는 것으로 설명이 가능하다. 그리하여 정인보의 시조 쪽으로 이끌릴수록 구심력이 작용하여 법고창신에서 법고 쪽으로 경사된 나머지 마치 투박한 질그릇에 담긴 토종의 된장 맛을 낸다면, 이종문의 시조 쪽으로 이끌릴수록 원심력이 작용하여 창신 쪽으로 경사된 나머지 마치 칼질한 야채에 마요네즈나 소스를 담뿍 친 맛을 낸다고 비유할 수 있다. 그리하여 전자가 시조의 전통성은 가지되 현대성에서 극히 미흡하여 고시조와의 변별성이 문제라면, 후자는 현대성은 가지되 전통성에서 극히 미흡하여 자유시와의 변별성이 문제가 된다. 양극단으로 갈수록 그만큼 존재이유가 희박하다는 것이다. 즉 전자의 극단은 현대성이 없어 외면당한다면, 후자의 극단은 전통성이 없어(시조 같지 않아 그럴 바엔 차라리 자유시를 선호하게 됨) 외면당하게 된다는 것이다.

그런 점에서 다음의 시조는 현대시조로서의 하나의 모범을 보인다.

무심한 한 덩이 바위도
바위소리 들을라면

들어도 들어 올려도
끝내 들리지 않아야

그 물론 검버섯같은 것이
거뭇거뭇 피어나야

(조오현, 「일색변 1」 전문)

이 작품은 시조의 양식적 틀을 그대로 준수하여 전통적 미학을 유지하면서도 초 중 종장을 각각 2행의 시행발화로 배분하여 의미론적 율동화를 안정적으로 실현함으로써 정인보와 같은 복고적 정통시조와는 다른 참신성(현대성)과 안정감(전통성)을 동시에 보여준다. 거기다 각 음절마디(음보)의 음절수를 의미 생산적 율동화에 내맡겨 상당히 개성적이고 자유로운 리듬을 타게 함으로써 고시조와는 다른 현대성을 보여준다. 그러나 무엇보다 유(有)와 무(無), 색(色)과 공(空), 미(迷)와 오(悟), 득(得)과 실(失)을 초월한 일색(一色)의 경계를, 들어도 움직이지 않고 세월의 풍상을 검버섯으로 견뎌낸 바위라는 세계상으로 파악하여 그러한 바위 같은 마음으로 살고자 하는 시인의 고도로 수련된 정신적 높이가 극도로 절제되고 안정된 시조 양식과 절묘하게 맞아떨어지고 있는 점이 주목된다. 그런 점에서 이 작품은 법고 쪽으로 경사된 고루함도, 창신 쪽으로 경사된 이질감이나 혼란스러움도 찾아볼 수 없는, 법고창신의 정신이 적절히 구현된 현대시조의 절창이라 할만하다.

사실 이종문이 노래하고자 했던 욕망의 꿈틀거림이나 도시에서 찾아지는 속의 미학은 사설시조가 보다 적절한 양식적 틀임은 이미 말한 바다. 그런데 시조 문단계에서 사설시조만큼 오해를 보이는 양식도 없을 것이다. 특히 사설시조를 시조의 형식적 강제에서 자유롭게 일탈하는 대립장르로 인식하는 경우가 그러하다. 예를 들면 "사설시조에 오면 그 본래의 정형이란 거의 남아 있지 않을 정도로 심한 해체를 당하고 있다. 이러한 변화를 시조라는 한 양식의 발전으로 본다면 자유시야말로 그것의 종국적 모형일 수 있다. 양식이란 본래의 틀이 해체될수록 그 존재가치가 약화된다는 측면에서 본다면 사설시조란 시조의 종언을 예고하는 모습이 된다."[19]라는 진술이 잘 대변한다. 국문학계에서도 한 때 사설시조를 자유시에 근접하는 리듬을 가진 것으로 파악한 적이 있다.[20] 과연 그런지 다음의 작품에서 확

---

19) 윤금초 외 3인, 『네 사람의 얼굴』, 문학과지성사, 1983의 오규원 해설문 참조.

20) 박철희, 『한국시사연구』, 일조각, 1976 참조.

인해 보자.

> 각씨네/ 더위들 사시오/ 이른 더위 느즌 더위/ 여러 해포 묵은 더위//
> 五六月 伏더위에 情에 님 만나이셔 돌발근 平床우희 츤츤 감겨 누엇다가 무음 일 ᄒᆞ여 던디 五臟이 煩熱ᄒᆞ여 구슬땀 흘리면서 헐덕이는 그 더위와/ 冬至돌 긴긴 밤의 고은 님 품에 들어 ᄃᆞ스ᄒᆞᆫ 아름목과 둑거운 니블 속에 두 몸이 ᄒᆞᆫ 몸되야 그리져리 ᄒᆞ니 手足이 답답ᄒᆞ고 목굼기 타올 적의 윗목에 츤 숙늉을 벌덕벌덕 켜는 더위/ 閣氏네 사려거든/ 所見대로 사시옵소//
> 장ᄉᆞ야/ 네 더위 여럿듕에 님 만난 두 더위는 뉘 아니 됴화ᄒᆞ리/ 놈의게 ᄑᆞ디 말고/ ᄇᆞ듸 내게 ᄑᆞᄅᆞ시소///

겉보기에 평시조의 형식적 강제를 자유롭게 일탈하여 상당히 말이 많고 긴 작품이 된 것으로 보인다. 사설시조는 이처럼 일단 사설을 많이 주워 섬기고, 말을 많이 엮어 짜므로 엮음(編)시조, 습(拾)시조, 좀는 시조, 말(사설)시조 등으로 불리어 왔다. 그러나 말이 많아졌다하여 시조 형식의 구속에서 해방된 것이 결코 아님을 위 작품의 빗금 친 부분을 살펴보면 알 수 있다. 즉 앞에서 제시한 시조의 정형적 틀의 3가지 조건을 모두 갖추고 있는 것이다. 다만 평시조와 달리 두번째 조건에서 4개의 음절마디(음보) 대신 통사·의미마디로 구성된다는 점이 차이를 보일 뿐이다. 여기서 통사·의미마디란 통사론적 혹은 의미론적으로 구분되는 단위구를 말하는 것으로 아무리 말이 많은 사설시조도 4개의 통사·의미단위구로 구성된다는 점에서는 예외가 없는 것이다. 그러므로 사설시조를 시조의 해체형식으로 보아 자유시에 근접한다는 생각은 근본적으로 잘못된 것이다. 더욱이 주목할 점은 말을 엮어 짜나갈 경우 임의로 자유롭게 하는 것이 아니라 반드시 2음보격의 연속으로 짜나간다는 것이다. 앞에 인용한 작품에서도 중장이 엄청 길어졌지만 2보격으로 엮어나감으로써 가능했던 것이다.

다만 2보격 연속체는 민요나 무가, 잡가 등에서 사설조 혹은 타령조로 불러나갈 때 흔히 사용되는 경쾌하고 발랄하며 급박한 리듬이어서 평시조의 4보격이 주는 유장한 안정감과는 판이하게 다른 미적 분위기를 조성하는 것이 유의할 점이다. 2보격은 사설시조를 재미롭게 엮어나가는 추동력이 된다.

결국 평시조는 조오현의 작품에서 보듯이 인생의 달관을 통한 유장한 안정감을 극도의 서술 억제를 통해 드러낼 때 적합한 양식이고(4보격 중심이므로), 사설시조는 이와 달리 시정의 속된 정서를 노골적이고 재미롭게 엮어나가는 데(2보격 중심이므로) 적합한 양식이라 할 것이다. 그런 점에서 다음의 작품은 사설시조의 현대적 변환을 모범적으로 보여주는 사례에 해당한다.

> 단비 한번 왔는갑다/ 활딱 벗고 뛰쳐나온 저년들 봐, 저년들 봐./ 민가에 살림 차린 개나리 왕벚 꽃은/ 사람 닮아 왁자한데, //
>
> 노루귀 섬노루귀 어미 곁에 새끼노루귀, 얼레지 흰얼레지 깽깽이풀에 복수초, 할미꽃 노랑할미꽃 가는귀 먹은 가는잎할미꽃, 우리 그이는 솔붓꽃 내 각시는 각시붓꽃,/ 물렀거라 왜미나리아재비 살짝 들린 처녀치마, 하늘에도 땅채송화 구수하니 각시둥글레, 생쥐 잡아 괭이눈, 도망쳐라 털괭이 눈, 싫어도 동의나물 낯뜨거운 윤판나물, 허허실실 미치광이 달큰해도 좀씀바귀, 모두 모아 모데미 풀, 한계령에 한계령풀, 기운내게 물솜방망이 삼태기에 삼지구엽초, 바람둥이 변산바람꽃 은밀하니 조개나물,/ 봉긋한 들꽃 산꽃/ 두 팔 가린 저 젖망울.//
>
> 간지러,/ 봄바람 간지러/ 홀아비꽃대/ 남실댄다.///
>
> (홍성란, 「봄이 오면 산에 들에」)

이 작품은 사설시조의 정형적 틀이 갖추어야 할 3가지 조건을 모두 준수하고 있어 앞에 인용한 「더위 타령」 사설시조와 빗금친 부분에서 완전 일치한다. 더구나 중장의 긴 사설을 4개의 통사・의미마디(앞 2개의 의미 마디는 봄꽃이나 봄풀같은 구체적 사물들을 대등하게 나열하면서 주어 섬긴 것이지만, 말을 엮는 방법에서 차이를 보여 분절이 가능하도록 되어 있고, 뒤 2개는 앞과는 달리 구체적 사물의 나열이 아니라 산과 들에 핀 꽃들의 물오른 요염한 자태를 병치하여 나타내었기 때문에 쉽게 분절이 가능함)로 분절하여 구성한 점과, 아무리 사설이 길어지더라도 반드시 2음보격의 사설조(타령조)로 엮어 짜나간다는 점에서 사설시조의 율조를 너무나 잘 준수하고 있는 점은 이 시인이 사설시조의 율조와 정형적 틀을 명확히 인식해서 일부러 그에 맞추려는 노력이나 의도적 계획을 하지 않았음에도 불구하고 저절로 그에 맞아떨어진 경우로 보이는데(왜냐하면 사설시조의 이런 정형적 틀이나 엮음 방식을 알고 창작하는 시조시인을 아직 본 적이 없다), 그런 점에서 홍성란은 천성(天性)의 사설시조 작가라 해도 좋을 것이다.

앞 작품에서 봄이 되어 산에 들에 단비 맞아 탐스럽게 물오른 나물과 꽃들을 바라보는 시인의 시각은 2음보격으로 연속되는 경쾌 발랄한 타령조의 입담과 초장의 비속한 표현, 그리고 작품 전편(초장의 첫머리부터 종장에 이르기까지)에 심심찮게 고개를 내미는 성적(性的) 욕망의 언어들과 어우러져 사설시조만이 갖는 걸쭉한 속의 미학을 멋지게 구현하고 있는 것이다. 홍성란이 사설시조라는 장르시선으로 바라보는 세계상이야말로 마악노초가 지적한 바 자연의 진기에 해당하는, 동심(童心)과 통하는 욕망의 그것인 것이다. 그러면서도 이 작품이 보여주는 현대성은 거기 나열된 세계상이 시공을 초월한 것임에도 현대 도시적 감각과 정서로 포착하여 보여주기 때문이다.

그런데 여기서 유의할 점은 사설시조는 2음보격으로 엮어나가는 말의 재미 추구에 그 미학이 있는 것이지, 거기에서 평시조가 추구하는 심중한 의미나 정서적 긴장을 기대해서는 안된다는 것이다. 앞에 인용한 「더위타령」이나 홍성란의 사설시조도 말을 엮어가는 재미가 그 중심이 됨은 말할 것도 없다. 이것이 바로 사설시조가 즐겨 추구하는 속(俗)의 미학인 것이다. 그런데 홍성란의 다른 사설시조 작품 「세살버릇—당(黨), 신성모독(神聖冒瀆)」에 대해 어떤 평자는 "이를 시 또는 시조라 하기에는 암만해도 그 품격이 달린다. 작품이 진행되는 동안 의미의 확대, 심화, 구속, 반전 등의 긴장미가 없다. …… 시조 작품으로서 최소한의 품위 유지가 선결돼야 한다."[21]라고 하여 심중한 의미와 품격을 담지해내지 못했다는 비판을 가하고 있다. 그러나 이는 비평의 정합성을 얻었다고 보기 어렵다. 평자가 요구하고 있는 사안은 자유시와 평시조에나 해당하는 것이지 사설시조에 해당되는 사안은 아니기 때문이다. 사설시조는 고아한 품격을 담지하거나 의미의 긴장미를 추구하는 것이 아니라 그 반대로 고아한 품격에서 일탈하고 말을 엮어가는 재미를 추구하는 것이 아닌가. 그러한 요구는 한마디로 우물에서 숭늉 찾는 격이다.[22]

이처럼 시조를 말하는 관련자들이 시조 혹은 사설시조에 대한 장르 인식의 부족으로 엉뚱한 논평이나 해석을 가하는 경우가 한둘이 아니다. 대개의 경우 자유시의 감식안이나 기대지평을 가지고 시조 혹은 사설시조를 바라보는 데 그 원인이 있다. 이런 경향은 비평계뿐 아니라 창작계 쪽도 마찬가지다. 즉 자유시를 쓰는 기분으로 현대시조를 쓰는 경우가 허다하다는 것이다. 이런 현상은 현대시조를 위해 하루속히 지양되어야 할 시급한 사안이다.

---

21) 고정국, 「언어의 남용을 경계한다」, 『시조시학』, 2001, 153면.

22) 이상에서 언급한 현대시조 시인들을 가곡창의 가풍과 연결해서 비유한다면 정인보는 만대엽으로 노래한 현대시조라 할 수 있고, 조오현은 이삭대엽으로, 이종문은 소용(만횡청의 한 종류로서 삼삭대엽의 변격)으로, 홍성란은 편삭대엽으로 각각 풍격을 달리해 노래한 것이라 할 수 있다.

4) 맺는 말

지금까지 필자는 현대시조의 장르적 위상과 나아가야 할 방향의 정립을 위해 우선 고시조와 현대시조의 차이점이 무엇인지를 분명히 하고자 했고, 이를 위해 고시조의 장르 정체성을 토대로 그것의 현대적 변환이 어떻게 이루어져야 하는지의 문제를 이론적 관념적 제시가 아니라 창작의 실제와 비평의 실제를 통해 구체적으로 제시하고자 했다.

그 전체적인 결과의 요약은 지면관계상 생략하기로 하고, 여기서는 논의 과정 중에도 드러난 바 있듯이 현대시조가 당면하고 있는 가장 심각한 문제점에 관련한 두 가지 제안을 하고 본고를 매듭짓기로 한다.

첫째는 자유시를 창작하는 연장선상에서 현대시조를 창작하거나, 자유시를 대하는 감식안이나 기대지평을 가지고 현대시조를 감상하거나 비평하지 말라는 것이다. 자유시와 현대시조는 그 장르 정체성을 엄연히 달리하기 때문이다.

둘째는 사설시조를 평시조에 말 수만 늘어난 것으로 오해하거나 그 형식의 분방함이 무한정 자유롭게 보장된다고 이해해서는 안 된다는 것이다. 즉 사설시조는 평시조와는 다른 감성과 미의식을 드러내며, 말 수를 늘여갈 때는 반드시 2음보격의 타령조로 엮어나가야 한다는 것과 시조의 정체성을 구현하는 한도 내에서의 형식적 자유로움이 허용되는 것이라는 점을 명확히 인식해야 한다는 것이다.

요컨대 자유시가 아닌, 현대시조라는 독특한 장르 시선으로 현실을 바라보고 세계상을 파악하고자 할 때, 그래서 현대시조가 아니면 어떤 생각이나 정서를 결코 표현할 수 없다는 절체절명의 장르 선택의 요구에 의해 창작되고 또 거기에 기초하여 비평이 이루어지게 될 때 현대시조의 앞길은 탄탄하고 밝아질 것이다.

2. 담원 정인보 시조의 정서 세계와 정체성

1) 머리말

담원 정인보(1883~1950)는 암울한 일제 강점기 시대에 올곧은 지조를 지키며 꿋꿋한 삶을 산 대표적인 민족지사의 표상으로 남아 있다. 담원은 양명학과 한학, 사학 등 국학에 두루 조예가 깊었으며, 상해에서 신채호, 박은식, 신규식, 김규식 등과 함께 동제사(同濟社)를 조직, 광복운동에 종사하였다. 해방 공간에서 조선문필가협회장, 국학대학장, 남조선민주의원 의원과 초대 감찰위원장 등을 역임하기도 했고, 6·25 전쟁 발발 직후에 북으로 피랍, 절거(折去)했다.[23]

일반인들에겐 혹, '흙 다시 만져보자 바닷물도 춤을 춘다'로 시작되는 「광복절노래」나 '기미년 삼월 일일 정오'로 시작하는 「삼일절노래」, 또 「제헌절가」, 「개천절가」 등의 작사자가 바로 담원이라는 말을 건네면 좀더 친숙해할지도 모르겠다. 정식으로 칭하는 호는 담원이지만, 그를 기억하는 많은 사람들은 위당(爲堂)이란 호를 더 애호(愛號)한다.

담원, 아니 위당의 많은 저작 가운데 시조 시인으로서의 면모와 다감한 내면 세계를 엿볼 수 있게 하는 한 권의 책이 『담원시조집』이다. 『담원시조집』은 1948년 을유문화사(乙酉文化社)에서 간행한 시조집으로, 대표작 「자모사(慈母思)」 40수를 비롯하여 294편의 시조를 수록했다. 위당 삶의 편폭이 넓어서인지 시조시인으로서의 위당과 그의 시 세계에 대한 기존 논의는 그리 많지 않다. 몇 안 되는 논의에서도 위당에 대한 평가는 평자에 따라 매우 상반된 의견이 제시되어 있다. 처음 위당을 평한 김태준(金台俊)은 그를 '봉건귀족의 일문'

---

23) 『담원 정인보 전집』 1, 연세대출판부, 1983, 부록 「연보(年譜)」 및 박을수, 『한국시조문학전사』, 성문각, 1978, 273면 참조.

이라 몰아 부치면서, "그의 모든 문화적 행위는 무위(無爲)로 끝났거나 시대착오적 행사로 끝나버렸다."고 폄하(貶下)하였으나,[24] 홍효민(洪曉民)은 위당을 "우리 나라 문학을 가장 문학답게 쌓아올린 작가"라고 하고, 송강(松江)과 담원의 시조를 '문학사적 모범이 될 백미(白眉)의 존재'라 예찬한 바 있다.[25] 김태준의 경우는 '이데올로기적 알레르기 현상'이 다분히 느껴지고, 홍효민의 경우는 '친분적인 찬사에 경도된 언급'이란 생각을 지울 수 없다. 위당의 작품세계에 관심을 보인 근래의 글 중에도 상반된 비평적 언급[26]이 나타나는데, 텍스트와 컨텍스트 사이의 상호 이해에 바탕을 둔 객관적 평가에 이르렀다고 보기는 어려울 것 같다. 최근에 위당의 시조 세계에 대한 본격적인 논의가 나오면서 문학인으로서의 위당의 면모가 새롭게 조명[27]되는 것은 매우 다행스런 일이라 생각된다.

이 글은 그 동안의 논의를 참작하여 평가적 언급은 가급적 자제하고, 『담원시조집』을 대상으로 위당의 정서 세계를 더듬어 보면서, 문학인으로서의 위당의 시조문학적 정체성을 이해하는 데 목적을 두기로 한다.

2) 곡진한 인정

위당 시조는 곡진한 인정을 읊은 것이 대부분이다. 위당은 시조를 짓는 것에 특별한 작가 의식을 지녔던 사람은 아니었던 것으로 보인

24) 김태준, 「정인보론」, 『조선중앙일보』, 1936. 5. 5~5. 19.

25) 홍효민, 「정인보론」, 『현대문학』, 1959. 12.

26) 원용문, 「정인보 시조에 대하여」, 『배달말』 8호, 1983. 12와 박을수, 앞의 책, 그리고 박철석, 「1930년대 시인론—정인보론」, 『현대시학』, 1981. 12를 참조.

27) 임선묵, 『근대시조집의 양상』, 단국대출판부, 1983과 김석회, 「담원시조론」, 『국어교육』 51·52호, 1985 및 오동춘, 「정인보론」, 『한국시조작가론』, 국학자료원, 1999 등을 참조.

다. 그저 생활 체험에서 우러나온 다감한 정을 시조라는 절제된 시형에 담담하게 담아냈을 따름이다. 시조부흥에 관련된 논쟁이 무수히 쏟아질 때도 이에 관해 별다른 언급없이 덤덤히 시조를 창작했을 뿐이다. 그렇다고 위당이 시조 부흥운동이라는 흐름에 전혀 관련이 없었다고 볼 수는 없다. 20, 30년대에 육당(六堂) 최남선과 노산(鷺山) 이은상, 가람(伽藍) 이병기 등의 시조집 출간과 시조부흥과 혁신에 관한 논쟁[28]뿐만 아니라, 당시 신문 잡지의 시조 현상공모 및 일련의 행사들은 위당의 시조 창작 및 『담원시조집』 발간에 상당한 문화적 배경으로 작용했을 것이란 점은 자명해 보인다. 특히 최초의 개인시조집인 육당의 『백팔번뇌』에 위당이 발문을 쓰고 있다는 점[29] 하나만으로도 위당의 시조사적 위치가 가늠된다.

1936년 1월 18일자 동아일보에는 「부인(婦人) 척사(擲柶)의 밤」이나 「가투(歌鬪)의 밤」을 개최한다는 광고문이 실려있는데, 이 「가투놀이」는 '시조가투(時調歌鬪)'라 하여 전통적인 시조 가투놀이를 조선일보, 동아일보 등에서 행사화한 것으로 당시 성황을 이뤘던 것이라 한다. 광고문에 의하면 이 때 가투에 사용할 100수의 고시조는 노산 이은상이 뽑았다고 한다. 위당은 이 때 사학에 관심을 기울이던 시기였는데, 당시 동아일보 논설위원으로, 1935년 11월에 동아일보 강당에서 『신동아』 주최, '조선역사 강좌'를 진행하고 있었던 것으로 나타난다.[30] 이런 점들로 미루어 위당의 시조 창작은 이러한 문화적 배경아래 놓여있었으나, 문단의 시조부흥운동이라는 분위기에 들뜨거나 편승하지는 않았던 것이라 생각된다.

위당 시조의 문학적 심연은 '님' 곧 '어머니'라고 할 수 있을 듯하다. "내 생 · 양가 어머니 두 분이 다 거룩한 어머니다"로 시작되는 「자

---

28) 이혜순, 「시조부흥론」, 『한국문학사의 쟁점』, 집문당, 1986 참조.
29) 주 23)과 같은 책 제2권, 333면, 「'백팔번뇌' 비평에 대하여」 참조.
30) 주 23)과 같은 책, 「연보」 참조.

모사」 서문에서 위당은 "생어머니는 높고 어머니는 크다"라고 했다. 여기서 '생어머니'는 대구서씨이고 '어머니'는 월성이씨로 위당이 두 어머니를 모시게 된 것은 '예법 유난한 가문'에 태어나 양가에 입적했기 때문이다.[31)]

바릿밥 남주시고 잡숫느니 찬것이며
두둑키 다입히고 겨울이라 열분옷을
솜치마 조타시더니 보공되고 말어라 (「자모사」 12번)

「자모사」의 12번째 작품인 이 시조는 한때 고등 교과서에 실리기도 하여 우리에게 친숙한 작품이기도 하다. 위당의 「자모사」가 친근한 것은 위당의 자모를 떠올려야 이해되는 특수한 체험 없이도 공감이 가능한 까닭이다. 우리 모두의 어머니가 이렇듯 자식에 대한 헌신과 사랑을 베풀다가 당신은 정작 입지도 못하고 아끼던 솜치마 한 자락을 관속에 담아 가시질 아니했던가. 어머니를 떠나보낸 이는 평생을 어머니를 가슴속에서 부르다가 또 그렇게 떠날 것이다.

어머니 부르올제 일만잇서 부르리까
젓먹이 우리애기 웨또찻나 하시더니
황천이 아득하건만 혼자불러 봅내다 (「자모사」 19번)

'젓먹이 우리애기 웨또찻나'에서 웃음을 머금은 어머니의 표정이 그려지는데, 이제는 아무리 불러도 아무 대답이 없으시다. 이럴 때 우리네 마음은 오죽하랴 싶다. 위당의 「자모사」는 우리 모두의 '자모사'이기는 하나, 위당의 자모를 떠올려야 이해되는 위당 체험의 특수한 내용을 지닌 작품도 적지 않게 섞여 있다.

---

31) 「자모사」 서문 참조.

북단재 뾰죽집이 전에우리 외가라고
자라신 경눗골에 밤동산은 어대런가
님눈에 비취던무산 그저열둘 이려니 (「자모사」 23번)

'북단재'는 종현(鍾峴)의 옛 이름이며, '뾰죽집'은 천주교당으로 명동성당을 가리킨다. 위당은 이곳에 있던 외가에서 태어났다. 중장의 '경눗골'은 자당(慈堂)의 외가가 있던 정릉동이며, 내외종 형제자매가 뒷동산에 올라 밤을 주웠다는 자당의 말씀을 표현한 것이고, 종장의 내용은 '어머니 소시(少時)에 외조(外祖) 성천임소(成川任所)에 가서 강선루(降仙樓)에 올라가 무산십이봉(巫山十二峰)을 보았다고 늘 말씀하셨다'는 각주를 통해 이해되는 위당의 '자모사'라 할 수 있다. 이런 작품에 대한 교감은 가족사적 배경을 필요로 하나, 위당은 이럴 경우 각주를 달아 이해를 돕고 있다.[32)]

1920년대 '님'의 형상은 우리 문학의 한 특징으로 나타나는데, 그 님의 실체가 곧 조국과 민족이란 점은 주지의 사실이다. 육당의 '님'이 여과 없는 '조선'이요, 만해의 '님'이 '절대자를 통한 민족'이라면, 위당의 님은 '어머니를 통한 민족'이라 할 수 있을 것이다. 위당은 1926년 「가신 님」을 처음 『계명』에 실은 이후, 「자모사」, 「님 그리워」 등의 시조를 1936년까지 『신생』, 『한빛』, 『문예공론』 등에 발표하였는데, 이 모두가 '어머니'와의 사별에 대한 애통한 심정을 그린 것으로, 위당은 민족 또는 조국을 돌아가신 어머니에 대한 그리움으로 치환해 형상한 것으로 보인다. 어머니에 대한 그리움 또는 간절함의 강도가 일반적 수준을 넘어, 굳이 그렇게 읽게끔 유인하는 힘이

32) 시조집에 각주가 달린 경우는 육당의 『백팔번뇌』에도 있었고, 더 거슬러 올라가 『가곡원류』 편찬자의 한 사람인 안민영의 개인창작 시조집 『금옥총부』를 들 수 있다. 개인 창작의식으로부터 출발한 시조작품이 지닌 한 특징으로 지목해 볼 수 있는 현상이라 생각된다.

있다. 다음 작품을 통해볼 때, 그렇게 읽는 것도 그리 틀린 독법은 아닐 것이라 생각된다.

이강이 어는강가 압록이라 엿자오니
고국 산천이 새로이 설워라고
치마끈 드시려하자 눈물벌써 굴러라 (「자모사」 37번)

1912년 임자년 위당은 생어머니를 모시고 안동현(安東縣)으로 건너간 적이 있는데, 압록강을 건널 때 어머니는 위당을 불러 "나라가 이 지경이 돼야 내가 이 강을 건너는구나"하고 눈물을 흘렸다 한다. 위당의 친모 서씨부인의 월강(越江)은 '여러 아낙네들 틈에 섞이어 땀과 진흙으로 짓이겨진 감발과 버선을 빨아대기에 어떠했었다'는 등의 증언[33]으로 미루어 안동현과 통화현(通化縣) 등지의 독립군 기지 건설과 인재 양성의 뒷바라지에 관련된 것이었다고 짐작된다. 위당이 신채호, 박은식, 신규식, 김규식 등과 함께 상해에서 독립운동 단체인 동제사를 조직한 것도 바로 이 해였다. 당시 벽초(碧初) 홍명희가 지어준 밥이 제일 고소했다는 서씨부인의 회고담에서는 고난과 역경에 처한 당시 정황에서도 든든한 힘이 되어주었던 온화한 자모의 얼굴이 떠올려지기도 한다.

위당이 굳건한 민족지사 면모를 갖고 있으면서도 다정다감한 인정의 소유자였다는 점은 「자모사」이외에도, 「사종수(四從嫂) 이씨회갑(李氏回甲)에」 10수, 「종수조씨(從嫂趙氏) 육십생신(六十生辰)에」 10수, 「벽초(碧初)딸 삼형제(三兄弟)를 강정리로 보내면서」 18수, 「둘째 딸 경완생일(庚婉生日)에 인절미 대신으로 보냈다」 11수, 「첫정」 10수 등 그의 대부분의 시조 작품에서 확인된다. 또한 호암(湖巖) 문

33) 주 23)과 같은 책, 민영규, 「위당 정인보 선생의 행장에 나타난 몇 가지 문제」 참조.

일평의 죽음에 부친 「문호암애사(文湖巖哀詞)」 8수, 위당 자신의 유모인 강씨의 죽음에 부친 「유모강씨(乳母姜氏)의 상행(喪行)을 보내면서」 10수, 남강(南岡) 이승훈 선생, 만해(卍海) 한용운 선생 등 12인의 고인을 애도한 「십이애(十二哀)」 12수 등 여러 지인의 죽음에 대하여 애통한 심정을 토해놓은 시조들 모두 다감한 심문(心紋)을 수놓은 작품이라 하겠다.

> 풍란화 매운향내 당신에야 견줄손가
> 이날에 님계시면 별도아니 더빛날까
> 불토(佛土)가 이외없으니 혼아돌아 오소서
> (「만 만해선사(挽萬海禪師)」)

만해 한용운의 절거에 즉한 이승 사람으로서의 위당의 안타까운 부름이다. 만해가 '풍란화 매운 향내'로 우리의 기억에 남아 있는 것 또한 위당의 이 시조 덕분은 아닐는지 모르겠다. 죽음 앞에 초연해 할 수 있는 사람은 없을 것이다. 그 표현이 아무리 성글다해도 그리움은 어쩔 수 없는 그리움이다.

「첫정」은 첫 부인인 성씨(成氏)(諱는 癸淑)에 대한 남편으로서의 심정을 노래한 것이다. 위당이 상해에 있을 때, 큰딸을 낳고는 산고로 죽었다고 한다.

> 그긔별 듯던밤에 온하늘이 별이더니
> 꿈이면 어서깨자 꿈아니면 엇지할꼬
> 배떠나 바다넓으니 곳미칠듯 하여라 (「첫정」 1번)

위당은 상해에서 부인 성씨의 죽음을 전해듣고 황망히 귀국 길에 오른다. 위 시조는 그 당시 위당의 심정이 어떠했는가 여실하게 보여준다. 이역 만리 밖에 나와 민족의 독립을 위해 동분서주하던 어느 날 밤 위당은 젖먹이를 옆에 두고 떠난 산모의 죽음을 전해 들었다. 그러니 허허로이 하늘을 쳐다 볼 수밖에……. 온 하늘에 펼쳐진 별들은 위당의 눈물이자, 조용히 지사의 뒷바라지를 하던 부인의 가슴에 흘러내린 눈물이었을 것이다. 그가 허무한 심정을 안고 오른 귀국 길에서 안동현 어느 여관 앞에서 춘원(春園) 이광수와의 상봉이 이루어진다. 춘원은 그를 '유명한 젊은 한학자'로 부르고 있는데,[34] 서울 벽초 홍명희의 집에서 한번 만났던 것 이외에는 안면이 없었다고 했다. 이 극적인 상봉에서 여비가 떨어져 궁색한 처지에 놓인 춘원에게 중국 돈 삼십 원을 건네고 말없이 귀국 길에 올랐다는 데서 위당의 인물됨을 가늠해볼 수 있을 것이다. 춘원은 당시 위당의 사정을 전혀 눈치채지 못했다고 한다.

「유모 강씨의 상행을 보내면서」에 나오는 유모 강씨는 '집조차 못 지니고 다 늙기에 곁방신세'였던 위당의 젖엄마라 한다. '못 참아 왝왝하기 잘하고도 유명지인'이라 한데서 유모의 괄괄한 성격이 잘 표현되었는데, '두어라 다 밉다해도 나는 구수하여라'라고 끝 맺었다. 그러던 유모였는데, '숨질 때 날 찾다가 고만 감아버렸다'고 한다. 유모의 죽음에 느껴하는 위당의 목소리에는 인간에 대한 깊은 정과 그리움이 겹겹이 배어있다.

3) 영사와 기행

한편 위당 시조에서 또 하나 주목되는 시작(詩作)의 경향은 기행(紀行)을 읊은 시조가 많다는 점일 것이다. 여행을 통해 역사를 회고하는 영사(詠史)가 함께 이루어지기도 하는데, 기행의 감흥과 느낌을 서정적으로 표현한 시편이 압도적으로 많으니, 영사는 부수적인

34) 이광수, 「上海 이일 저일」, 『삼천리』 10호, 1930 참조.

감회에 머문다. 「백마강(白馬江) 뱃속에서」 11수, 「박연행(朴淵行)」 8수, 「금강산(金剛山)에서」 72수, 「여수 옥천사(麗水玉泉祠)」 1수, 「여수(麗水)에서 목포(木浦)까지」 6수, 「진주의기사영송신곡(晋州義妓祠迎送神曲)」 2수 등이 이에 속할 것이다.

낙화암 저석벽아 너만엇지 남앗는다
강풍에 날린홍상 백제번화 마지막을
자최나 직혀보랴고 무된드시 잇소라 (「백마강 뱃속에서」 4번)

백마강을 배를 타고 오르면서 백제의 마지막을 장식한 삼천 궁녀의 전설을 간직한 낙화암을 바라보고 지은 작품일 것이다. 초장은 나그네의 물음으로, 중장과 종장을 낙화암의 대답으로 처리해 화자 전환을 통한 독특한 장 배분을 이루었으며, 기행과 영사가 함께 이루어진 예라 하겠다.

산허리 드든단풍 성거관이 저기로다
그림에 몸이드니 꿈이란들 안조흐냐
운전수 차몰지마소 내홍겨워 하노라 (「박연행」 1번)

광풍을 부러내고 되불리어 이리저리
어느덧 수정발이 덩이덩이 눈이로다
골안에 때업는안개 비나리듯 하여라 (「박연행」 4번)

절경에 절로취코 술집에 거저안저
성궐사 나무그림 온하늘이 물갓고나
어즈버 달아니신가 야폭구경 가리라 (「박연행」 7번)

「박연행」은 송도의 박연폭포를 구경하는 홍겨움이 있다. 1번의 종장에 '운전수 차몰지마소 내홍겨워 하노라'하는 표현에서는 여행의 설렘까지 담겨있는 듯하다. 4번은 실제 박연폭포를 직접 묘사한 연(聯)인데, 바람에 이리저리 흩어지는 물줄기와 골 안에 가득 피어오르는 물안개의 묘사가 실감을 자아낸다. 7번은 주막집에 앉아 객고를 달래며 달빛 아래 야폭을 구경하러 가겠다는 내용이다. '폭포 구경의 제맛이야 야폭에 있다'는 고인들의 취미가 마지막 수인 8번의 "천상천하 물소리뿐"이란 구절에서 충분히 감지되는 듯 하다.

「금강산에서」는 연시조의 거편(巨篇)이라 할 수 있는데, 만폭동 11수, 매월당석각 3수, 마하연암 5수, 표훈사 7수, 정양사 8수, 소광암 2수, 내수첨 3수, 효운동·유점사 2수, 칠보암 3수, 사선교 2수, 비로봉 9수, 마의태자능 6수, 구룡연 5수, 비봉폭 3수, 옥류동 3수 등으로, 여행 과정에 따른 소단락이 완결된 연시조를 이루고 나아가 「금강산에서」라는 거편의 연시조로 다시 집합된 것이다.

사벽을 덥흔수목 싸이다못 덩이덩이
고흘사 일홍징담 초록색을 워드린고
신나무 처진가지가 반쯤물에 잠겨라 (「만폭동」 7번)

바람은 업다마는 입새절로 흔들리고
냇물은 흐르렷만 거울아니 움즉인다
백룡이 허위고들어 감깐들석 하더라 (「만폭동」 11번)

「만폭동」에서 '한구비 도라드니 향로봉이 푸르렷다 / 청학은 어대가고 대만홀로 놉핫는가 / 암벽이 좌우로벌려 나래편듯 하여라'(5번)라는 호방한 시취(詩趣)를 보여주기도 하지만, 위에 든 7번, 11번에서 잘 나타나듯 정물(靜物)의 순간적 포착이 더 돋보인다. 징담(澄潭)에 반쯤 물에 잠긴 '신나무 처진 가지'라든가, 고요한 수면 위에

'백룡이 허위고들어 감깐들석 하더라'하여 꿈틀거리는 징담의 순간적 동태를 섬세하게 표현하는 데서 위당 시조의 묘미가 발견된다. 「칠보암(七寶菴)」 3번의 '만학(萬壑)의 부는바람 올로다가 도로나려 / 쪽물픈 하늘거긔 삐죽뾰죽 옥봉(玉峰)이라 / 저바위 올라맛이랴 바라아니 조흐니'라 한 곳에서는 금강산 일만 봉우리를 관상하는 여유가 감지되기도 한다. 특히 이 작품의 종장은 송강이 「관동별곡」에서 비로봉을 바라보며 '오ᄅᆞ디 못ᄒᆞ거니 ᄂᆞ려가미 고이ᄒᆞᆯ가'라고 표현했던 절제있는 느긋함이 연상되기도 한다.

> 임해전 등지시고 알천수 건느실제
> 버리고 간다마소 못버리어 가노매라
> 이젯것 산소어름을 릉안이라 하더라 (「마의태자능」 1번)

비로봉에서 구룡연으로 가는 길목에 있는 마의태자능을 지나면서 읊은 작품이다. 경주 안압지 서편에 있던 전각의 이름이 '임해전'이다. 알천수는 '경주 남천(南川)의 고명(古名)'이란 주를 달아 놓았다. 마의태자가 경주 왕성을 떠나는 심정을 1번에 노래하고 2번에서는 마의태자가 죽을 때도 의(義)를 가슴에 안고 눈을 감았다고 했다. 4번에서는 깊은 산골을 지나는 '심메꾼 영구드림(심마니의 제사)'을 대제(大祭)인줄 안다고 하여 무상감의 여운을 남기고 있다. 「금강산에서」의 한편 한편은 그대로 하나의 완결된 시형이면서, 장소에 따른 독립적 연시조 완결을 지니고, 전체가 금강산 기행의 감회로 엉긴 연작시조라는 맥락에서 음미해야 할 것이다.

위당의 「금강산에서」는 춘원 이광수의 금강산 기행시조 52수(『신생활』, 1922, 3~6월호)와 노산 이은상의 『노산시조집』에 실린 금강산을 그린 여러 편의 시조와 대비해 읽어볼 필요가 있을 것이다.

성불사(成佛寺) 깊은밤에 그윽한 풍경소리
주승(主僧)은 잠이들고 객(客)이홀로 듣는구나
저손아 마자잠들어 혼자울게 하여라 (이은상, 『노산시조집』, 1933)

「성불사의 밤」이라는 노래로 잘 알려진 노산의 시조이다. 댕그렁거리는 산사의 풍경 소리의 여운만큼이나 은은한 서정적 공명을 갖춘 작품이라 하겠다. 어쨌거나 우리 문학에서 시조로 금강산을 노래하게 된 것은 이 시기에 와서야 비로소 시작되는 바, 이 시기에 신문과 잡지 등에 명사들의 기행에 대한 기고(寄稿) 글이 유행했던 정황이 참작되긴 하나, 이 점 또한 주목되어야 할 매우 독특한 현상이라 생각된다.

한편, 「고곡애(古曲哀)」 같은 작품은 「존폐악」이나 「수제천지곡」 등의 고악(古樂)을 들은 느낌이지만, 영사(詠史)의 여운이 감돈다 할 것이다.

들고만 있는젓대 잊은듯한 북채로다
쟁(箏)안고 더듬는손줄 행여나 울릴세라
이윽고 박(拍)소리나니 꿈일흔들 하여라 (「고곡애」- 수제천지곡)

느려도 한참이나 느린 고악의 음모(音貌)를 '들고만 있는 젓대'와 '잊은 듯한 북채'로 그려냈고, '쟁을 더듬는 손줄이 행여나 울릴까 안타깝게 바라보고 있다'는 식으로 표현했다. 이윽고 '쫘악!'하고 치는 박(拍) 소리에 화자는 꿈을 잃은 듯 하다고 했다. 위당은 이 작품의 주에 「수제천지곡(壽躋天之曲)」을 '신라 고곡(新羅古曲)'이라 하였으니, 화자는 이 곡(曲)을 들으며 천년 전 신라를 꿈꾸었던 셈이라 하겠다.

4) 교육자적 풍모

끝으로 주목되는 일군의 작품들은 위당의 교육자적 면모를 살필 수 있는 시조들이라 할 수 있다. 「배화여학교(培花女學校) 반화사(班花詞)」 24수, 「연전(延專) 앞뜰에서 육상경기(陸上競技)를 보고」 5수, 「동구여학교(東邱女學校) 교실(敎室)에」 5수, 「경기여자중학교(京畿女子中學校) 교실(敎室)에)」 6수 등이 이에 속할 것이다.

「배화여학교 반화사」는 이화(梨花), 연화(蓮花), 행화(杏花), 근화(槿花), 도화(桃花), 난화(蘭花), 국화(菊花), 매화(梅花) 각 3첩씩으로 총 24수를 엮었다. 학교명에 어울리는 반화(班花)를 정하여 그에 해당하는 꽃의 의미를 표현하였는데, 이 작품들은 작품을 지은 목적이 배제된다면 영물(詠物)에 관한 작품인 「매화칠장(梅花七章)」에 견주어 봄직도 하다.

> 쇠인양 억센등걸 암향부동(暗香浮動) 어인꽃고
> 눈바람 분분(紛紛)한데 봄소식을 외오가져
> 어즈버 지사고심(志士苦心)을 비겨볼까 하노라
>
> (「배화여고반화사」 매화사 3첩, 1번)

> 눈펄펄 나는새벽 분(盆)소식이 엇더한고
> 이제껏 겨우희끗 하로밤에 불엇는가
> 향긔야 어느새리만 마치는듯 하여라 (「매화칠장」 2번)

「반화사」에서의 '매화사'나 「매화칠장」이나 매화를 대상으로 작시(作詩)한 것은 같다. 작품의 창작 동인이 다르다는 것 외에 지향하는 바 정서적 세계는 같다. 이런 점에서 위당의 경우 영물에서의 의미지향은 다분히 상징성 짙은 관념적 형상으로 나타나고 있다고 해야 할 듯 싶다. 「반화사」가 갖는 기능에서 여성이 꽃으로 비유되는 전통적 문학관습이 되풀이되었다 할 것이고, 또 개별 꽃의 의미가 반화로서의 교육적 상징에 머물렀다 할 것이지만, 이 역시 위당이 지녔던 지사적 교육 정신의 한 단면이라 생각된다.

> 범가치 사나운채 나븨가치 가벼워라
> 오십리 희염치던 녯날어룬 저러것이
> 무궁화 봉트랴하니 미칫단들 엇더리
> (「연전 앞뜰에서 육상경기를 보고」 1번)

위당은 민족의 장래를 짊어진 젊은이들을 보며 희망을 찾을 수 있었던 모양이다. 이리 뛰고 저리 뛰는 약동하는 젊음을 『삼국사기』에 나오는 장보고(張保皐)와 정년(鄭年)의 용장(勇壯)을 다투던 이야기에 빗대어 놓았다. '무궁화 봉트랴 한다'는 것의 의미는 굳이 부연할 필요가 없을 줄로 안다.

> 배올제 배올것이 아니배고 어이하리
> 넙흔산 어엽분물 옵바만의 짐이올가
> 배우고 또배우시오 압길머도 소이다 (「동구여학교 교실에」 2번)

개화기 창가 풍의 어법과 내용이긴 하나, 여학생에게 주는 배움에 대한 살뜰한 훈계라 보면 각별한 교육자적 풍모가 감지되기도 할 것이다. 위당 시조가 지닌 교육자로서의 목소리는 교훈적 어법이 농후하게 나타나지만 그것이 격정적이고 고무적인 어법으로 나타나지 않고, 위당의 여느 시조와 마찬가지로 섬세하고 내향적인 어조를 잃지 않는다는 점이 특징이라 할만하다. 한편으로 다음 작품은 당시 위당의 여성 교육에 대한 생각이 어떠했는가를 엿볼 수 있게 해 준다.

소혜후 내훈뒤엔 규합총서 이르것다
일백년 전후에는 각시들도 배웠나니
오늘날 새활발속에 뼈좀느어 어떠리 (「경기여자중학교 교실에」 2번)

위당은 당대 새로운 기운의 여성생활을 '새 활발'이라 이른 것 같다. 그 '새 활발' 속에 교육적 '뼈'가 빠져있었음인가. 곧잘 봉건 여성의 질곡으로 치부되는 『내훈』과 『규합총서』의 내용을 위당은 현대여성교육이 갖추어야 할 '뼈'라 하여 이를 교육 속에 넣어보면 어떻겠느냐는 주문을 하고 있다. 한학자로서의 보수적 취향으로 돌려버릴 수도 있겠으나, 위당의 충고는 반드시 그렇게만 들리지는 않는다.

5) 맺는 말

무애(无涯) 양주동은 『담원시조집』 「서문」에서 위당의 시조세계를 다음과 같이 표현했다.

> 님의 時調는 纖細한 채 단단하고, 깁숙한 채 들날리며, 古雅하되 사무치고, 情緖的인 대로 思想的이니 얼른 말하자면 살과 뼈가 있는 剛柔를 兼備한 作風이다.

또한 무애는 이 「서문」에서 시조 창작에 요구되는 네 요소, 즉 '정(情)·재(才)·식(識)·혼(魂)'을 들면서, 위당이 이 네 요소를 골고루 또한 심각하게 갖추었다고 했다. 무애의 이와 같은 지적은 위당의 시조세계에 대한 매우 적절한 평이었다고 판단된다. 특히 위당의 시조집 전편에 흐르는, '자모'로 대표되는 육친과 고인(故人)과 지우(知友) 등, 사람에 대한 다정다감한 목소리는 위당의 내면세계를 고스란히 음미하게 한다. 흔히 올곧은 지사의 풍모가 '내유외강'으로 표현되듯, 위당의 시조세계는 바로 지사적 풍모와 풍격으로 다가선다고 생각된다. 그러나 대개 지사는 '재(才)'에 현란하지 않듯이 그의 시어에 대한 조탁은 다소 성기다는 느낌을 지울 수 없다. 위당의 시조에는 '도리어 서러워라'라는 표현이 '되서워라'로, '쌓이다 못해'라는 표현이 '싸히다못'으로, '마지막으로 여의고'라는 표현이 '맛여의고' 등으로 무리가 따른다는 점이 흔히 발견된다. 이는 네 개 음절을 하나의 음보로 인식하는 규범적이고 고정적인 율격 고수에 고심한 결과일 것이다.

전체적인 시형에서 볼 때 묵직하지만 낭랑하게 그리고 섬세하게 아로새긴 위당의 시편들은 대체로 연시조 형태로 표현되었고, 시조 형 또한 예외 없이 전형적인 평시조의 율격을 고수한 것으로 파악된다. 이는 굳건한 민족지사의 절제된 세계관이 선비의 절제된 시형이었던 시조형에 합치했던 결과가 아닐까 생각된다. 비록 그의 시조들에 한시 취가 남아 있고, 개인적 체험에 국한된 정서가 다분히 있다 손치더라도 그것은 우리가 애정 어린 시선으로 감싸안아야 할 몫이라고 생각한다. "나라가 이지(肥)고 내 몸이 여위(瘠)면 여윈 속에 광휘가 있다."[35]라고 하면서 일생을 올곧은 민족지사로서 살다간 담원을 생각하면 더욱 그렇다.

35) 주 23)과 같은 책 2권, 「마음의 節制」, 329면.

Ⅳ. 가사 및 잡가의 정체성

1. 가사의 정체성과 담론 특성

1) 문제의 제기

우리의 고전시가 가운데 가사만큼 논란이 분분한 장르는 또 없을 것이다. 우선 장르적 성격의 면에서 보더라도 서정이다, 교술이다, 수필이다, 전술이다 하여 단일성 장르로 파악하는가 하면, 그와는 반대로 서정과 교술의 복합이다, 서정과 서사 및 교술의 복합이다, 혹은 그러한 여러 갈래의 혼합이다 하여 복합이나 혼합성 장르로 파악하기도 하는 등 혼란스러울 정도로 다양한 견해가 제기되어 있음은 익히 알고 있는 바와 같다.

여기에 더하여 가사의 향유방식 혹은 존재양상의 측면에서도 숙종조 이전에는 음악의 반주에 의한 가창으로 존재하다가 그 이후로는 음악이 아닌 단지 음송(吟誦)으로 변화했다거나, 혹은 가창에서 음영을 거쳐 점차 완독(玩讀)의 방식으로 변화해 갔다거나, 조선 전기에도 가창은 물론 음영의 방식에 의해서도 향유되어 복수실연(複數實演) 양상을 보인다거나 하여, 그러한 일반화를 부정하는 견해도 나와 있다.

가사의 형식이나 율격 면에서도 구(句)를 설정하는 단위의 크기(2음보를 구로 보느냐 4음보를 구로 보느냐)에서부터, 장(章)과 절(節) 혹은 절과 사(詞)라는 중간단위의 설정문제, 연속체 아닌 분절체의 용인 여부(「어부사시사」같은 작품을 가사로 볼 수 있느냐) 등에서 일치된 견해를 보이지 않고 있다.

그밖에도 가사의 개념 및 장르적 정체성의 문제를 비롯하여 작자의 신빙성 문제, 이본의 처리 문제, 원본 재구(再構)의 문제, 장르 발생론의 문제 등등 산적한 문제가 너무도 많은 것이 가사 영역임은 주지하는 바다.

이러한 많은 문제 가운데서도 가장 시급히 해결해야 할 중요한 핵심 과제는 가사의 개념 혹은 정체성(正體性)에 관한 문제다. 즉 가사란 도대체 무엇이며, 다른 갈래들과 변별될 수 있는 독자성이 있기나 한 것인지에 대한 근본적인 물음에 관한 것이다. 가사의 정체성 해명을 위해 수많은 노력이 기울여져 왔음에도 불구하고 간헐적으로 여전히 다른 한 편에서는 가사의 존재론적 독자성 혹은 정체성에 대한 회의론이 제기되고 있는 실정이다.

가사의 정체성에 관한 이러한 회의론은 이능우에 의해 먼저 제기되었다. 그에 따르면 가사는 많은 복잡성이 깃든 문학으로서, 그 가운데는 한사부(漢辭賦)를 그대로 수용한 것이 있는가 하면, 소설의 어느 대문을 압축하여 '잡가'로서 부른 것도 있으며, '소릿군들의 민요'라는 것이 가사 비슷이 있었고, 한 수상(隨想)이며 기록들을 율문으로 구성하여 역시 가(歌)로 생각하기도 했으며, 남도소리인 단가도 하나의 가사문학인 바 틀림없으며, 또 만횡청(사설시조)과 가사도 넘나들고 있다고 하면서 이러한 가사를 일률적으로 정의하기는 어려울 것이며, 이 가(歌)며 사(詞)는 어쩌면 우리말로 구성지게 씌어진 문학적 작품들이면 몰아쳐 붙여졌던 당시의 한 관례일지 모른다[1])고 했다. 이러한 견해에 뒤를 이어 김병국은 과연 가사라는 것이 도대체 일종의 장르개념이기는 한 것이었던가부터 다시 물어보아야 할 것이다라고 하면서 이능우의 견해에 동의하고 가사가 우리말의 진술방식의 가능한 모든 유형들을 실험할 수 있었던, 우리 국문학의 가장 전략

1) 이능우, 『가사문학론』, 일지사, 1977, 40면 및 102면 참조.

적인 항목이었을지 모른다[2)]고 했다.

가사의 장르개념이나 정체성에 대한 이러한 회의론적 시각은 근년에까지 지속되어 성호경에 의해 보다 세밀한 논의로 뒷받침되기에 이른다. 그에 따르면 가사의 형태적 규정으로 통념화되어 온 '4보격(혹은 4·4조) 연속체'라는 것이 15세기 말엽이래 조선조 말엽에 이르기까지 대다수의 율문들에서 거의 예외 없이 나타난 시대적·집단적 문체(양식)이었기 때문에 가사만의 변별적 특징이라 하기 어렵다 하고, 게다가 모든 역사적 장르들은 반드시 일정한 크기를 가지는데 가사의 경우 적게는 19행의 단편(「매창월가」)에서 많게는 4천행이 넘는 초장편(「일동장유가」)까지 있어 그것으로 변별적 공통성을 말할 수 없으므로 가사의 개념에 여러 이질적인 부류들이 있음을 인정하여 그 속에 몇 종의 장르들을 포용하는 장르복합체로 이해되어야 마땅하다[3)]는 것이다.

그렇다면 과연 이러한 회의론자들의 판단대로 역사적 장르로서의 가사만이 갖는 자기동일성 곧 정체성은 찾아볼 수 없는 것인가? 이 지점에서 함의하고 있는 층위는 다르지만 초창기에 조윤제가 가사는 시가도 문필도 아니면서 동시에 시가와 문필 어느 것과도 관계가 있는 국문학의 하나의 독특한 유형의 문학[4)]이라 감지할 수 있었던 그 독특성은 과연 없는 것일까? 이러한 물음에 답하는 것이야말로 가사

2) 김병국, 「장르론적 관심과 가사의 문학성」, 『현상과 인식』 1-4호, 한국인문사회과학원, 1977, 18면 및 34면 참조.

3) 성호경, 『한국시가의 유형과 양식 연구』, 영남대출판부, 1995, 410~417면 참조. 여기서 논자는 9행 길이의 「안인수가」마저 단편의 가사로 보고 있으나(이상보 등이 펴낸 대부분의 가사선집에도 가사 자료로 수록해 놓고 있음), 초·중·종장의 3장으로 뚜렷이 분장되고 종장이 시조 형식을 전형적으로 갖추면서 중장이 서술의 억제에 의해 제한적으로 늘어난 형식을 보여 전형적인 사설시조 형태를 갖추고 있으므로 사설시조로 보아야 옳을 것이다.

4) 조윤제, 『국문학개설』, 동국문화사, 1955, 41~44면 참조.

의 정체성을 밝혀내는 작업이며, 그것은 가사의 본질이 무엇인가를 규명하는 작업이기도 하다. 본고에서는 기존의 논의가 회의론에 빠지거나 혼란에 빠질 정도로 다양한 견해가 제출되었던 원인이 가사 자체의 혼란상이 아니라 그것을 바라보는 시각에 근본적으로 문제가 있는 것으로 본다. 따라서 여기서는 기존에 알려진 가사에 관련한 정보와 자료들을 새로운 시각에 의해 근본적으로 재검토하고자 한다. 이러한 방법적 시각의 전환 없이는 가사의 장르적 정체성과 운동성을 정확하게 파악해낼 수 없는 것으로 생각되기 때문이다.

2) 제시형식으로 본 가사의 본질

예술이나 문학 양식에 있어서 그것이 어떤 방식으로 연행되고 향유되는가 즉 텍스트가 어떤 방식에 의해 심미적 대상물로 구체화되는가라는 문제를 '제시형식'이라는 이름으로 개념화 할 때 제시형식은 해당 양식의 정체성 곧 본질을 파악하는데 상당한 근거로 작용할 수 있다. 이런 연유로 선행연구에서도 가사의 연행이나 향유방식이 어떠했는가에 대해서는 일찍부터 주목의 대상이 되어 왔다. 그러나 그 결과는 합일된 결론에 이르지 못하고 각양각색의 혼란된 양상을 보여왔음은 서두에서 이미 언급한 바와 같다.

이러한 혼란상 가운데서도 가사의 제시형식은 가창과 음영 그리고 완독(율독이란 용어를 쓰기도 함)의 세 가지로 실현된다는 점에 대해서는 이의가 있을 수 없지만 그러한 제시형식이 구체적으로 어떠한 실현양상을 보여왔느냐에 대하여는 상당한 견해의 차이를 보인다. 다만 조선 전기 가사의 경우는 가창에 의해 실현되어 왔을 것이라는 기존의 연구 결과가 일부 반대의견[5]이 없는 바는 아니나 이제 의심할

5) 성호경은 우리말 시가가 가창의 형태로만 존재하였다든가, 숙종대 이전까지는 시조와 가사가 모두 가창되었을 것이라고 하는 견해들은 당대의 향수양상의 일면을 나타낸 것에 지나지 않아서, 이를 그대로 일반화시켜서 전면적

여지가 없는 사실로 받아들여진다[6]는 지점까지 와 있는 형편이다. 이처럼 전기가사의 가창성이 확고부동한 사실로 자리 잡은 데는 현존 전기 가사의 작품들 가운데 상당수가 가창에 의해 향유되었음을 알려주는 자료들에 힘입은 바 크지만 그러한 입론에 보다 결정적인 기여를 한 논의로 조규익과 임재욱의 견해가 특히 주목된다. 따라서 조선 전기 가사의 가창성이 과연 의심의 여지없는 사실인가를 확인하려면 이들 두 견해의 타당성부터 검토해 보는 것이 효율적일 수 있다.

먼저 조규익은 우리의 고전 시문학을 '부르고 듣는 문학'과 '기록하고 보는 문학'의 양분체계로 나누고 전자로는 향가나 가사 같은 우리의 고유한 노래들을, 후자로는 한시를 대표적인 양식으로 들었다. 그리고 '부르는(歌)' 방법 외에도 '읊어서(吟)' 향수하는 방법도 있을 수 있으나 음(吟)이 영(詠)·동성(動聲)·가송(歌誦)·가음(歌吟) 등을 의미한다면 읊는 행위도 넓은 의미의 부르는 행위의 범주에 속한다고 하면서, 음영가사도 본질적으로 부르는 가사로부터 파생된 것으로 보아 넓은 의미의 부르는 문학[7]이라는 논리를 폈다. 그리고 나아가 가사는 노래 즉 가창문학이었다는 사실을 대전제로 「상춘곡」 「서호별곡」 「관동별곡」을 통하여 조선조 장가(長歌) 가맥(歌脈)의 하나를 이루는 것으로 파악하고, 가사는 단가인 대엽(大葉) 혹은 가곡(歌曲)과 함께 초창기부터 가창되던 장가의 대표적 장르이며 장가나 단가 모두 조선조까지 많이 불리던 진작(眞勺)으로부터 파생된 곡조들이라[8] 보았다.

인 진실로 받아들이기는 어려울 것이라 하면서 복수 실연의 양상을 보였음을 주장한다. 이에 대하여는 성호경, 「16세기 국어시가의 연구」, 서울대 박사학위논문, 1986, 55면 참조.

6) 고순희, 「가사문학의 구비적 성격」, 『국문학의 구비성과 기록성』, 태학사, 1999, 345면 참조.

7) 조규익, 『가곡창사의 국문학적 본질』, 집문당, 1994, 21면 참조.

조규익이 조선 전기 가창가사의 곡조를 가곡창(진작)의 변조였을 것이라고 구체적으로 확신을 가지고 주장할 수 있었던 근거는 곡조표시가 되어 현전하는 「서호별곡」에 근거를 둔 것이고, 여기서 나아가 정철의 「사미인곡」도 5장의 가곡창으로 배열이 가능하다고 하면서 노랫말을 다음과 같이 배분해 보임으로써 논거를 강화한 바 있다.

초장 : 이몸이 삼기실제 님을 조차 삼기시니
2 장 : 한생 연분이며 하날 모랄 일이런가
3 장 : 나하나 졈어 잇고 님하나 날 괴시니

〈중 략〉

4 장 : 님이야
5 장 : 날인줄 모라셔도 내 님 조차려 하노라

이렇게 볼 경우 중략 부분의 엄청난 노랫말 분량이 문제인데 이는 가곡 5장에서 넘치는 사설을 각(刻)으로 처리할 수 있다는 이혜구의 설명에 기대어 같은 원리로 이 장가창(長歌唱)에서 넘치는 부분(즉 중략된 부분)을 얼마든지 각으로 소화시킬 수 있다[9]고 주장한다. 그러나 이 각이라는 것이 가곡창의 언편(言編) 같은 장시조의 노랫말을 담을 때 쓰이는 기법이긴 하나 그것이 무한정 허용되는 것이 아니고 보통 한 곡에서 가곡창의 5장 가운데 제3장(드물게는 제5장도)에서 두 번 전후해서 사용되는데 그친다고 한다.[10] 이는 아무리 장가를

8) 조규익, 「조선조 장가 가맥의 일단」, 『한국가사문학연구』, 태학사, 1995, 213~224면 참조.

9) 조규익, 『가곡창사의 국문학적 본질』, 210~212면 참조.

10) '각'이란 가곡의 한 장단이 16박 혹은 10박으로 되어있는데 編같은 노랫말이 긴 장형의 경우 노랫말의 글자수가 남을 때 그것을 배분하기 위해 반 장단(8박 혹은 5박)을 생략하고 반 장단으로 연주하고 다음으로 넘어갈 때

각의 기법으로 많은 노랫말을 담아 노래할 수 있다 하더라도 상당한 한계가 있음을 의미하며 현전하는 장시조(사설시조)에서 아무리 노랫말이 길어도 「사미인곡」에 해당하는 노랫말의 길이를 가진 작품을 찾을 수 없을 뿐 아니라 가사 가운데 가장 단형의 하나인 「매창월가」 만한 길이를 가진 사설시조 작품도 찾기 어렵다는 점에서 확인된다. 따라서 각의 기법에 의한 가곡창(진작)의 변조로서 가사의 가창이 가능할지는 의문이 들지 않을 수 없다. 『역대시조전서』에 「매창월가」에 버금가는 상당히 긴 몇 편의 사설시조가 수록되어 있으나 그것은 사설시조로 오인된 「엮음 수심가」나 휘모리 잡가였음이 밝혀진[11] 이상 이러한 잡가 자료를 근거로 가곡창의 변조로서의 장편의 가사창을 상정하는 것도 부정적이 될 수밖에 없다.

다만 가곡창과 관련을 가진 악조 표시가 되어 있는 「서호별곡」이 있는 한, '각'의 기법으로서가 아니라 현재로서는 '불가해한 악조'의 조합(이혜구의 견해)이라는 기법을 보다 적극적으로 활용하여 가사의 가창 향유가 가능했을 것이라는 견해는 수긍이 간다. 홍만종(洪萬宗 : 1643~1725)이 『순오지(旬五志)』에서 사설시조인 「장진주」와 「맹상군가」를 「면앙정가」 등의 가사 작품과 한데 묶어 14편의 작품을 가곡이라 지칭하고 있는 것으로 보아 가곡창의 불가해한 악조의 조합에 의한 가사창의 가능성을 전혀 배제할 수 없기 때문이다.

그렇다면 가사는, 적어도 조선 전기의 가사는 모두 가창된 것일까? 이 문제를 해결하기 위해서는 가사의 가창성의 근거가 되었던 서호사

생기는 장고장단의 불완전한 반 장단을 가리키는 것으로, 「장진주사」 같은 장형도 『삼죽금보』의 악보나 현행악보를 참조해 보면 각이 한두 번 쓰이는 것으로 그친다고 한다(이에 대하여는 한국정신문화연구원의 국악학자인 김영운교수의 교시를 따름).

11) 성무경, 「『역대시조전서』 수록 45수에 대한 산정과 잡가」, 반교어문학회 하계학술대회, 2000. 8. 발표문 참조.

발(西湖詞跋)을 통해 「서호별곡」과 「서호사」의 관계를 근본적으로 재검토해볼 필요가 있다고 생각한다.

> 또한 「서호사」 6결이 있는데 봉래 양사군이 이것을 악부에 실어 3강 8엽 총 33절로 만들고 「서호별곡」이라 하였다. 뒤에 공이 많이 잘라내고 고치고 더하였으므로 악부에 실린 것과는 같지 않다.[12)]

이 자료에 따르면 허강(許橿)이 지은 「서호별곡」은 ① 애초에 작품의 원작에 해당하는 「서호사」 6결이 있고, ② 이것을 양사언이 악부에 싣기 위해 3강8엽 총 33절로 개작한 「서호별곡」이 있고, ③ 뒤에 작자 허강(許橿)이 다시 개작한 「서호사」의 3가지가 있음을 알 수 있는데, 봉래소전본(蓬萊所傳本)인 ②와 가전구본(家傳舊本)인 ③의 두 작품은 전하고 있어[13)] 어떤 차이가 나는지 비교가 가능하지만 ①의 원작본이 전하지 않아 ①과 ③이 어느 정도 다른지를 알 수가 없어 궁금하다. 추정컨대 ①의 원작을 악부에 올리느라 3강8엽의 악조에 맞게 상당한 손질을 가한 것이 ②이므로, 그래서 악부로 향유하는 것이 원작과는 상당히 달라졌으므로 작자가 악부의 것을 다시 ①의 원작과 동일하거나 그에 가깝게 다시 손질한 것이 ③일 터이다. 악부에 실림으로 해서 이미 널리 알려지고 향유하게된 ②의 존재가 있음에도 불구하고 굳이 작자가 다시 손을 보아 ③이 필요했던 것은 ②가 원작의 모습을 상당부분 상실했기 때문에[14)] 가전본(家傳本)으

12) "又有西湖詞六闋, 蓬萊楊使君載之樂府, 爲三腔八葉總三十三節, 謂之西湖別曲. 後公多删改增益, 與樂府所載不同."(『東崖遺稿』 附錄 歌詞)

13) 김동욱, 「허강의 서호별곡과 양사언의 미인별곡」, 『한국가요의 연구(속)』, 선명문화사, 1975에 소개되어 있음. 단 이들 자료는 자구의 오탈이 많다고 하니 원본 확인을 요한다. 「양봉래소전본」은 조규익, 「조선조 장가 가맥의 일단」, 『한국가사문학연구』에 교정을 보아 수록했으므로 참고할 수 있다.

14) 실제로 ②와 ③의 텍스트를 비교해 보면 상당수 행의 생략과 이동, 첨가 현

로 소장하고 또 악부방식의 향유가 아닌 개인이 가정에서 자연스럽고 일반적인 방식으로 향유하기 위해서라 볼 수 있다.

이 대목에서 주목되는 것은 ①은 가사의 자연스럽고 일반적인 제시형식에 따라 지어진 원작이라는 것이고, 이러한 원작이 악부에 올려져 고급화된 방식으로 널리 향유되기 위하여는 악곡의 짜임에 맞추어 ②처럼 개작되어야 한다는 점이다. 이는 ①과 ②가 제시형식에서 상당한 차이가 있음을 시사해 준다. 이런 사정을 반영하듯 제목도 전자는 「서호사」로, 후자는 「서호별곡」으로 다소 차이가 나게 별도로 붙어 있고, 작품의 구조단위도 전자는 악조에 관련한 말이나 표시 없이 그저 6결이라 하고, 후자는 악조 표시가 구체적으로 지정되어 있는 33절 형식의 복잡한 구조로 되어 있는 것이다.

그러면 ①과 ②는 제시형식에서 어느 정도 차이가 나는 것일까? 선학의 연구에서는 한결같이 ①이 6결로 되어 있음에 주목하고, '결'을 음악 용어로 보아 '음악에서 한 곡이 종료되는 것을 일컫는 것으로 1결이란 1곡과 같은 개념'[15]으로, 혹은 '일정하게 되풀이되는 곡단(曲段)'[16]으로 개념화함으로써 가사의 가창성과 연결하여 이해하는 근거로 삼아왔다. 그러나 '결'이라는 용어가 음악적 단위로 쓰여지기보다 노랫말의 문학적 완결단위와 연관되어 쓰이는 경우가 일반적이라는 점을 유의할 때[17] ①의 제시형식이 반드시 가창성과 연관될

상과 율격상의 변화를 보이고 있다. 윤덕진, 「향유방식을 중심으로 본 16~17세기 가사의 양상」, 『한국시가연구』 9집, 한국시가학회, 2001에서 두 텍스트의 도입부를 비교한 바가 있다.

15) 조규익, 「조선조 장가 가맥의 일단」, 220면 참조.

16) 윤덕진, 앞의 논문, 41면 참조. 여기서 그는 「서호사」가 육결로 되어 있고, '결'이 일정하게 되풀이되는 곡단으로 이해하여 여섯 개의 같은 단위의 곡단으로 구성되었다고 보고, 이를 조선 전기 가창 형태의 한 유형으로까지 확대 해석하여 '당대의 연시조와 유사한 방식의, 반복되는 동일한 곡단의 나열에 의한 가창'이란 항목을 설정해 놓고 있다.

것이라는 추정은 문제가 있다. 즉, ①의 원작은 노랫말의 내용적 완결단위가 여섯 개로 분단되는 작품이라는 뜻으로 이해될 수도 있다는 것이다. 만약 이 6결을 음악적 단위와 연결시킨다면, 필연적으로 윤덕진이 추정한 것처럼 연시조와 유사한 악곡 형태로 가창되어야 할 것인데 이는 가사의 장르 정체성이 분절체가 아닌 비련체, 즉 연속체라는 점에서 연시조의 악조 짜임이나 가창방식과 연결시키는 것은 문제가 되지 않을 수 없다.[18] 이처럼 ①이 쉽게 가창성과 연결될 수 없

---

17) 김영운교수에 의하면 국악에서 '결'이란 음악용어는 쓰지 않는다고 한다. 또한 전통적 용례에서도 「聾岩漁父歌跋」을 보면 "일편 십이장은 셋을 줄여 9장으로 하여 장가로 만들어 읊고, 일편 10장은 줄여 단가 5결로 만들어 엽을 붙여 노래부르게 했다(一篇十二章, 去三爲九, 作長歌而詠焉. 一篇十章, 約作短歌五闋, 爲葉而唱之.)"라 하여 단가 작품이 완결되는 단위로 쓰였고, 1821(순조 21)년에 필사된 것으로 추정되는 『잡가』에는 「은사가」와 「처사가」를 연이어 수록하고 "이것은 누가 지었는지 알 수 없다. 그러나 두 노래의 말뜻이 흡사한 것으로 보아 한 사람의 솜씨가 아닌가 싶다(此不知何人之所製, 而二闋詞意雷同, 疑是一人之手段.)"라 하여 여기서도 노랫말의 문학적 완결단위인 작품 편수를 지칭하는 예로 쓰였다.

18) 윤덕진은 이러한 발상의 중요한 근거로 「어부사시사」의 존재를 상당히 의식하는 것 같다. 「어부사시사」는 그 시기의 단·장가를 포괄한 연행방식에 중요한 시사를 던진다고 하면서 그 형태가 단·장가의 요소를 구비하고 있다는 점에 주목하여 단가의 악조가 장가 연행의 기반이 되는 관계가 가사의 연행을 결정짓는 주요한 방식이라 보았다. 또 가사의 종결부에 종종 나타나는 삼행시조 시형은 단가의 반복확장이 장가로 진행한다는 가설을 확인케 한다고 했다. 이 과정에서 그는 「어부사시사」 全篇을 가사로 보아야 한다는 김대행의 견해를 탁견이라 했다(앞의 논문, 45면 주 17 참조). 그러나 「어부사시사」는 작자 자신이 漁父詞跋에서 직접 언급한 바(用俚語作漁父詞, 四時各一篇, 篇各十章 ……, 『고산유고』 권6)과 같이 사 계절을 각 일편으로 하고 각 편이 십장으로 구성 되어 있는 총 40개 장으로 분절되어 있는 연시조와 친연성을 갖는 장가로서 그러한 분절이 전혀 없는 연속체로 된 장가인 가사로 보는 것은 무리이며 따라서 연행방식도 여기서 유추하여 가사의 연행을 상정하는 것은 무리라고 본다. 또 가사의 종결부

는 데다가 그것이 가사의 일반적이고 자연스런 제시형식에 의해 지어진 원작이라는 점을 감안한다면 조선 전기라 할지라도 가사는 일단 ①의 원작의 경우처럼 가창성과 필연적 관련을 갖는 것이 아니며, 애초에 볼 거리로 지어지는 것이지 들을 거리로 지어지는 것은 아니라 하겠다.

여기서 우리는 가사의 제시형식에 있어서 ①과 ③처럼 개인 혹은 그 주변의 차원에서 일반적이고 자연스런 방식으로 향유하면서 가전본으로 소장하는 방식(이 경우는 노래의 악곡보다는 노랫말이 중요성 가짐)과, ②처럼 악부에 실리어 보다 고급화된 음악으로 향유하는 또 다른 방식(이 경우는 노랫말보다 악곡이 더 중요성 가짐)의 두 가지가 가능함을 「서호사」와 「서호별곡」의 관계를 통해 알 수 있다. 즉, 「서호사」의 경우는 노랫말의 내용을 음미하면서 향유하는 '볼 거리(可觀)'로서의 존재의미를 가지며, 「서호별곡」의 경우는 고급음악에 실려 향유하는 '들을 거리(可聽)'로서의 존재의미를 갖는다는 것이다. 하나의 작품이 이처럼 볼 거리로서와 들을 거리로서의 양가성(兩價性)을 동시에 갖는 양상은 이 작품만의 특수한 사례가 아니라 조선 전기 가사에 상당하게 보인다.

우선 심수경(沈守慶 : 1516~1599)의 『견한잡록(遣閑雜錄)』을 보면 "근세에 이어(俚語)로 장가를 짓는 자가 많으나 …… 「면앙정가」는 …… 문자를 섞어 썼는데 형상의 완전(婉轉)함이 극을 달했다. 진실로 가히 볼 만하고(可觀) 가히 들을 만하다(可聽)"라고 하여 「면앙정가」의 경우도 허강의 작품처럼 볼 거리와 들을 거리로서의 양가

가 시조의 종장형식과 같은 형태를 보인다 하여 곧바로 두 장르 사이의 연행방식의 연관성을 말하는 단서로 삼는 것도 성급한 판단이라 할 것이다. 연행관습으로서의 종결형식이라기 보다 문학 관습으로서의 종결형식일(특히 사대부 가사의 경우에 나타나므로) 가능성이 크기 때문이다. 가사의 장르 정체성이 연속체라는 점은 다음 장에서 상론한다.

성을 가진 작품으로 평을 해 놓은 데서 그런 사정을 엿볼 수 있다. 뿐 아니라 홍만종의 『순오지』에서도 「역대가」 등 가사 십여 편을 다루는 자리에서 "우리나라 사람이 지은 가곡은 오로지 방언만 사용하고 문자를 섞었으나 …… 그러니 그 가곡이 중국의 것과 비등하지는 못할지라도 또한 볼 만하고(可觀) 들을 만한(可聽) 것이 없지도 않다."라고 하여 가사 작품이 볼 만하고 들을 만하다(可觀而可聽)라고 똑같은 평을 해놓고 있다.

그러나 가사가 이처럼 양가성을 갖는 경우는 사대부의 풍류방에 널리 향유되어 인구에 회자되는 일부 작품(『순오지』 등의 리스트에 오른)에 국한되는 것이지 전체 현상은 아닌 것이다. 그럼에도 불구하고 대부분의 선학들은 조선 전기 가사에서 볼 거리로서의 가치는 무시하고 들을 거리로서의 가치만 인정하여 그 가창성에만 초점을 맞춘 관계로 논리적 편향성을 보였던 것이다. 거기다가 이런 논리적 문제점을 극복하기 위하여 임재욱은 가능태와 실현태라는 개념을 설정하여 전기 가사의 가창성에 대한 논리를 한층 탄탄하게 강화한 바 있어 주목된다. 즉 그는 가창과 음영과 율독은 어느 시대 어떤 장르에도 있을 수 있는 세 가지 기본적 향유방식이라고 전제하고 그래서 그 세 가지 방식(가능태임)은 언제 어떤 장르에도 가능하지만, 특정시기의 특정장르가 실제로 보편적으로 향유되는 방식(실현태임)은 한 가지밖에 없다고 하면서 가능태와 실현태를 이처럼 구분하고 그 중 실현태를 파악함으로써만이 향유방식의 역사적 변천을 살필 수 있다고 했다. 그 결과 그는 전기 가사의 가창성에서 후기 가사의 음영성으로 그리고 개화가사의 율독성으로 가사는 점차 음악과 멀어지는 방향으로 변천해 갔다고 보았다.[19]

이렇게 강화된 논리로 전기 가사의 가창성을 말하지만 실상은 그렇

19) 임재욱, 「가사의 형태와 향유방식 변화의 관련양상 연구」, 서울대 석사학위논문, 1998, 14~37면 참조.

지 못한 데에 문제가 있다. 16세기 이전의 가사로 보고된 작품이 모두 31편이라 하는데 그 가운데 확인된 가창가사가 11편에 불과하여 그 비율이 1/3선(35.5%)에 그치고 있어[20] 나머지 2/3에 해당하는 작품이 모두 가창으로 실현되었는지 의문으로 남아 있다. 물론 현존 관련 자료들이 가창에 관련한 사실을 빠짐없이 보여준다는 증거가 없으므로 기록상의 한계로 돌릴 수도 있을지 모르지만 이미 앞에서 「서호사」의 경우를 살핀 바와 같이 가창으로 실현되는 경우가 가사의 자연스런 일반적 향유방식이라기 보다 오히려 악부에 올리기 위해 텍스트를 변개해야 하는 특별한 과정을 거쳐야한다는 면에서 가창이 가사의 자연스런 일반적 제시형식이라 할 수 없으므로 전기 가사의 나머지 2/3도 「서호별곡」처럼 가창되기 보다 「서호사」처럼 일반적 제시형식으로 향유되다가 기록에 남은 것이 대부분일 것이라 판단하는 것이 보다 합리적일 것이다. 만약 가창가사로 고급화되어 향유되었다면 향유의 범위가 훨씬 넓으므로 어떤 식으로든 기록에 남을 가능성이 그렇지 않을 가능성보다 더 크기 때문이다. 더욱이 「사미인곡」의 어느 특정대목을 즐겨 들었다는 자료[21]와 육당본 『청구영언』에 「관동별곡」의 뒷부분이 상당량 잘려서 수록되어 있음은 가사가 가창될 때 온전히 전편으로 연행되기는 사실상 어렵다는 점을 증언하는 것이고, 이는 가사의 가창성이 온전한 텍스트로 실현되기 어려움을 말해줌과 아울러 온전한 텍스트로 향유하려면 들을 거리로서 보다 볼 거리로서 향유해야 자연스러움을 의미하는 것이기도 하다. 이 점은 조우인(曺友仁 : 1561~1625)이 「관동속별곡」을 지을 때 가창가사로 널리 알

20) 임재욱, 앞의 논문, 25면 참조.

21) 김상헌(1570~1672)의 경우 "매일 심부름하는 아이로 하여금 송강의 「사미인곡」을 아침 저녁으로 노래 부르게 했는데 특히 '羅幃寂寞 繡幕空虛' 대목을 즐겨 들었다고 한다. 정철, 『송강전집』(성균관대 대동문화연구원, 1964), 408면 참조.

려져 있는 정철의 「관동별곡」을 들을 거리로서가 아니라 볼 거리로서 일단 받아들여 거기서 감발하여 그 속편을 짓게 되었다고 말한[22] 것에서 뒷받침된다.

그런데 「관동속별곡」이란 텍스트가 산생된 이유는 들을 거리로서가 아니라 「관동별곡」에서 정철이 미처 보여주지 않은 금강산의 백천동, 비로봉, 구룡폭포 등을 자상하게 보여주기 위함이라는 점과, 이 「관동속별곡」이 가창되었다는 기록을 아직 발견하지 못한 데서 유추한다면, 가사는 일단 볼 거리로서 지어지고 향유되며 그 볼 거리로서의 가치가 높이 인정받아 널리 인구에 회자되거나 될 만한 가치가 있다고 판단될 때 악조에 실려 가창 향유되는 것으로 판단된다. 이수광(李晬光)의 『지봉유설(芝峯類說)』에서 언급된 가사 작품이나 홍만종의 『순오지』에 언급된 가사 작품들은 모두 이러한 경로로 가창가사화 된 것이지 처음부터 가창가사로 지어진 것은 아니라고 본다.

결국 가사는 원래 볼 거리로서 지어지고 이렇게 지어진 가사 중에 걸작으로 평가된 상당수의 작품들이 가창으로 향유되면서 볼 거리와 들을 거리로서의 양가성을 갖게 된 것이라 정리된다. 그런데 여기서 볼만하고 들을 만하다(可觀而可聽)는 말은 좀더 면밀한 천착이 필요하다. 상당수의 가사 텍스트가 볼 거리와 들을 거리로서의 양가성을 동시에 가질 수 있다는 것은 그 이면에 가사는 '가관'의 제시형식이 자연스런 것임과 함께 언제든 그것이 인구에 회자되기만 하면 '가청'의 텍스트로 전환될 수 있는 잠재력을 자체에 갖고 있다는 사실을 말해주는 것이기 때문이다. 다시 말하면 가사는 가관의 제시형식으로만 고정되어 있는 것이 아니고 가청의 제시형식으로만 고정되어 있는 것도 아니어서, 상황에 따라 가관의 텍스트로, 혹은 가청의 텍스트로,

22) 조우인이 『頤齋詠言』 「續關東別曲序」에서 "偶得鄭松江關東別曲者而觀之, 非但詞致俊逸 ……" 라고 한데서 가사가 중요한 볼 거리로서 수용됨을 명백히 보여주고 있다.

혹은 가관 겸 가청의 텍스트로 실현될 수 있다는 것이다.

가사가 이처럼 가청과 가관의 어느 쪽으로도 실현이 가능하고 양가성을 동시에 가질 수 있음은 그 제시형식의 본질이 가창과 완독(율독)의 중간단계라 할 수 있는 '음영'에 놓여 있음을 의미한다. 이 음영의 특징은 볼 거리로서만 고정되어 있는 '기록하고 보는 문학'과도 변별되고, 들을 거리로만 고정되어 있는 '부르고 듣는 문학'과도 변별되는 제 3의 시가문학 형태로 그 위상이 가창과 완독의 중간에 위치하고 있어 상황에 따라 양쪽 방향으로 전환이 가능한 제시형식임을 의미한다. 따라서 임재욱처럼 전기가사는 가창성으로, 후기 가사는 음영성으로, 개화가사는 율독성으로 어느 하나에 묶어놓는다면 가사의 실제 실현 양상에 맞지도 않을 뿐더러 가사의 '본질태'를 놓치는 결과를 가져온다. 우선 당장 후기 가사를 음영성으로 고정시키는 문제도 「춘면곡」 「환산별곡」 등 후기 가사의 엄연한 하나의 맥을 형성하는 가창가사의 존재를 무시하고서야 가능한 것이다. 그러므로 가사의 제시형식의 실상을 이해하려면 가능태와 실현태라는 개념으로 접근할 것이 아니라 본질태와 실현태로 이해해야 할 것이다. 즉 가사의 제시형식의 본질태는 가창과 완독의 어느 쪽으로도 전환이 가능한 '음영'이고, 그것이 텍스트마다의 상황에 따라 가창이나 음영, 완독으로 나아간 것이 구체적 실현태이자 가사 장르의 운동양상이라는 것이다.

그런 점에서 조규익이 우리의 시가문학을 부르고 듣는 문학과 기록하고 보는 문학의 양분체계로 파악하고자 한 것은 가사와 같은 음영을 본질로 하는 다른 하나의 중요한 범주를 놓치는 결과를 가져오게 된다. 우리의 시가문학은 이러한 양분체계에 추가하여 그 어느 쪽과도 변별되면서 양쪽으로 전환이 가능한 음영문학이라는 또 하나의 영역을 인정해서 3분체계로 이해해야 그 전체상을 제대로 이해할 수 있는 것이다. 예를 들면 조선 시대의 시가문학을 제시형식의 3분체계에 따라 나눈다면 시조는 들을 거리로서의 가창성이 본질이고, 한시는 볼 거리로서의 완독성이 본질이고, 가사는 볼 거리와 들을 거리의 양가성을 가지면서 양쪽으로의 전환이 가능한 음영성이 본질인 것이다.[23)]

여기서 생각해야 할 문제는 가창과 음영의 변별성 정도와 음영과 완독의 변별성 정도가 음악적인 측면에서는 어느 정도일까라는 문제이다. 우리는 흔히 가창에서 음영으로, 음영에서 완독으로 갈수록 음악성과 멀어지는 것으로 이해하지만 실제에 있어서는 셋 사이의 연행에 있어서 음폭의 차이가 크게 벌어지는 것은 아니라고 한다. 즉 한시를 완독할 경우나(서당에서 한문책을 소리내어 읽는 경우와 제문(祭文)이나 고전소설조차도 선율을 넣어 읽는 문화관습도 이에 해당함), 가사를 읊조릴 경우나 시조를 창할 경우 모두 5음 음계의 영역을 넘어서는 음폭의 변화를 보이고 있어 그 실제의 음악성을 측정해서는 구분점을 찾기가 어렵다는 것이다. 다만 이 셋 사이의 변별은 향유자가 해당 텍스트의 정체성을 선율 쪽에 두는 것으로 인식하느냐 사설 쪽에 두는 것으로 인식하느냐, 그 중간에 위치해 있어 사설과 선율의 양가성을 가진 것으로 인식하느냐(이는 실제로는 음영하면서 가창한다고 인식하거나, 음영하면서 완독한다고 인식하는 양쪽의 성향을 함께 가지는 것으로 나타남)의 차이에 두어져 있다고 한다.[24)]

이에 따르면 시조는 그것이 어느 정도의 음악성을 가지고 실현되든 그 정체성을 가창으로 인식하므로 그 제시형식의 본질을 가창성으로, 한시는 그것이 얼마나 선율적 다양성을 가지고 읽혀지든 그 정체성을

---

23) 시조는 악곡이 우선하고 그 악곡에 맞추어 노랫말을 짓는 경우에 해당하고, 한시는 악곡을 의식하지 않고 볼 거리로서 지어지는데 반해, 가사는 노랫말로서의 辭가 먼저 지어지고 악곡화가 나중에 이루어진다는 차이를 생각하면 이해가 쉽다.

24) 이러한 사실은 김영운 교수가 연행 현장에서의 조사 결과를 토대로 하여 필자에게 일러준 것임.

볼 거리로 인식하므로 제시형식의 본질을 완독으로, 가사는 양쪽의 성향을 절반쯤씩 가지고 있어서 양가성을 가지며 동시에 어느 쪽으로도 나아갈 수 있는 음영으로서의 정체성을 가진 것으로 인식되기에 그 제시형식의 본질을 음영성으로 규정할 수 있게 된다. 이렇게 가사는 가창과 완독으로 필요에 따라 전환이 가능한 중간지점에 위치하는 까닭에, 가창물로 아예 전환해버린 12가사 계열의 가창가사는 그 제시형식의 본질을 가창성에 두게 되어 19세기 후반 이래의 잡가 전성시대에 다른 가창물과 조합하여 향유하는 데까지 나아가게 되며(가곡, 가사, 시조, 잡가가 하나의 셋트를 이룸), 이와 반대로 볼 거리로 경사해버린 기행가사 등 상당수의 후기 가사는 개화가사 같은 완독물로 이어짐으로써 가창물에서 완독물까지의 폭넓은 장르 운동양상을 보였던 것이다.

3) 가사의 담론 특성

가사의 제시형식의 본질태가 '음영'으로 규정된다하더라도 그것이 심미대상으로 구체화 될 때는 그때 그때의 상황에 따라 볼 거리로서의 완독물로, 혹은 들을 거리로서의 가창물로, 혹은 볼 거리와 들을 거리로서의 양가성을 동시에 갖는 음영물로 다양한 실현태를 보인다고 할 때, 가사의 관습적인 명칭으로 통용되어 왔던 가사(歌辭)·가사(歌詞)·가ᄉᆞ(ᄀᆞᄉᆞ)는 그 구체적인 실현태로서의 3가지 층위와 연관되는 것으로 보인다. 이 가운데 가사(歌詞)는 들을 거리로서의 가창(혹은 가창한다는 인식으로서의 음영을 포함)에 비중을 둘 때 연관되고, 가사(歌辭)는 볼 거리로서의 완독물로 일단 지어지고 그것이 인구에 회자되기만 하면 언제든 가창으로 전환될 수 있어 가창과 완독의 양가성을 가진 '음영'에 비중을 둘 때 연관되고, 가ᄉᆞ는 가사가 다른 문화권(특히 한글을 언어표현의 중심 소통 수단으로 삼는 문화권으로 예를 들면 규방문화권이 대표적인데 이들은 가사를 '두루말이'

또는 '가亽'라 지칭함)에 전이되어 텍스트화될 때 연관되는 것으로 파악된다. 따라서 가사의 본질적 제시형식은 음영이므로 가사의 본질태 그대로 실현되는 경우 가사(歌辭)라는 명칭이 가장 적절하고 대표성을 띠며, 그것이 가창문화권(원래 동일문화권의 사대부 풍류방이 중심이나 19세기 후반이래 잡가문화권으로 확대됨)으로 이끌릴 때는 '가사(歌辭)의 가사화(歌詞化)'가 일어나고,[25] 가사의 본래문화권을 이탈하여 타문화권으로 전이될 때는 '가사(歌辭)의 가亽화' 현상이 일어난다고 이해할 수 있다.

가사의 이러한 텍스트 실현양상을 보다 구체적으로 체계화하여 이해하기 위해서는 가사라는 텍스트가 어떤 문화권에서 어떻게 담론화되는가를 살피는 것이 중요하다. 가사의 담론 특성과 양상에 대하여는 선학의 연구가 있었지만 작품 내에서 화자와 청자간의 발화관계 속에 이루어지는 작품 내적 담론을 문제삼는 '담화분석'에 집중되어 있어서,[26] 가사의 구체적 장르 운동 양상을 파악하기에는 한계가 있었다.

---

25) 이를테면 송강가사의 경우 관련 자료의 기록에서 歌詞와 歌辭라는 두 가지 표기형태를 함께 보여 주는데 이는 들을 거리로서의 가창성에 비중을 두느냐 아니면, 양식적 본질태로서의 음영성 곧 노랫말에 비중을 두느냐의 차이에 따라 다른 표기로 나타난 것으로 이해할 수 있다. '歌辭의 歌詞化'란 용어는 성무경, 「가사의 가창전승과 錯簡현상」, 『한국시가연구』 8집, 한국시가학회, 2000, 262면에서 사용한 바 있다.

26) 김광조, 「조선 전기가사의 장르적 성격 연구—시적 담화의 유형분석을 중심으로」, 서울대 석사학위논문, 1987; 조세형, 「가사 장르의 담론 특성 연구」, 서울대 박사학위논문, 1998; 정한기, 「기행가사의 진술방식 연구」, 서울대 박사학위논문, 1999 등이 모두 내적 담론에 해당하는 담화분석을 하고 있으며, 다만 송팔성, 「조선시대 향촌시가 담론의 구조 연구」, 서울대 박사학위논문, 2000에서 작품외적 담론의 양상을 살피고 있으나 가사를 전면적으로 다룬 것이 아니어서 그 윤곽을 대체적으로 파악하는 데에도 미치지 못하고 있다.

가사의 담론 특성을 이해함에 있어 이처럼 담화방식 같은 작품 내적 담론분석에 머문다면 그것은 진정한 의미에서의 담론분석이 이루어졌다 하기 어렵다. 왜냐하면 같은 담화방식으로 이루어져 있는 텍스트라 하더라도 그것의 사회 문화적 조건이나 화자 청자의 입장 혹은 태도의 차이를 고려하지 않을 경우 순수 담화의 분석에 그치게 되기 때문이다. 작품의 진술이나 담화는 언어 그 자체로 존재하는 순수 담화가 아니라 사회적·제도적 실천의 의미화로서의 담화라는 점에서 더욱 그러하다. 따라서 여기서는 담론의 개념을 보다 적극화하여 담론에 참여하는 개인들이 특정한 방식으로 실천하게 만드는 실천의 양태와 그러한 실천을 강제하는 규칙이란 개념으로 이해하여 가사의 담론 특성과 양상을 파악하고자 한다. 즉, 담론을 어떤 사상(事象)을 의미하는 '언어'와 대비되는 하나의 '행위'개념으로 받아들여, 의미를 만들고 재생산하는 사회적 과정을 포괄하는 개념으로 사용하려는 것이다.

가사의 담론특성을 제대로 이해하기 위하여는 우선 양식적 본질의 파악이 선행되어야 한다. 왜냐하면 가사의 텍스트화 곧 담론화는 이 양식적 본질을 기반으로 하면서 다양한 사회 문화적 실천행위로 구체화될 것이기 때문이다. 다행히 가사의 양식적 본질은 선행 연구에서 명쾌하게 설명된 바 있어[27] 참고할 수 있다.

이에 따르면 가사는 실존적 성향의 인격적 서술자인 '나'의 목소리로 진술되기 때문에 작가가 서술에 책임을 지며 아울러 서술의 신빙성을 확보한다. 또한 인격적 서술자(특정 서술자)에 의한 '서술의 평면적 확장'을 양식적 기반으로 삼기에 기술(記述) 행위의 사적(私的) 소유의식 곧 작자성을 확보한다. 여기서 서술의 평면적 확장은 4음 4보격을 행(行) 단위로 서술을 직조해 나가는 데서 이루어지며, 이

27) 성무경, 「가사의 존재양식 연구」, 성균관대 박사학위논문, 1997 참조.

는 4음 4보격의 율격 장치에 의해 서술을 통제(억제)함으로써 서정양식이 되는 시조와 변별되는 전술양식(교술 혹은 주제적 양식에 해당)의 특성이 된다는 것이다.

가사의 이러한 진술 특성에서 특히 주목되는 것은 두 가지다. 하나는 가사가 실존적 서술자의 인격적 목소리로 진술되므로 작자성 다시 말하면 기술성을 확보한다는 것이고, 다른 하나는 4음 4보격의 연속체 율문으로 화행(話行)을 짜나감으로써 서술의 평면적 확장을 이룬다는 것이다. 가사의 장르적 정체성과 담론화 양상은 이 두 가지의 진술 특성을 고려할 때 명쾌하게 드러나게 된다.

그런데 4음 4보격 연속체 율문이라는 조건은 가사 이외에도 민요에서 가장 흔하게 발견되며,[28] 판소리에서도 삽입가요나 사설치레, 장면묘사 등의 곳곳에 보이고, 잡가나 단가(판소리 허두가), 사설시조 등에서도 중심 율격양식이 되고 있어, 가사 특유의 것으로 지정하기에 곤란한 점이 있어 보인다. 그런 점에서 성호경이 4보격 연속체라는 형태는 15세기이래 조선조 말엽에 이르기까지 대다수의 율문들에 거의 보편적으로 나타난 시대적·집단적 문체였기 때문에 가사만의 변별적 특징이라 하기 어렵다[29]고 하면서 단일성 장르로서의 가사의 정체성에 회의론을 제기했던 것이다.

그러나 같은 4음 4보격의 연속체 율문 양식이라 하더라도 가사와 다른 장르 사이에 질적인 차이가 존재한다면 그러한 회의론은 타당성이 없음을 알게 될 것이다. 이 문제의 해결을 위해 우선적으로 검토할 대상은 민요이다. 민요의 경우를 보면 온전한 의미에서의 4보격이

---

28) 이를테면 모내기노래의 서정민요, 길쌈노동요로 부르는 서술성 서정민요(흔히 서사민요로 칭하나 필자는 그렇게 보지 않음), 「성주풀이」, 「언문풀이」, 「새타령」, 「꽃노래」, 「베틀요」 같은 교술성 서정민요 등등이 4음4보격 연속체 율문으로 되어 있다.

29) 앞의 주 3)과 같은 곳.

아니라 '2보격성 4보격'이라 지정해야 마땅한, 2보격으로 분해될 수 있는 4보격 연속체라는 점[30]이 두드러진 특징이다. 이에 반해 가사는 4보격을 단위로 통사적 완결을 이룸으로써 온전한 4보격의 안정된 율격[31]을 갖추었다는 점에서 질적으로 다르다. 이러한 차이가 드러나는 이유는 가사의 4보격 연속체는 기술성(기록문학성)을 바탕으로 하는 문학 양식(작자가 작품 전반을 통제하므로 작자의 통제에 의한 구성적 의미배열이 가능함)임에 비해, 민요는 일회적 즉시성에 기대는 구비성을 바탕으로 하기 때문이다. 기술성과 구비성의 차이에서 오는 이러한 4보격 연속체의 질적 차이는 다른 구비장르인 판소리나 잡가, 무가, 판소리단가에도 마찬가지로 적용되는 사안이므로 같은 이유에서 가사와 변별될 것임은 물론이다. 다만 같은 4보격 연속체 율문의 성향을 보이는 사설시조의 경우는 고문헌에서 가사와 함께 장가라는 항목에 분류되고 둘 다 구비성이 아닌 기술성에 바탕을 두고 있기 때문에 그 변별이 쉽지 않을 것이다. 「장진주사」나 「맹상군가」 같은 작품을 놓고 논자에 따라 사설시조로 혹은 가사로 달리 보는 점이 그러한 사정을 잘 말해준다.

30) 임동권, 『한국민요집』 I, 집문당, 1993의 작품번호 312에 실려 있는 「베틀요」를 보면 "저기가는 저선비님/ 우리선비 오시든가// 오기야 오데마는/ 칠성판에 누어오데// 웬일인가 웬일인가/ 칠성판이 웬일인가// 원수로다 원수로다/ 서울길이 원수로다// 서울길이 아니드면/ 우리낭군 살았을걸// …… "라는 식으로 서술되어 있어 2보격(반행) 단위로 의미 단위를 이루므로 온전한 4보격을 형성한다 하기 어렵고 2보격 성향을 가진 4보격이라 할 수 있는데 이런 율격적 성향은 4음 4보격으로 된 모든 민요와 무가 등 구비성 장르에 모두 해당된다.

31) 물론 가사의 경우도 조선 후기에 이르면 극히 일부 서민화 지향가사에서 온전한 4보격 양식에서 벗어나 2보격성 4보격의 양상을 보이는 경우가 나타나지만(윤미선, 「조선후기 서민화지향가사의 운율적 변주와 그 의미」, 이화여대 석사학위논문, 1996 참조) 이는 텍스트내에서의 부분적 현상이고 주류적 현상으로까지는 가지 않는 것이 민요와 차이를 보인다 하겠다.

이 문제의 해결을 위해 「장진주사」의 경우를 살펴보자. 이 작품은 성주본 『송강가사』에는 단가와 구분하여 「사미인곡」 등과 함께 가사 쪽에 편입해 놓았고, 진본 『청구영언』에는 만횡청류에서 독립시킨 것으로 보아 이를 근거로 사설시조와는 거리를 갖는, 가사창으로 불려진 텍스트로 이해하는 견해[32]가 나오기도 했다. 그러나 성주본에서 「장진주사」를 가사에 편입한 것은 그것이 가사창으로 부르는 가사 장르여서가 아니라 노랫말의 길이가 길어서 단가와 구분되는 장가이기 때문에 같은 장가인 가사와 함께 수록한 것일 뿐이다.[33] 또 진본 『청구영언』에서 만횡청류에 싣지 않은 것은 편자 김천택의 편찬 태도 때문이지 사설시조가 아니어서 독립시킨 것은 아닌 것으로 보인다. 만횡청류 서문에 드러나 있듯이 만횡청류는 군자가 본받을 바가 못되는 부류이지만 「장진주사」는 그렇지 않다는 이유 때문일 것이다. 여하튼 「장진주사」의 노랫말의 형식은 가사와는 분별되고 사설시조와는 완전히 동일하므로 사설시조로 보아야 옳을 것이다. 일부 논자를 제외하고 모두 사설시조로 보는 이유도 이 때문이다. 즉 사설시조는 평시조의 형식과 동일하되(초·중·종장의 3장으로 완결된다는 점과 각 장은 4개의 단위로 구성된다는 점), 다만 평시조의 경우는 각 장의 4개의 단위를 음보 단위로 서술을 엄격히 통제함에 비해 사설시조는 이런 통제를 벗어나 4개의 단위 안에서 말을 얼마든지 촘촘히 엮어 짜놓을 수 있는 차이를 보일 뿐이다. 실제 작품을 보면 이 점이 확인된다.

ᄒᆞᆫ盞 먹새근여/ 또ᄒᆞᆫ盞 먹새근여/ 곳것거 算노코/ 無盡無盡 먹새

32) 강명관, 『조선시대 문학예술의 생성공간』, 소명출판, 1999, 199면 참조.

33) 이러한 사례는 이수광이 『지봉유설』에서 노랫말이 단가(평시조)보다 길면서 가창되는 경기체가, 악장, 사설시조, 가사에 해당하는 작품을 묶어 장가로 함께 다룬 데서 잘 드러난다.

근여//

이몸 주근後면 · 지게우ᄒᆡ 거적덥허 · 주리혀 ᄆᆡ여가나 · 流蘇 寶帳의 · 萬人이 우러네나/ 어욱새 속새 · 덥가나모 白楊수페 · 가기곳 가면 / 누른ᄒᆡ 흰ᄃᆞᆯ · ᄀᆞᄂᆞᆫ비 굴근눈 · 쇼쇼리 ᄇᆞ람불제/ 뉘ᄒᆞᆫ잔 먹쟈ᄒᆞᆯ고//

ᄒᆞ믈며/ 무덤우ᄒᆡ ᄌᆞᆫ나비 ᄑᆞ람불제 /뉘우ᄎᆞᆫ들/ 엇디리//

이처럼 「장진주사」는 평시조 형식과 동일하되 다만 각 장의 단위가 음보 길이를 벗어나 말을 촘촘히 엮어짜 넣었을 뿐인 것이다. 더구나 초장의 경우 앞 두 단위의 길이와 뒤 두 단위의 길이가 같거나 비슷한 것은 평시조를 가곡창의 5장으로 부를 때 초장을 두 장으로 분할하여 부르는 것이 반영된 것이고, 중장은 이런 분할 없이 그대로 한 장으로 부르므로 되도록 여기에 말을 촘촘히 엮어 짜넣는 경향이 자연스럽게 나타나고, 종장의 첫 음보는 가곡창에서 제 4장으로 독립하여 부르므로 3음절을 철저히 지키는 것으로 나타나는 현상에서 이 작품이 가사창이 아니라 가곡창과 친연성이 있는 계열임을 알 수 있다. 그리고 작품 전체가 3장으로 서술이 통제되고, 거기다 각 장은 4개의 통사 의미 단위구로 서술이 다시 통제되고 있어 사설시조가 아무리 장형화된다[34] 하더라도 이러한 이중의 통제 때문에 그 길이가 무한정 늘어날 수 없으며 바로 이런 연유로 가사와 변별되고 장르상으로도 교술인 가사와 달리 사설시조(물론 「장진주사」도)는 서정이 되는 것이다.[35] 이에 반해 가사는 서정처럼 서술을 억제하지 않고 4

34) 사설시조에서 말을 촘촘히 엮어 짜는 방식은 각 장이 4개의 통사 의미 단위구로 제한되는 범위내에서 2음보격을 기저단위로 하여 사설을 엮어 짜나감을 알 수 있다. 이런 현상의 확인을 위해 「장진주사」도 2음보격으로 기호표기(· 으로 표기)를 해서 제시한 것이다(특히 중장을 유념해 볼 것).

35) 성호경, 「사설시조의 정체에 대한 신고찰」, 『한국시가의 유형과 양식 연구』에서 사설시조라는 것에 속한다는 작품들 사이에는 율격이나 구성면에서 일정한 공통적 요소가 존재하지 않는다고 하면서 그 정체성을 부정하고

보격 연속체로 무한정 길이를 늘일 수 있다는 점에서 같은 장가인 사설시조와는 장르적 기반을 달리하는 것이다. 따라서 같은 4보격 연속체라 하더라도 가사가 이처럼 질적 차이를 갖는 독자성을 보이므로 그 정체성을 인정해야 할 것이다.

가사가 4음 4보격 무한 연속체라는 특유의 안정된 율동으로 구현되는 것은 '정감과 사유의 조화'라는 진술 특성을 배태하는 기반으로 작용한다. 즉 4음 4보격의 서술 견제 장치는 노래하기와 결부되어 '정감'을 배태하는 장치로 기능하며 연속체로서의 서술 문맥의 연계성은 '사유'의 합리성과 설득력을 배태하는 장치로 기능하게 된다. 그런데 이 두 장치의 조화가 구체적으로 실현되는 양상은 담론화 양상에 따라 다르게 나타난다. 즉 정감에 보다 비중을 둘 경우는 노래하기 쪽으로 더욱 이끌려 4음 4보격의 견제 장치마저도 철저히 준수하기 보다 그것으로부터 상대적으로 자유롭게 일탈하는 율동적 다양성을 보여줌으로써 정감성을 더욱 두드러지게 하고, 사유에 보다 비중을 둘 경우는 서술연계성에 더욱 이끌려 4음 4보격을 철저히 준수하는 기계적 율동에 내맡김으로써 서술의 견제를 덜 받는 대신 서술의 연계적 확장[36]에 의해 사유의 논리나 의도를 더욱 명징화하는 효과

각각의 형태에 가장 가까운 장르들에 되돌려 주어야 한다는 주장을 펴고 있으나 옳은 판단이라 하기 어렵다. 여기서 논의한 바대로 사설시조는 1) 초·중·종 3장으로 완결될 것. 2) 각 장은 4개의 통사·의미단위구로 구성될 것. 3) 종장의 첫 구는 3음절로 실현됨이 원칙. 4) 초장은 앞 두 단위구와 뒤 두 단위구의 길이가 같거나 비슷할 것. 5) 각 단위구의 사설을 촘촘히 엮어 짤 때는 2보격으로 짜나갈 것 등 5가지 특유의 공통요소를 갖추고 있어 그 정체성을 인정하지 않을 수 없다. 다만 이러한 조건이 모두 (평)시조와 관계되거나 그 범위에서의 일탈이므로 (평)시조의 하위장르라 할 것이다.

36) 가사에서 서술의 연계는 크게 序-本-結의 3단 완결 구조로 이루어지며 이러한 3단 구성내에서 本詞부분의 자유로운 확장이 허용되는 장르라 하겠다. 따라서 이 본사 부분을 어떻게 미학적으로 조직하느냐가 관건이 된다

를 얻게 된다.

가사 가운데 걸작으로 알려진 송강가사를 비롯하여 「상춘곡」 「면앙정가」 같은 사대부 문화권의 문학적 담론으로 산생된 작품들에서는 '정감과 사유의 절묘한 조화'를 볼 수 있으며, 「매창월가」를 비롯하여 「강촌별곡」 「환산별곡」 「낙빈가」같은 사대부 중심의 풍류방 문화권에서 향유된, 그리하여 가창으로 경사된 담론에서는 사유보다 정감에 비중을 둔 양상을 흔히 볼 수 있다. 그리고 사대부권 담론의 교훈가사나 기행가사, 규방문화권 담론의 계녀가류나 도덕가류, 종교문화권의 신앙담론인 불교가사, 동학가사, 천주교가사 등은 정감보다는 사유에 비중을 두는 경향이 대체적인 흐름이라 하겠다.

가사의 담론특성과 연관하여 또 하나 고려해야 할 사항은 작자성과 기술성에 관한 것이다. 즉 가사는 원칙적으로 실제 작자의 현실적 목소리를 함유한 작자 인격으로서의 직접 서술에 의거하기 때문에 작자가 서술에 책임을 지며 작품 전반을 통어한다는 것이다. 여기서 작자 인격으로 서술한다는 것은 단순히 작자의 실존적 존재로서의 의미만 갖는 것이 아니라 텍스트에 그 인격이 언어행위로 구현됨을 의미한다. 이는 가사의 발생론적 본질에 해당하는 것으로 발생당초의 가사인 나옹화상의 「서왕가」나 「승원가」, 신득청의 「역대전리가」에서부터 비롯된 것이라 할 수 있다. 즉 「서왕가」의 경우 "세사(世事)만 탐

할 것이다. 대개의 경우 본사 부분은 「사미인곡」처럼 춘하추동의 시간적 순서로 하든가 「관동별곡」에서처럼 공간이동의 순서로 하든가 해서 몇 개의 단락으로 유기적 완결미를 갖도록 하는 방향으로 구성된다. 그런데 본사 부분은 「서왕가」를 비롯하여 전기가사의 대부분이 4 개의 단락으로 짜이는 것이 일반적이어서 서사 결사와 함께 모두 6개의 의미 완결 단위를 가지는 것이 가사 양식의 규범적 짜임새라 할 것이다. 「서호사」가 6결로 구조화되어 있다함도 이와 같은 서-본-결의 구조에 본사 부분이 공간의 이동을 따라 4개의 단락을 이루면서 유기적 완결미를 갖춘 가사의 일반화된 짜임새로 이해할 수 있다.

착(貪着)ᄒᆞ야 애욕(愛慾)의 즘겻ᄂᆞᆫ" "염불마ᄂᆞᆫ 즁싱들"을 독자(청자)[37]로 설정하여 작자인 선승의 인격적 목소리로 고도의 합리적이고 설득적인 미학적 짜임에 의해 감화가 가능하도록 서술되어 있으며, 「역대전리가」는 공민왕이라는 대면하기 가장 어려운 청자(독자)를 대상으로 왕업을 풍간(諷諫)해야 했으므로 그 목소리의 인격적 진지함과 논리적 설득력은 달리 설명할 필요가 없을 것이다.

가사는 이처럼 작자의 인격적 목소리로 발화하는 담론 특성을 가지므로 작자와 화자는 분리되지 않고 동질성을 갖는다. 즉 화자는 곧 작자라는 것이다. 그런데 가사가 발화의 중점을 어디에 두느냐에 따라 그 구체적인 담론 양상은 다르게 나타난다. 이를테면 화자 중심 발화는 화자의 의도를 드러내는 데에 주목적이 있으므로 '표현적 언어'로 '진지성'에 가치를 두는 담론 특성을 드러낸다. 「상춘곡」「면앙정가」 같은 강호생활을 읊은 가사나, 「사미인곡」「만분가」 같은 연군과 유배를 읊은 가사, 「태평사」「용사음」같은 전란의 현실과 비분강개를 읊은 가사 등이 이에 해당한다. 그리고 청자중심 발화는 청자를 설득하는 것이 보다 긴요하므로 '선언적 언어'로 '정당성'에 가치를 두는 담론 특성을 드러낸다. 「권선지로가」「오륜가」 같은 교훈가사가 대표적인 사례가 될 것이다. 지시 대상물에 중심을 두는 발화는 대상물을 알려주거나 설명하는데 주목적이 있으므로 '지시적 언어'로

---

37) 여기서 독자는 작품의 서술 수준(화자의 종교적 수행과정을 알레고리 형식으로 드러내는 등)으로 보아 종래에 흔히 이해하듯이 불교 '포교' 대상이 되는 고려말의 서민 대중(중생)이 아니라, 염불은 소홀히 하고 세속의 명리에만 눈이 먼, 그래서 '교화'의 대상이 되는 권문세족같은 당대의 권력 지식층으로 이해된다. 당시의 일반 서민 대중은 동량승이나 탁발승 등에 의해 화청 등의 방법에 의해 교화와 포교가 가능했겠지만, 불교를 말폐로 끌고간 권력층을 '교화'하는 데는 화청이나 염불 게송 등 구비성 佛歌로서는 불가능했을 것이다. 이러한 사정으로 나옹화상 혜근같은 이름 높은 禪師가 인격적 목소리로 說理하는 가사 장르의 창안이 요청되었을 것이다.

'사실성'에 가치를 두는 담론 특성을 드러낸다. 「관서별곡」「일동장유가」 같은 기행가사와 역사나 지리 풍물 등을 읊은 「역대가」「한양가」 등이 이에 해당한다. 전언중심 발화는 텍스트 자체를 향유하는데 주목적이 있으므로 '시적 언어'로 '탐미성'에 가치를 두는 담론 특성을 보인다. 12가사 같은 가창가사가 이에 해당한다. 이처럼 가사는 담론화 방향에 따라 그 운용하는 언어적 기능과 지향하는 가치가 다르므로 각기의 텍스트 성향에 맞게 가치평가가 이루어져야 할 것이다. 이를테면 정당성을 추구하는 청자 중심 발화 텍스트(교훈가사 등)를 놓고 시적 언어에 의한 탐미성 결핍을 지적하는 것은 옳지 않다는 것이다.

이 가운데 작자가 작품에 밀착되어 텍스트 고정성을 얻는 담론은 작자의 의도를 가장 진지하게 드러내는 첫번째 유형 곧 화자 중심 발화에 집중적으로 나타난다. 따라서 이 유형에서 제시된 작자는 실제 작자의 실명(實名)으로 보아도 문제가 없다. 나머지 유형의 경우도 전언중심 발화를 제외하고는 작자의 실명을 보이는 것이 원칙이다. 가사는 작자의 인격적 발화로 진술에 책임을 지기 때문이다. 그러나 조선 후기에 이르면 가사를 창작하거나 향유함에 있어서 여러 문화권의 다양한 접촉이 일어나게 되어 화자 곧 작자가 작품에 반드시 밀착될 필요가 없게 되어 작자를 상실하거나, 숨기거나, 빗대거나, 밝히지 않거나 함으로써 실명(失名), 익명(匿名), 의명(擬名), 무명화(無名化)되는 경우가 흔하게 나타난다. 작가의 실명화(失名化)는 가창가사에서 흔히 보듯이 작품이 작자를 떠나 향유집단에 공유될 때 일어나며, 익명화는 현실비판가사에서처럼 작자가 자신을 숨겨야 할 필요가 있을 때 의도적으로 나타나며, 의명화는 작자를 밝힐 필요성이 있음에도 불구하고 작자를 상실했을 때 그 텍스트와 관련이 있을 법한 인물로 작자를 상정하여 둘러대는 경우에 나타난다. 작자의 무명화는 종교가사나 규방가사에서처럼 가사가 타 문화권에 전이되어 양식 자체의 실제적 효용성 때문에 동질 집단에 향유되는 경우 작자를 굳이 밝힐 필요성이 거의 없게 되어 나타나는 현상으로 이해된다. 또한 시정의 불특정 다수 독자를 상대로 교훈하거나 알리거나 주장을 펴고자 할 때도 작자의 무명화로 나타난다.

가사가 작자를 떠나 향유집단의 공유물이 될 경우 세 가지 층위—작자, 제목, 텍스트—에서 착종현상을 보인다. 작자의 경우는 대부분 실명화(失名化)의 길을 가지만 작자를 굳이 밝힐 필요가 있을 때는 의명화되기도 해서 혼란을 야기한다. 「춘면곡」「환산별곡」 등의 작자 혼란이 그 대표적 사례라 할 것이다. 작품 제목의 혼란은 「환산별곡」이 「귀전가」「낙빈가」「은군자가」 등으로 지칭되는 데서 잘 나타난다. 텍스트의 혼란은 「강촌별곡」「낙빈가」「환산별곡」 등 가창으로 경사된 작품에서 각각의 이본들이 보여주는 사설의 혼란상에 잘 드러난다.[38] 이러한 혼란상은 가사를 향유하는 각 문화권의 담론 특성과 관계됨은 물론이다.

4) 맺는 말

지금까지의 논의를 통해서 우리는 가사의 본질과 담론 특성에 관련하여 다음과 같은 몇 가지 사항을 새롭게 밝힐 수 있었다.

먼저 가사의 제시 형식으로서의 본질은 가창과 완독의 중간 지점에 위치한 음영에 두어져 있어서 텍스트마다의 요구되는 상황에 따라 때로는 가창으로, 때로는 음영으로, 때로는 완독으로 다양하게 실현됨을 밝혔다. 그리하여 전기가사의 제시형식을 가창으로만 고정시키거나, 가사의 역사적 전개를 가창에서 음영으로, 음영에서 완독으로 음악성과 멀어져 갔다는 도식적 이해를 시정하고자 했다. 그 과정에서 우리의 시가문학을 기록하고 보는 문학과 부르고 듣는 문학의 양분체

---

38) 이러한 착종상에 대하여는 성무경, 「가사의 가창전승과 착간현상」, 앞의 책에서 「환산별곡」을 중심으로 자세히 다룬 바 있어 참고가 된다.

계로 이해할 때의 문제점을 지적하고, 거기에다 볼 거리와 들을 거리로서의 양가성을 가진 음영문학의 독자적 영역을 추가하여 3분체계로 이해하는 것이 실상에 맞을 것임을 제안했다. 그리하여 시조는 들을 거리로서의 가창성이 본질이고, 한시는 볼 거리로서의 완독성이 본질이며, 가사는 볼 거리와 들을 거리의 양가성을 가지면서 양쪽으로 전환이 가능한 음영성이 본질임을 규명코자 했다.

다음으로 가사의 텍스트 실현 양상은 가사의 본질태에 맞게 '가사(歌辭)'로 실현되는 경우가 가장 중심이 되고, 그것이 가창문화권으로 이끌릴 때 '가사(歌辭)의 가사화(歌詞化)'가 이루어지고, 타문화권으로 전이될 때 '가사(歌辭)의 가ᄉᆞ화'가 이루어져 크게 세 가지 방향으로 정리된다. 가사는 또 4음 4보격 연속체라는 특유의 안정된 율문에 의해 '정감과 사유의 조화'가 이루어지는 진술 특성을 보이는데, 송강가사 같은 걸작은 정감과 사유의 '절묘한' 조화로 실현되고, 사대부 중심의 풍류방 문화권에서 가창으로 경사되어 향유되는 작품에서는 사유보다 정감에 기울어지는 양상을 보이고, 사대부권 담론의 교훈가사나 기행가사, 규방문화권 담론의 계녀가류, 종교문화권의 신앙담론에서는 정감보다 사유에 비중을 두는 경향을 보인다. 또한 가사는 발화의 중점을 화자에 두느냐, 청자에 두느냐, 지시대상물에 두느냐, 텍스트 자체에 두느냐에 따라 그 언어적 기능과 지향하는 가치가 다름을 살필 수 있었다.

가사의 담론 양상은 그것이 실현된 문화권에 따라 좀더 면밀한 천착이 필요하나 여기서는 지면관계로 대체적인 흐름만을 지적하고 후일을 기약하기로 한다.

2. 잡가의 생성기반과 장르 정체성

1) 머리말

우리의 시가사에 등장한 장르 가운데 아마도 잡가만큼 혼란스러워 보이는 시가는 없을 것이다. 그 발생적 근원의 면에서나 형식적인 면에서 그리고 언어 표현면에서도 잡연하기가 이를 데 없다. 그런 까닭으로 시가 연구의 초창기에는 잡가의 장르 규정이나 범주 설정에서조차 혼란을 보여 가사의 하위 갈래로 보거나,[39] 민요의 범주 속에 귀속시켜 다루기도[40] 했던 것이다. 그러다가 정재호의 선구적 업적[41]과 이규호, 최성수, 하희정, 이노형, 최원오, 손태도 등에 의한 후속적 연구[42]에 힘입어 잡가를 가사나 민요와는 다른 독자적 장르로 거듭 확인하게 되고 그 과정에서 잡가의 범주 설정과 유형적 특성 및 담당층에 관한 논의가 활발하게 이루어졌다. 그러나 장르 규정의 방법과 범주 설정의 기준이 논자에 따라 서로 달라서 잡가의 장르적 속성이나 범주를 잡는데 있어서 만족할 만한 합의점이나 통일된 기준을 확정하기가 아직도 쉽지 않은 실정에 있다. 그만큼 잡가 작품 자체가

---

39) 조윤제, 『조선시가의 연구』, 을유문화사, 1954.

40) 이병기, 『국문학개설』, 일지사, 1973.

41) 정재호, 「잡가고」, 『민족문화연구』 6집, 고려대 민족문화연구소, 1972.

42) 이규호, 「잡가의 정체」, 『한국문학사의 쟁점』(장덕순 외), 집문당, 1986.
최성수, 「잡가의 장르적 성향과 수용양상」, 성균관대 석사학위논문, 1986.
하희정, 「잡가의 장르적 성격」, 이화여대 석사학위논문, 1986.
이노형, 「잡가의 유형과 그 담당층에 대한 연구」, 서울대 석사학위논문, 1987.
최원오, 「잡가의 교섭갈래적 성격과 그 이론화 가능성 검토 시론」, 『관악어문연구』 19집, 서울대 국어국문학과, 1994.
손태도, 「잡가의 시가사적 의의에 대하여」, 한국고전문학회 발표요지, 1996. 12.

잡연성을 보였던 것이다.

그런데 최근에는 이러한 장르론적 관심에서 한 걸음 나아가 잡가를 근대로의 전환기 혹은 근대초기의 대중가요의 시초로 보고 그 특유한 성격으로 통속성 혹은 대중성에 초점을 맞추어 그것이 어떠한 양태로 드러나 있는가에 대한 논의가 활발하게 진행되어,[43] 잡가의 정체성 해명에 보다 진전을 보이게 되었다. 그러나 여기서도 그러한 특성이 잡가 사설의 작품화의 원리나 언어적 표현의 원리와 긴밀하게 밀착되지 않은 감이 있어 잡가의 정체 해명에 미흡한 면을 보인다. 다만 최근에 성무경이 잡가 「유산가」의 형성 원리를 통해 잡가의 작품화 원리의 일단과 장르적 속성을 이해하는데 크게 이바지하고 있어[44] 주목된다. 그러나 논의의 폭을 특정 작품에 한정하고 있어 잡가 일반의 원리나 장르적 속성으로 인정되기엔 아직은 미흡하다 하겠으므로 앞으로 검증해야 할 과제로 남아 있는 셈이다.

본고는 이러한 선행 논의에 힘입어 잡가를 잡가답게 하는 특성은 언어표현 곧 사설의 특성에 있다고 보고 그 사설의 특징이 어떠한 원리와 상황에 의해 잡가적 담론으로 작품화되는가에 초점을 맞추어 잡가의 정체성을 해명해 보고자 한다. 이러한 작업은 구비성과 기록성의 관련을 통하여 수행될 것이다. 그 과정에서 언뜻 보아 혼란스러울 정도로 잡연해 보이는 잡가의 성격과 그에 관련된 여러 문제들이 자연스럽게 해명되기를 기대해 본다.

---

43) 이노형, 「한국근대 대중가요의 역사적 전개과정 연구」, 서울대 박사학위논문, 1992.
박애경, 「조선후기 시가 통속화 양상에 대한 연구―잡가를 중심으로」『연세어문학』 27집, 1995.
고미숙, 「20세기초 잡가의 양식적 특질과 시대적 의미」, 『창작과비평』 89호, 1995.

44) 성무경, 「잡가 〈유산가〉의 형성원리에 대하여」, 『강신항박사정년기념 국어국문학논총』, 태학사, 1995.

2) 잡가의 생성기반과 담론 특성

굳이 꼼꼼히 분석해 보지 않더라도 잡가의 사설은 그 언어적 진술에 있어서 구술문화에 기초하는 구비성과 문자문화에 기초하는 기록성을 함께 갖고 있는 혼재된 작품군으로 보인다. 그런 점에서 잡가는 구비성과 기록성의 여러 특징들을 공유한다고 볼 수 있을지 모른다. 이는 잡가가 문자문화 주도 시대에 도시를 중심으로 하는 연행 공간에서 구술로 연행되어 향유되었기 때문일 것이다. 그러나 잡가는 어디까지나 청중을 상대로 주어진 텍스트 없이[45] 직접 연행하는 공연

45) 여기서 주어진 고정된 텍스트가 없다는 말은 잡가의 대부분이 특정 작가에 의한 창작 텍스트가 아니라는 특성을 지적한 것이다. 잡가 중에는 「금강산타령」을 비롯하여 유명한 잡가 명창인 최정식에 의해 창작되었다는 「풍등가」와 같은 개인 창작에 의한 작품도 있다고는 하나 이것 역시 전문 잡가꾼에 의한 창작이고 극히 예외적인 현상에 지나지 않는다. 잡가는 원칙적으로 주어진 텍스트 없이 전문 소리꾼이 기존의 여러 사설(예를 들면 선행하는 다른 텍스트의 잡가를 비롯하여 시조, 사설시조, 가사, 판소리, 고소설, 판소리단가, 한시 등에 이르기까지 장르를 초월하여) 가운데 유형화된 수사적 표현단위들을 주어진 상황이나 주제소(theme)에 맞게 끌어다 활용하는 방식으로 사설을 엮어나가는 까닭에 개인 창작으로서의 작가성이나 작품성(대본)을 확고히 갖추었다 하기 어렵다. 따라서 잡가는 창작 사설로서의 작품의 유기적 긴밀성을 확보하지 못하는 경우가 대분분이고, 작자의 생각이나 정서를 드러내는데 초점을 둔 텍스트라기보다는 수요자의 정서와 감흥을 자극할 수 있는, 그리하여 흥행에 성공할 수 있는 텍스트를 만들어야 하는 까닭에 기존의 여러 흥미와 관심을 자극하는 사설들을 바탕으로 조합하여 엮어짜는 방식으로 텍스트가 만들어지는 것이 바로 잡가의 담론 특성인 것이다. 잡가의 이러한 담론 특성을 고려하지 않고 작가성과 작품성을 확고히 하는 개인 창작의 텍스트와 동일 지평에 놓고 바라보면 노랫말의 유기적 긴밀성이나 형식의 구조적 정제성 혹은 완결성을 갖지 못하는 까닭에 일종의 전위시(?)라 해야 하지 않을까라는(고미숙, 앞의 논문, 125면) 적절치 못한 진단까지 나오기도 한다.

예술이라는 점에서 기본적으로 그 담론화의 특성에 있어서 구비성을 바탕으로 하고 있음은 자명하다. 기존의 연구에서 잡가의 텍스트화 원리를 구비적 작시법에 맞추어 극히 부분적으로나마 논의할 수 있었던 것[46]은 이러한 면에서 볼 때 당연한 것이었다. 그렇긴하나 잡가의 연행이 기본적으로 구비성에 입각한다 하더라도 그것이 곧바로 구술문화 본래의 순수성을 견지하는 담론인가는 좀더 세밀한 천착이 필요할 것이다. 순수한 구비성 담론과, 문자문화의 기록성 담론이라는 당대의 지배문화의 담론을 포용하는 구술성 담론과는 아무래도 차이를 가질 것이기 때문이다.

잡가의 담론 특성을 명백히 규명하기 위하여는 무엇보다 그것이 생성된 기반에 대한 천착이 선행되어야 할 것이다. 즉 잡가의 담론 특성에 결정적 영향을 미칠 컨텍스트로서의 연행 환경, 잡가의 담당층이라 할 연행의 주체와 수용자층의 특성, 그리고 이들 사이의 관계문제를 비롯하여 작품의 제시형식, 작시 방법이라 할 사설 엮음의 방법 등이 담론화에 결정적으로 관계되는 잡가의 생성 기반이 될 것이다.

잡가의 연행 환경은 작품이 생성되는 컨텍스트를 이루기 때문에 그 중요성은 말할 필요가 없을 것이다. 그런 면에서 우리의 관심은 우선 잡가가 어떤 음악적 성격을 띠고 연행되었을까에 놓인다. 국악을 연구하는 쪽에서는 잡가를 민요, 타령, 판소리 등과 함께 민속악으로 분류하고 있다. 그런데 민속악이란 용어가 전통사회의 기층민중의 음악이란 의미로 통용된다면 잡가를 민속악으로 귀속시키는 것은 문제가 있는 것으로 보인다. 잡가를 민속악의 범주에 넣으려면 아(雅)/속(俗)의 2분체계 곧 상층의 고급음악(아악 혹은 정악)과 하층의 민중음악이 병립하여 존재하던 임병 양란이전의 중세적 질서가 확고하던 전통사회에서나 적절성을 가질 것이기 때문이다. 그러나 잡가는 주지

46) 최재남, 「구비적 측면에서 본 시조의 시적 구성방식」, 서울대 석사학위논문, 1983.

하다시피 중세적 전통 사회 문화가 견지되는 이러한 양분체계의 산물이 아니라 17, 18세기 이래로 여항·시정을 중심으로 새로운 문화기류가 형성되어 발전함으로써 상층문화와 하층문화라는 양분체계에서 시정문화(혹은 여항문화)를 추가하는 3분체계로 전환하게 된 사회문화적 변화의 기류와 관계된다. 즉 새로이 성립된 시정문화에는 상층의 고급문화적 담론과 하층의 민속문화적 담론이 섞여 들어와 아/속의 본래적 순수성을 상실하고 뿌리도 없는 잡연한 문화가 판을 치게 되는 그런 문화 상황의 변화와 관계되는 것이다. 이 시기의 이런 문화 상황을 특히 연행문화의 경우 잡스럽다고 개탄하고 그 뿌리 없음을 지적하는 것은 시정문화가 더 이상 상층문화의 진지한 우아함을 그대로 받아들이거나 하층문화의 순수한 소박함을 그대로 포용하지는 않고 있음을 지적함에 다름 아닌 것이다. 이는 시정문화가 아/속의 어느 쪽에도 소속되지 않는 제 3의 문화로서의 독자성을 갖는 것임을 분명히 한다. 따라서 시정문화의 텍스트에서 고급문화의 창조성이나 개성, 혹은 독창성을 기대하는 것은 문제이며, 마찬가지로 거기서 민속문화의 민중성이나 공동체 의식을 찾아내려 하는 것도 문제가 아닐 수 없는 것이다.

17, 18세기에 여항의 시정문화가 새로이 등장한다 하여 곧바로 잡가라는 새로운 장르가 등장하는 것은 아니다. 시정문화가 점차 난숙해감에 따라 처음에는 아/속 문화의 변질된 모습이 음악문화의 경우 잡가가 아닌 것을 잡가로 인식하는 사례로 나타난다. 이를테면 하층의 민속음악에 해당하는 판소리나 타령을 잡가로 지칭하는 것은 물론이고 상층의 고급음악으로 분류되는 정가에 해당하는 시조와 가사를 잡가로 지칭하기에 이르는데 이는 시정문화의 공간에서 그러한 음악이 연행되고 있음과 관련되는 것으로 보인다. 그 사례를 들면 『동가선(東歌選)』에서 234수의 일반 시조를 성조(聲調)에 의해 분류하면서 이전까지만 해도 부동의 고급음악 장르였던 시조 가운데 특정의

시조 3수를 별도로 다루면서 이 시조와 「장진주」를 한데 묶어놓고 잡가라 하여 책 끝에 실어 놓는다든지,[47] 유만공의 「세시풍요」(1843)에서 가곡창을 파하고 「춘면곡」 「황계타령」 「백구사」 등의 가사창으로 이어지자 그것을 잡가로 인식한다든지, 윤달선의 「광한루악부」(1852)에서 판소리를 잡가로 지칭한다든지 하는 현상 등이 그것이다. 이러한 연행 공간의 변화는 나아가 상층의 전아한 고급음악의 일부가 시정문화적 요구에 부응하는 인기 레파토리로 채택되어 변질되고, 마찬가지로 하층의 순수한 민속음악의 일부도 시정문화로 향유되면서 그 본래의 모습이 변질되고 있는 사정을 말해주는 것이 될 것이다.

물론 여기에는 상층문화적 시각에서 볼 때는 정통의 고급음악인 가곡에 비하면 시조(시조창을 지칭)나 가사는 격이 낮은 음악이라는 의미를 갖는 것이지만 사대부층의 저술물에서도 잡저(雜著), 잡영(雜詠), 잡기(雜記), 잡록(雜錄) 등의 용어를 흔히 사용하는 것으로 보아 일정한 정통적 체재를 따르지 않는 다양한 모습을 띠는 것이라는 정도의 의미를 갖는다고 볼 때 잡가의 초창기 개념은 저속하다는 의미로서 보다는 가곡창과 같은 본류적 정통성을 갖지 않은 음악이라는 의미 정도였을 것으로 판단된다. 12가사 계통의 가창가사를 초창기에 잡가라 지칭한 것은 그런 기의(記意)로서의 기표였던 점에 유의해야 할 것이다.[48] 뒤에 12잡가가 가사라는 정악의 품위를 어느 정도 흡수할 수 있었던 것도 그 초기의 형성이 12가사에 맥을 대고 있기 때문이다. 정현석의 『교방가요』(1872)에 실은 가요의 종목에도 우조, 계면, 잡가, 시조 순으로 배열하고 있는데, 여기서 우조 계면은 가곡, 잡가는 가사, 시조는 시조창을 지칭하고 있음도 이러한 맥락이라 하겠다.

---

47) 誠巖學人 편, 『시조자료집성』, 239~240면 참조.

48) 그렇긴 하나 12가사 계열의 가창가사도 19세기 후반 잡가의 본격 등장 시대에 이르면 잡가와의 경계가 불분명할 정도로 정통성에서 이탈하여 12가사로의 레파토리가 확정되면서 일부는 잡가화하는 양상을 보인다.

여기서 시정문화의 변질의 방향은 시정인들의 기호와 취향에 보다 더 부응하는 지향이 될 것이고, 그것은 곧 보다 통속화를 강화하는 방향이 될 것이다. 이러한 사정을 「춘면곡」에서 볼 수 있다. 유만공의 「세시풍요」(1843)에 보이는 "고조(古調)의 「춘면곡」은 지금 부르지 않으니 ……"라는 대목에서 고조의 「춘면곡」을 확인할 수 있고, 홍한주의 『지수염필』(1863)에서는 「춘면곡」의 작자를 숙종(1674~1720 재위) 때에 교리(校理)를 지낸 나학천(羅學川)이라 하고 있다. 그리고 이하곤(李夏坤 : 1677~1724)의 문집 『두타초(頭陀草)』의 「남유록(南遊錄)」편에 시조별곡(時調別曲)이라 하여 소개되고 있는 「춘면곡」은 작자가 이희징(李喜(羲)徵 : 1587에 나서 87세(1673)에 생원이 됨. 몰년은 미상)이라 하고 있어 그 원작자가 이희징인지 나학천인지 확실히 알 수 없지만 그보다 중요한 것은 이하곤이 1722년에 장흥 보림사와 수인사, 남원의 광한루 등지에서 기생과 맹인(盲人) 등이 부르는 「춘면곡」을 듣고 너무 구슬퍼 눈물을 흘렸다는 것이고 그곳 호남인들은 시조별곡이라 일컬었다는 점이다.[49] 뿐 아니라 「춘면곡」은 각종 가집에도[50] 실려 있는데 그 가운데 『해동유요』(순조 30년, 1830

49) 이러한 내용의 소개와 아울러 「춘면곡」의 작자를 이희징으로 보는 견해는 이상주, 「춘면곡과 그 작자」 『정종복박사 화갑기념논문집』, 1990을 참조.

50) 「춘면곡」이 실린 가집은 『해동유요』 『파수가』 『남훈태평가』 『악부』(高大本) 『아악부 가집』등 6종에 이르는데 가집에 따라 노랫말에 차이를 보인다. 이 6종의 가집에 실린 텍스트의 차이에 대해서는 강전섭, 「傳羅以端作 춘면곡에 대하여」 『박준규박사 정년기념논문집』, 전남대출판부, 1998을 참조. 강전섭은 이 글에서 『해동유요』에 실린 것을 최선본이라 하고 각 가집에 실린 이본을 대교하여 교합본을 제시하고 있는데 이러한 교합본은 그다지 큰 의미를 갖는다 하기 어렵다. 각 이본의 존재는 「춘면곡」이 구비가창 연예물로서 그 나름의 개성을 갖고 공연되었음을 의미하는 텍스트로서의 실상을 보여주기 때문에 이본 나름의 존재의미를 가지므로 교합본이 재구되어야 할 필요는 없다고 본다. 그리고 이에 앞서 『해동유요』에 실린 「춘면곡」에 대하여는 이혜화, 「해동유요 소재 가사고」, 『국어국문학』 96호,

에 필사된 것으로 추정됨)라는 가집에는 작자를 생몰연대 미상의 나이단(羅以端)으로 적어놓았다고 한다. 이들 자료를 신빙하여 감히 추정해 본다면 「춘면곡」의 원작자는 시대가 가장 앞선 이희징으로 보이며, 그 뒤에 나학천에 의해 개작되어 시정에 유포되고 이 때 시정인의 취향에 맞게 시조별곡(이것은 시조나 별곡과는 아무런 관련없는 시정의 새로 유행되는 별도의 곡이란 뜻으로 보임)으로 악곡이 변화되어 시정인에게 향유되었음을 알 수 있다. 나이단이란 인물은 혹시 나학천과 동일 인물일 가능성이 있으며(이 경우 하나가 본명, 다른 하나가 별호일 수 있음) 다른 인물이라 하더라도 나학천처럼 이희징에 의해 창작된 고조의 「춘면곡」을 새로운 신조로 바꾼, 그리하여 사설도 그에 따라 다소 변화시킨 인물로 추정해 볼 수 있겠다. 그렇다면 이러한 인물의 존재는 「춘면곡」이 시정문화의 가창연예물의 한 레파토리로 지속적으로 향유되면서 대중성을 획득해 간 과정을 보여준다고 하겠다. 즉 그 유행의 요인은 노래의 사설이 감상성을 자극하는 최루물로 인식되었기 때문[51]이며, 악곡이 또한 그에 부합되게 새로이 변주된 유행곡(시조별곡)으로 붙혀짐으로 해서 적응해 갔음을 알 수 있는 것이다.

그러나 시정인의 취향은 끝없이 새로운 자극을 요구하기 때문에 어제의 신곡(당시에는 시조별곡, 시절가조, 新飜, 신번곡, 新調, 新聲, 시조, 今調 등으로 다양하게 지칭하고 있음을 참고할 것)이 오늘의 고조(古調)가 되고마는 사정을 이해할 때 19세기의 「세시풍요」에서 부르지 않게 된 고조의 「춘면곡」은 18세기에 시조별곡으로 유행했던

1986에 소개된 바 있는데 이 논문에 따르면 작자가 羅以端(연대 미상)으로 명기되어 있다고 한다.

51) 이에 대해 강전섭은 "斷腸美人의 일시적인 추파가 사나이의 간장을 녹이는 애절한 심정을 구상화함으로써 離別相思에 대한 인정의 기미를 가시적으로 극대화시켜 놓은 悲愴曲"이라 했다. 앞의 논문, 19면.

그 「춘면곡」(이하곤이 호남지방을 유람했을 때 향유했던)이었을 것임을 쉽게 추정할 수 있다. 따라서 19세기 후반 이후에 12가사로 노래된 「춘면곡」은 이하곤이 감상했던 고조가 아닌 새로운 시대의 유행에 맞춘 잡가로 인식될 만큼 상대적으로 변질된 가창가사로 보아야 할 것이다.[52)]

음악문화의 경우 이렇게 끝없이 새로운 자극을 요구하는 시정인의 취향에 부응하기 위하여는 기존의 악곡이나 사설들을 고수하기보다 그것을 새롭게 변화 혹은 변주시키는 방향이 필연적이었을 것이다. 17, 18세기에 시정인의 이러한 요구는 상대적으로 소규모 혹은 국지적인 수준이었기에 이 시기에 음악문화를 새롭게 주도해나가던 전문가객이나 그들의 후원자였던 좌상객의 양반사대부층의 활동으로도,[53)] 그리하여 상층의 고급음악을 시정의 음악으로 변화시켜 레파토리를 다양화하는 것으로도 상층문화적 취향의 시정인에게는 충분히 감당할 수 있었다. 가곡창의 여러 변주곡이 다양하게 나오고 시조창과 가사창이 시정에서 새로이 부상하게 되는 모습, 특히 만횡청류와 같은 사설시조의 성행에서 그것을 감지할 수 있다. 그리고 하층문화 취향의 시정인에게는 18세기에 전통 연행 집행기관이었던 산대도감의 폐지에 따라 음악 예술인들이 떠돌이 예인집단이 되고 한편 농촌의 이농현상으로 떠돌이가 된 농민들, 당대 최고의 예인 집단인 신청(神廳 : 재인청) 출신이 광대패가 되고 또 사찰과 관련을 맺으면서 사당패, 걸립패, 중매구패가 되어 장시, 시전, 조창 등 상업발달 지역을 떠돌면서 자신들의 예능을 수단으로 살아감으로써[54)] 이들이 연

---

52) 실제로 현재까지 이어져 내려온 「춘면곡」은 서도가락으로 불려지는 새로이 변화된 곡이라 한다.

53) 이세춘, 송실솔, 유학중 같은 전문 가객과 이정섭(마악노초), 서평군, 심용 같은 후원자의 활동을 떠올리면 될 것이다.

54) 노동은, 『한국근대음악사』 1, 한길사, 1995, 180~181면.

행하는 타령, 유행민요로서 충족할 수 있었다. 따라서 19세기 전반까지는 이들의 음악적 활동으로 시정문화의 음악적 욕구를 어느 정도 충족할 수 있었던 것이다.

그러나 19세기 후반에서부터 20세기로 넘어오면 사정이 달라진다. 1860년대부터 경제적으로나 사회 문화적으로 자생적 근대화의 여러 징후가 현저하게 나타난다는 점은 차치하고 음악문화면으로 보더라도 1863년에 시조창 대본인 『남훈태평가』가 순한글 방각본으로 발간됨으로써 고급음악의 대중화가 본격적으로 이루어지고(그동안의 가집들이 주로 필사본으로 이루어져 왔다는 것은 그 수량적 한계로 하여 향유층이 소규모 내지 국지적일 수밖에 없으나 방각본으로 인쇄되었다는 것은 향유층이 시정의 국지적 규모가 아니라 도시적 규모로 폭넓게 확대되었음을 의미한다), 다른 한편으로는 신청음악의 대중화로[55] 기층 민중의 음악도 도시의 흥행예술로 폭넓게 향유됨으로 해서 음악 사회에 커다란 전환이 일어나게 되었다. 이러한 음악 사회의 변화에 따른 향유층의 대규모적 욕구를 시정을 중심으로 활동하던 전문가객이나 신청재인 출신의 유랑예인집단이 감당하기에는 역부족이었다. 이에 19세기 후반의 이러한 변화에 힘입어 이른바 잡가꾼이라 할 전문적인 소리패가 도시의 유흥공간을 중심으로 등장하기에 이르고, 이들에 의해 잡가라는 새로운 장르가 이러한 음악문화적 욕구를 충족시켜 나가게 되었던 것이다.

여기서 17, 18세기 이래의 '여항 및 시정문화'의 기류와 19세기 후반이래의 '도시문화'의 기류를 구분하여 접근하는 것이 잡가의 생성기반을 이해하는데 요긴함을 알 수 있다. 종래에는 이러한 연행환경의 변화(시정문화에서 도시문화로)에 소홀했기 때문에 잡가의 독자성(獨自性)을 설명하는데 있어 미흡한 감을 주었던 것이다. 즉 음악

55) 노동은, 앞의 책, 149면 이하.

문화의 면에서 볼 때 하나가 '전문 가객'이나 '유랑예인'을 중심으로 '여항의 시정문화'를 바탕으로 생성 전개되었다면, 다른 하나는 '전문 소리패'나 '붙박이 예인'을 중심으로 '도시의 대중문화'를 바탕으로 생성 전개되었다는 차별성을 분명히 해야 한다는 것이다. 전문가객이나 유랑예인이 주도하던 시정문화 기류 속의 음악문화는 전문가객이 시정의 새로운 취향을 능동적으로 반영하면서도 고급음악의 지평 속에 놓인다는 자부심에서 자유롭지 못했기 때문에 그들이 19세기 후반이래의 대중의 취향을 충족하는 방향과는 거리를 가질 수밖에 없었으며, 유랑예인들은 노래보다는 기예를 중심으로 시정인이나 대중을 상대했기 때문에 역시 도시 대중의 음악적 기호를 충족하는데는 한계가 있었다. 이에 비하여 붙박이 예인[56]은 유랑예인과 달리 노래 자체를 전문 혹은 반전문으로 하는 데다가 그들 음악의 뿌리가 민속음악에 있었기 때문에 고급음악의 견인으로부터 자유로울 수 있었다.

19세기 후반이래 등장한 이들 붙박이 예인을 중심으로 한 잡가꾼이야말로 도시의 대중을 상대로 "잡가시조 듣기 좋다"(「한양가」, 1844)라는 연행환경의 변화기류[57]에 호응하여 본격적으로 등장하기에 이

56) 붙박이 예인이란 뚝섬 놀량패, 평양 날탕패, 과천 방아다리패, 한강패, 왕십리패, 용산 삼개패 등 선소리패들이 중심이 된다. 이들은 유랑예인집단인 사당패에게서 「산타령」등을 배워 잡가(선소리)로 발전시켰다고 한다. 이들의 영향관계에 대하여는 한만영, 『한국전통음악연구』, 풍남, 1991, 123~148면 참조.

57) 이 작품에 나오는 문제의 '잡가시조'를 기존 논의에서는 말 그대로 잡가와 시조를 지칭하는 것으로 흔히 이해해 왔는데 이는 잘못으로 보이며 잡가도 시조도 아닌 '잡가 스타일의 새로운 유행곡'이란 말로 이해해야 할 것이다. 왜냐하면 지칭 순서에서 당대의 관습인 시조잡가라 하지 않은 점과 그보다 본격적인 잡가 작품이 처음으로 등장하여 지칭되기는 문제의 「한양가」보다 19년이나 뒤에 나온 『남훈태평가』에서 겨우 「소춘향가」 1수를 찾을 수 있는 정도로 아직 잡가가 등장하지 않고 12가사에 해당하는 몇몇 가창가사를 잡가로 지칭하던 시기에서 벗어나지 않으므로, 이 시기에 실제 잡가를 향

른다. 실제로 「한양가」에서 인용한 대목에 「춘면곡」, 「처사가」, 「어부가」 등 12가사에 해당하는 노래 6편을 들고서 잡가라 칭하고 있는데 이 또한 잡가 스타일의 노래에 대한 당시의 음악문화 수요자의 욕구를 잘 반영하고 있는 현상으로 이해된다. 해당 대목에 등장하는 「황계사」나 「매화가」 같은 당대에 새로 유행되는 12가사의 작품은 잡가에 귀속시켜도 좋을 만큼 노랫말에서나 악곡에 있어서 잡가와 차별성을 갖지 않는 지경까지 나아가고 있음에서 알 수 있다.[58] 『남훈태평가』(1863)에서도 가사부(歌詞部)와는 별도로 잡가부(雜歌部)를 따로 설정하고 여기에 12가사에 해당하는 「백구사」, 「매화타령」을 12잡가에 해당하는 「소춘향가」와 함께 나란히 수록하고 있는데 이는 책을 만든 이가 잡가와 가사를 구분할 줄 몰라서라기 보다는 당시의 대중이 그것들을 가사가 아니라 잡가로 인식하고 있음을 반영한 것으로 이해하는 것이 옳을 것이다. 이러한 변화기류는 잡가를 상업적 수단으로 하는 흥행물로 인식하는 도시의 대중문화 기류와 깊이 관련된다. 시정문화에서는 연행의 대가로 지불하는 소리채 정도로 인식되던 것이 영리를 목적으로 하는 흥행의 수입으로 인식되기에 이른 것이 잡가를 생성케 한 기반인 것이다. 1910~1920년대에 광무대, 연흥사 등의 대중용 공연장이 개설되자 잡가가 인기 레파토리로 흥행될 수 있었던 것도 이러한 상업적이고 유흥적인 도시 대중적 성향 때문임은 물론이다.

유했다고 보기는 어렵기 때문이다. 잡가라는 용어가 이러하므로 그에 접미사격으로 붙은 시조라는 용어도 시조창으로 보기 어렵고 이하곤이 「춘면곡」을 들을 때 '시조별곡'이라 했던 용례처럼 당대에 새로이 유행하는 가창가사의 新調라는 의미로 보는 것이 타당할 것이다.

58) 「황계사」나 「매화가」를 흔히 12가사 가운데서도 격이 낮은 것으로 인식되어 「황계타령」 「매화타령」이라 하여 타령이라 지칭하는 점에 있어서도 잡가와의 친연성을 짐작할 수 있다. 특히 「매화가」는 「수양산가」와 함께 악곡마저도 잡가의 창법으로 일관하고 있다 한다. 이에 대하여는 장사훈, 『국악총론』, 정음사, 1976 참조.

따라서 잡가는 일단 도시의 대중이라는 대규모의 청중 앞에서 흥행에 성공할 수 있는 음악적 세련성과 전문성을 갖추어야 하고 또한 대중의 취향에 영합하고 호기심을 끝없이 자극해야 하는 요건을 갖추어야 한다. 이는 고급문화의 지나친 엄숙성 혹은 진지성이나 하층문화의 지나친 순수성 혹은 소박성으로는 흥행에 성공할 수 없음을 의미한다. 잡가의 이러한 작품외적 생성 조건은 고급문화의 취향에서 자유롭지 못한 전문가객이나 하층문화의 취향에서 자유롭지 못한 유랑예인의 한계를 동시에 극복할 수 있는 위치에 놓인 잡가꾼에 의해서 작품으로 실현될 수 있음을 의미한다. 따라서 잡가의 장르적 속성이나 작품성격은 이들 잡가꾼이 도시 대중의 취향에 어떠한 방식으로 부응하느냐라는 작품화 원리에 의해서 결정될 것이다.

잡가를 담당한 전문적 소리패, 즉 잡가꾼은 크게 두 부류로 가닥을 잡을 수 있다. 가곡, 가사, 시조의 고급문화 장르에 익숙하고 이러한 역량을 통해 12잡가(좌창의 긴잡가)와 휘모리잡가, 그리고 서도잡가(서도좌창)를 생성 발전 파생시킨 추(秋) 조(曺) 박(朴)으로 대표되는 사계축 소리꾼과 그 계승자들(조기준→최경식→최정식으로 이어지고, 박춘경→박춘재로 이어지는 잡가의 사승관계를 상기하면 됨[59]) 그리고 이들과 함께 어울린 삼패기생[60] 계열이 그 하나이고—이들의 잡가를 좌창계열 잡가라 칭하기로 한다—, 다른 하나는 신청

59) 잡가의 사승관계에 대한 상론은 이창배, 『한국가창대계』, 홍인문화사, 1976 참조.

60) 일패 이패 기생인 官妓와 달리 이들 無名色의 삼패 기생들은 서민층인 사계축과 어울린 遊女들로서 가곡 등의 노래보다 격이 떨어지는 잡가를 주로 불렀고 광무대 등 공연장이 개설되자 紅桃, 康津 같은 잡가의 명창을 배출했다고 하며 1910년대 이후에 발간된 잡가집에는 이들이 즐겨 부른 잡가가 따로 모아져 실려 있기도 하다. 그러나 일패와 이패 관기들도 1909년에 관기 제도가 철폐되자 권번같은 민간 기생조직을 통해 잡가꾼을 선생으로 모시고 잡가를 익혀 그 담당층에 편입되기도 한다.

재인 출신에서 파생된 광대패, 사당패 등 유랑예인집단의 장마당 소리를 배워 경·서도 및 남도입창(선소리)으로 발전시킨 뚝섬 놀량패, 평양 날탕패로 대표되는 선소리패(붙박이 예인집단) 계열—이들이 부른 잡가를 입창계열 잡가라 부르기로 한다—이 그것이다.61)

이러한 두 계열의 노래가 20세기에 들어와 기방(妓房)에서, 혹은 협율사(1902~), 광무대(1903~) 등 연희장에서 공연되자 잡가의 상업적 흥행은 본격화되고 이러한 인기에 편승하여 1910~1920년대에 잡가의 인쇄화 음반화가 이루어져 잡가의 대중화가 가속화되었음은 잘 알려진 바다. 잡가의 향유층은 바로 이러한 도시의 유흥공간에 위치한 대중이었다. 이들 대중의 구체적 모습은 박효관이 『가곡원류』 발문에서 언급한 "뿌리도 없는 잡된 노래"가 장난질을 해대니 "귀천(貴賤)이 다투어 전두(纏頭 : 노래채)를 던진다"에 잘 드러나듯이 신분이나 지위의 고하 여부나 학식의 유무를 불문하는 불특정 다수의 군중, 곧 대중이라 할 것이다. 여기서 대중이란 개념은 숫적으로 다수라는 의미보다 귀천을 불문하는 '사회의 모든 계층'의 개입이라는 사실이 보다 중요하다. 따라서 대중에 유행하는 인기 음악이 되려면

---

61) 기존의 논의에서는 잡가의 성향만큼이나 상당히 잡연하게 파악하던 잡가 담당층의 가닥을 손태도, 앞의 논문에서 가객, 사당패, 기생, 광대의 노래와 관련한 네가지로 계통을 정리한 바 있음. 그러나 이처럼 네 가지 가닥으로 파악하는 것도 잡가의 두 가지 큰 흐름과 관련지을 때 다소 혼란스러움을 면치 못할 것이므로 이 글에서처럼 크게 두 가닥으로 계통지우는 것이 보다 선명하리라 생각된다. 가객이란 명칭은 『가곡원류』의 편자인 박효관이나 안민영같은 중인 가객층(이들은 오히려 잡가를 뿌리없는 잡스러운 노래라고 폄하하고 거리를 두었음)을 연상하기 쉬우므로 잡가 담당층인 사계축 소리꾼과 그 계통을 이은 전문 소리패를 지칭하는 용어로는 적절하지 않으며, 사당패나 광대 같은 유랑 예인 집단도 그들의 레파토리가 잡가꾼(특히 선소리패)들에 지대한 영향을 미치긴 했으나 그들 자신이 잡가 담당층은 아닌 것이다. 기생의 경우도 독자적 가닥을 인정하기 보다는 그들과 어울린 사계축 소리꾼과 연결해 이해하는 것이 보다 분명할 것이다.

사회의 모든 계층의 취향에 맞는 것이어야 함은 당연한 것이다.

3) 잡가의 사설에 실현된 구비성과 기록성

잡가꾼들은 노래를 흥행의 목적으로 불렀기 때문에 상업적 거래 혹은 거의 직업적 차원에서 잡가의 작품화가 이루어졌다. 따라서 한 사람의 작자로서 자신의 삶과 세계에 대한 생각이나 느낌을 표현하기 위해 작품을 창작했다기 보다는 실존하는 청중 앞에서 연행하는 공연자로서 그들 수요층의 취향과 욕구에 걸맞는 표현구들을 선행 텍스트에서 가져와 활용하여 재구성함으로써 작품을 실현화했던 것이다. 이런 까닭으로 그들은 원칙적으로 기록성에 입각한 창작이 가능한 시인적 소리패의 성격을 띠는 것이 아니라 흥행에 성공할 수 있는 여러 공식적 표현구들이나 주제소들을 기억에 의존하여 구비적으로 엮어 짜는 예인적 소리패의 성격을 띠었다. 잡가가 시조나 가사처럼 처음-중간-끝으로 이어지는 유기적 짜임을 갖지 못한다든가, 시조 및 사설시조의 종장이나 가사의 결구에 해당하는 작품의 마무리에 의한 완결성을 결여하고 있는 것은 이러한 구비성에 입각한 작품형성원리(기록문학으로 말하면 작시원리) 때문이다.

성무경이 잡가지수(雜歌之首)에 해당하고 비교적 유기적 짜임을 보여 기록적 창작성을 강하게 갖는 것으로 알려진 「유산가」를 분석해 본 결과 12개로 분단되는 작품 전체가 모두 당대에 공존했던 연행문학장르—시조, 사설시조, 가사, 판소리, 민요, 무가, 노랫가락, 고소설, 판소리계 소설, 한시—에서 발견되는 수사적 정형구(절)의 차용 혹은 수정, 변용으로 짜여져 있음을 확인하고, 「유산가」는 '춘경(春景)의 홍취'라는 주제에 이끌려든 12개의 단위를 갖는 수사적 정형구들이 집합하여 이루어졌다는 결론에 이르렀던[62] 것도 바로 이러한

62) 성무경, 앞의 논문 참조.

사설형성의 기반 때문이었던 것이다. 성무경은 또 잡가의 이러한 수사적 공식구들은 이를 최초로 표현한 작가의 의도와 그에 따른 1차적 정서는 표백되고 기억 속에 유형화되어 암기된 '단위정서'들을 재환기해 냄으로써 2차적 정서를 향하는 독특한 정서 감응 방식을 실현한다고 보고 이러한 원리는 다른 잡가에도 두루 실현되는 잡가의 장르적 속성일 것이라 했다.

잡가의 이와 같은 작품 형성 원리는 잡가에 나타난 구비성과 기록성을 해명하는데 있어 중요한 지침이 될 수 있다. 그리고 이를 바탕으로 잡가 실현의 중심원리로 작용하는 흥행의 목적성에 의한 대중화의 원리를 좀더 무게를 두어 감안할 필요성이 제기된다. 즉 잡가는 대중을 상대로 한 흥행을 위한 예술이므로 '단조롭고 반복적이며 예측할 수 있는 도식성과 말초적, 즉각적, 직접적인 자극성 사이의 역동적인 상호관계'[63]라는 '통속성'의 원칙을 지향할 것이라는 것이다. 즉 잡가의 작품 형성 원리의 대원칙은 '낯익은 것(진부성)을 자극하기(자극성)'에 따른다는 것이다. 대중은 깊은 사고에 의한 지적 통찰이나 윤리적 가치, 세상과 인간에 대한 심오한 비전을 제시하는 까다롭고 참신한 영역(기록성)을 지향하는 것이 아니라, 널리 애호되고 쉽게 접근할 수 있는 직접적이고 자발적이며 순간적 인상에 지배되기 때문에 자연스럽게 지극히 진부하고 도식적인 관습에 자신을 내맡기기를 선호한다. 그런 까닭으로 우선 문학적인 면(사설)으로나 음악적인 면(악곡)으로 12잡가의 경우는 12가사와 많은 유사성을 가지고,[64]

---

63) 박성봉, 『대중예술의 미학』, 동연, 1995.

64) 12잡가가 12가사와 많은 유사점을 갖는 것은 우선 12잡가의 장르를 생성하는데 결정적인 작용을 한 秋·曹·朴의 3인과 그 제자들이 모두 가곡, 가사, 시조의 대가들이고, 특히 12가사에 능했다는 점에서 긴잡가는 발생학적으로 12가사에 맥을 댈 수밖에 없는 필연성이 있었던 것이다. 그리하여 이 두 가지 장르는 장가체의 노랫말을 지녔다는 점, 독창을 원칙으로 하는 음악이라는 점, 실내악에 속하는 座唱이라는 점, 반주형태가 없이 장구장

휘몰이잡가의 경우는 사설시조와 많은 유사성을 가지며,65) 선소리패의 경·서도 입창이나 남도입창의 경우는 민요, 타령 등과 혼동될 만큼 가까워 낯익은 관습을 따름을 알 수 있다.

그렇지만 도식적이고 진부한 관습을 그대로 추수하기만 해서는 대중의 또다른 중심 취향이라 할 자극성을 만족시킬 수 없으므로 그러한 낯익은 관습에 끊임없는 자극을 가하여 작품화하는 방식을 취하게 된다. 이것이 잡가의 작품화 원리를 이루는 잡가만의 독특한 특성이라 할 수 있다. 즉 잡가의 작품화 원리는 한마디로 '낯익음을 자극하기'라 규정할 수 있다. 낯익음을 자극하기 위해서는 텍스트가 독창적이거나 개성적인 정교한 구조나 엄밀한 지시체계로 확고하게 굳어 있어서는 아니된다. 낯익은 것을 자극적인 것으로 전환하기 위해서는 촉수를 외향(外向)으로 뻗어서 선행 텍스트에서 진부하리 만치 낯익은 것을 자극적인 것으로 끝없이 재편해야 하는 것이다. 이는 텍스트의 내부 응집력을 통한 언어의 사유화(私有化)〔개성과 독창성의 바탕이 됨〕를 지향하는 기록성 담론과는 정반대의 성향을 보이는 것이고, 항시 언어의 보편성과 공동성(共同性)을 벗어나지 않는 순수 구비성 담론과도 상당한 거리를 갖는다고 하겠다. 즉 잡가의 '낯익음을

단만 치면서 부르는 隨聲伴奏의 노래라는 점(단, 가사연주의 경우는 대금 또는 피리와 같은 관악기의 반주가 따르는 경우도 있음), 악곡의 형식에서 모두 유절형식에 속하고, 그 중에는 규칙적인 후렴구를 갖는 악곡이 많다는 점 등이 공통적이거나 서로 유사한 면을 지닌 것으로 지적될 수 있다. 물론 긴잡가는 12가사에만 친연성이 있는 것이 아니라 판소리(특히 춘향가, 적벽가 등)나 유흥민요, 타령 등에도 일정한 친연성을 갖기도 한다. 이와 같은 다잡성이 잡가의 특성이자 대중을 자극할 수 있는 요소인 것이다.

65) 휘몰이 잡가를 사설의 친연성에 따라 사설시조의 두 유형, 즉 (1) 말 물어보자型과 (2) ~슬슬型의 계통을 이은 것으로 나누어 볼 수 있는데 「만학천봉」「병정타령」「기생타령」「육칠월」 등은 (1)유형에 속하고, 「곰보타령」「생매잡아」 등은 (2)유형에 속하는 것으로 볼 수 있다.

자극하기'라는 담론 특성은 '낯익음을 함께하기'—공유(共有)의 미학—에 기반하는 순수 구비성 담론과도, '낯익음을 낯설게 하기'—고립의 미학—에 기초하는 기록성 담론과도 변별되는[66] 그리하여 그 어느 쪽으로도 치우치지 않는 '통합의 미학'에 기반한다 하겠다.

물론 시조, 가사, 판소리, 타령 등도 통속화되면 이런 담론 경향을 보이나 잡가와 견줄 수준은 아니다. 이를테면 시조의 통속화[67]는 『남훈태평가』같은 방각본 시조집의 출간과 사설시조의 변화 양상에서 그 모습을 드러내 보이고, 가사는 가창가사의 대중적 활성화의 과정으로 12가사로 레파토리가 짜여져가는 과정으로 나타나고, 판소리는 12마당에서 8마당 혹은 6마당으로, 나아가 5마당으로 선별적으로 애호되고 정착되는 과정에서 대중적인 통속화의 과정을 보이고,[68]

---

66) 순수 구비성 담론은 화자와 청자가, 즉각적이고 직접적인 교류와 소통을 전제로 하기 때문에 발화 현장에서 일어나는 어떠한 전언이나 언표도 청자와의 공감대를 형성할 수 있는 것이어야 하므로 공유의 미학에 기반하지 않을 수 없음에 반해, 기록성 담론은 고립된 공간에서 인간의 생활 세계와 일정한 거리를 두고 분석적이고 구조적으로 언표화 되기 때문에 개성적이고 독창적인 고립의 미학에 기초하지 않을 수 없는 것이다.

67) 시조의 통속화 양상에 대한 상론은 박애경, 「조선후기 시조의 통속화 과정과 양상 연구」, 연세대 박사학위논문, 1997 참조. 이 논문에서 18세기에 확산되기 시작한 시조의 통속화 양상과 19세기에 보다 광범위하게 진행된 통속화 과정을 특히 민중성과 개념을 구분하여 다루었다는 점에서 진전된 논의를 보여주고 있다. 그러나 18세기에서부터 19세기에 이르기까지의 통속화 과정을 방각본 시조집인 『남훈태평가』 등이 출현하는 19세기 후반을 경계로 하여 그 이전의 시정문화와 그 이후의 도시문화의 변화에 따른 음악문화의 전반적인 변화 양상과 관련하여 시조의 통속화 양상도 시정문화를 기반으로 하는 시기와 도시문화를 기반으로 하는 시기를 대비적으로 좀 더 예리하게 부각했으면 하는 아쉬움이 있다.

68) 종래에는 판소리의 이러한 변화과정을 '판소리의 기반이 평민층에서 양반층으로' 바뀌게 된 향유층의 신분적 이동으로 설명한 견해(김흥규, 「판소리의 사회적 성격과 그 변모」, 『예술과 사회』, 민음사, 1979 및 「19세기

전기 판소리의 연행 환경과 사회적 기반」, 『어문론집』 30집, 고려대 국어국문학과, 1991)가 설득력을 가졌으나 이는 재고해야 될 문제로 보인다. 왜냐하면 판소리가 비록 그 형성 초기에는 평민층을 기반으로 하는 신분적 연관성을 가지고 출발했다 하더라도 뒤에 시정문화와 도시문화의 중요한 흥행 예술 종목으로 각광을 받으면서 도시 대중(여기서 대중이란 상층의 양반 좌상객이나 부호 지식인층에 국한되는 것도 아니고, 그 반대로 하층의 서민층만을 의미하는 것도 아니며, 그렇다고 중인 서리 아전층이 중심이 되는 중간층만을 의미하는 것도 아님에 유의해야 함. 즉 대중은 불특정 다수로서 특정의 신분 계층을 초월하는 개념이기 때문에 그들이 생산 향유하는 대중문화는 상층문화나 하층문화의 어느 한쪽에 이끌리지 않고 여러 층위의 다양한 조류를 흡수하여 형성된 것임)의 취향에 부응하는 텍스트의 변모와 함께 판소리의 레파토리를 취사선택해 간 과정(12마당에서 5마당으로 정착되기까지)을 보여주는 것으로 이해하는 것이 보다 타당성을 가지는 것으로 판단되기 때문이다(즉, 판소리의 변화 과정을 여항 및 시정문화에서 도시문화로의 변화와 연결되는 것으로 보아야지 좌상객 등의 개입에 의한 민중문화의 탈색과 연결시킬 것은 아님. 따라서 12마당에서 8, 6, 5마당으로의 변화가 대중의 기호와 미학에 의한 여과과정으로 보아야 함. 시조와 가사의 통속화 과정도 이러한 대중화 과정의 결과로 보아야함). 그런 면에서 조선후기의 예술사의 흐름을 도시 여항의 발달과 문화적 성격의 변화 정도에 따라 (1) 17세기에서 18세기 중반까지, (2) 18세기후반부터 19세기 중반까지, (3) 19세기 후반부터 20세기 초반까지의 세 시기로 나누어 (1)을 여항예술의 시기로, (2)를 시정예술의 시기로, (3)을 도시예술의 시기로 각각 지정하여 그 변모 양상을 검토해 나가는 것이 보다 유효성을 가지리라 생각된다. 여기서 여항예술과 시정예술 및 도시예술을 대중예술로 묶어 다루지 않고 굳이 변별하는 의도는 (1)의 시기에는 여항예술이 아직 그 뿌리가 되는 고급예술이나 민속예술에서 크게 벗어나지 못한 수준에 머물러 있기 때문이며, (2)의 시기의 시정예술은 그 뿌리문화에서 상당한 정도로 벗어나 대중문화의 통속성을 어느 정도 확고히 갖지만 (3)의 시기 이후에 거대 구매력을 바탕으로 대량매체에 의한 대량생산이라는 도시문화의 상업적 기류와는 아직도 상당한 거리를 갖기 때문에 그 대중문화의 본격적인 통속성도 어느 정도 질적 차이를 보일 수밖에 없는 시대적 특징을 그대로 반영하기 위해서이다. 이렇게 세 시기로 나눠보면 판소리의 변모 양상은 (1)의 시기에 여항예술의 발달에 힘입어 12마당으로 다양한 레파토리가 성립되지만 아직은 대중예술의 통속 취향보다는 그 뿌리가 되는 타령은 유흥민요를 보다 대중적 기호에 맞게 확대하는 과정에서 통속화의 모습을 드러내지만, 이들 가요는 그 뿌리가 상층의 고급음악이나 기층의 민속음악에 있기 때문에 그 뿌리의 자장권에서 완전히 자유로울 수는 없는 고로 그 통속화의 정도에서 어느 정도 한계를 지닐 수밖에 없는 것이다.

여하튼 잡가는 도시 대중의 취향에 부응하기 위하여 통합의 미학에 기반한 '낯익은 것을 자극하기'라는 방법으로 텍스트화 되는데 이 '낯익은 것을 자극하기'의 구체적 방식은 크게는 잡가의 두 계열에 따라, 작게는 같은 계열 안에서도 개별 작품마다 차이를 가져 그 나름의 작품적 개성을 갖는 것으로 나타난다. 따라서 잡가의 구비성과 기록성의 관련 문제도 이와 같은 원리와 깊이 관련될 것이다.

그러면 잡가의 이러한 작품화의 원리와 미학적 특성을 가장 극명하게 보여주는 것으로 판단되는 「소춘향가」에서 구체적으로 검토해 보기로 하자. 이 작품이 가장 적절한 예가 될 것이라는 판단은 임의적인 것이 아니라 당시대에 도시문화를 대표하는 서울에서 성창되는 잡가 중 가장 으뜸으로 치는 소리라는[69] 기준에 의해서다.

민속예술적 취향에서 멀리 벗어나 있지 못하고, (2)의 시기에 여항예술이 시정예술로 변환함에 따라 새로운 취향에 맞추어 8마당 혹은 6마당으로 취사선택되어 텍스트가 새로이 다듬어지고, (3)의 시기에 도시예술로의 변화로 더욱 대중문화의 통속성을 본격적으로 갖는 5마당으로 다듬어지고 선택되어 널리 도시 대중에 성행하게 되는 과정이 보다 선명하고 온당하게 드러날 수 있다고 본다. 마찬가지로 사설시조의 경우도 (1)의 시기쪽으로 거슬러 올라갈수록 만횡청류 등에서 볼 수 있듯이 그 뿌리문화의 속성을 더 강하게 보이고 (3)의 시기쪽으로 내려올수록 대중예술적 취향으로 변모해 감을 확인할 수 있는 것이다. 그런 점에서 이 세 시기를 조선 후기 시가사의 변모와 관련지운다면 (1)을 여항가요, (2)를 시정가요, (3)을 대중가요의 성행시기로 각각 지정하여 여타 시가 장르에도 두루 적용한다면 그 통속화 과정을 단계적으로 유용하게 살펴볼 수 있으리라 판단된다.

69) 이창배, 앞의 책, 191면.

가) 춘향의 거동보아라 오른손으로 일광을 가리오고 왼손 높이들어 저건너 죽림 뵌다.

나) 대심어 울하고 솔심어 정자라 동편에 연당이오/ 서편에 우물이라 로방에 시매오후과오 문 전에 학선종생류 긴버들 휘늘어진 늙은장송 광풍에 홍을겨워 우줄우줄 춤을추니/ 저건너 사립문안에 삽살개 앉어 먼산만 바라보며\ 꼬리치는 저집이오니 황혼에 정녕히 도라오소.

다) 떨치고 가는 형상 사람의 뼈다귀를 다녹인다.

라) 너는 어인 계집애관대 나를 종종 속이느냐 너는 어인 계집애관대 장부의 간장을 다녹인 다.\ 녹음방초승화시에 해는 어이 더디가고 오동야월 밝은달에\ 밤은 어이 수이가노.

마) 일월무정 덧없도다.\ 옥빈홍안이 공로로다. 우는 눈물 받아내면 배도 타고 가련마는\ 지척동방이 천리완대 어이그리 못보는고.\ (/, \ 는 악절의 종지 표시임)[70]

이 작품은 당시대에 가장 오랫동안 그리고 널리 대중의 애호를 받고 있던 판소리의 「춘향가」를 기초로 하여 잡가화 한 것이서 진부하리 만큼 '낯익은' 상황이나 정서의 표출로 짜여져 있다. 위에 인용한 텍스트에서 기호를 매긴 순서에 따라 사설의 짜임을 살펴보면 자신의 집을 안내하는 춘향의 행위에서 시작하여, 춘향의 집 주변 묘사, 돌아서는 춘향의 모습, 이도령의 심경, 춘향의 심경의 표출로 이루어진 5대목[71]이 모두 너무나 낯익은 상황이고 낯익은 정서로 엮어져 있다. 하지만 이러한 낯익은 상황이나 정서를 엮어 짜는 방식은 상식을 초월할 만큼 자극적이어서 '낯익음을 자극하기'라는 잡가 특유의 작

70) 악절의 종지 표시는 한국정신문화연구원의 국악전공인 김영운교수의 자문에 의한 것이며 기타 다른 음악과 관련한 사항도 그의 도움을 많이 빌었음을 밝힌다. 여기서 \ 표시는 악절의 종지가 완전하게 끝나는 부분이고 / 표시는 덜 완전한 종지를 표시한 것이다.

71) 이 작품을 5대목으로 정교하게 분석한 것은 박애경, 「19세기 시가사의 전개와 잡가」, 『한국민요학』 4집, 한국민요학회, 1996을 참조.

품화 원리를 전형적으로 보여주고 있다. 즉, 앞 단락과 다음 단락의 관계가 유기적이고 분석적인 짜임의 방식(이는 기록성 담화의 표현 특징임)이 아니라 첨가적이고 집합적인 방식으로 짜여 있다는 점에서는 구비성 담화 방식에 기초하고 있지만[72] 그러한 짜임이 의미론적으로 어느 정도 긴밀한 연결고리를 갖지 않고 전혀 일탈적이라는 데서[73] 일반적인 구비성 담화 방식과 차이를 갖는다.

그러나 가)에서 마)까지의 전개가 의미론적으로는 일탈이지만 정서의 끊임없는 자극적 연결이라는 면에서는 일탈이 아니라 잡가 특유의 사설 엮음 방식의 관습을 도식적으로 따른 것이어서 대중에게는 그러한 담화방식이 낯설지 않으면서 정서적 자극의 효과를 주는데 기여하고 있다. 이는 기록성 담론의 작품이 '단위 의미의 유기적 조직'에 의해 참신하고 진지한 정서를 환기한다면, 잡가의 담론은 '단위 정서의 연쇄적 조직'에 의해 자극적이고 말초적인 정서를 환기함과 대비된다. '낯익음을 자극하기'라는 이와 같은 방식은 사설 엮음에서만이 아니라 악곡면에서도 찾아 볼 수 있으니 위의 텍스트 인용에서 표시한 사설의 단락과 악곡의 단락(국립국악원 악보는 6마루로, 장사훈은 9마루로, 한만영 악보는 8마루로 구성되는 것으로 각기 다르게 봄. 김영운 교수 자문)의 불일치에서 오는 면과 또한 변화가 심한 까다로운 창법으로 유명한 소리라는 점[74]이 그것이다. 이 밖에도 사설 짜임에 있어서 목소리 면에서 화자의 목소리, 이도령의 목소리, 춘향

72) 월터 옹, 『구비문화와 문자문화』, 문예출판사, 1995, 61~65면.

73) 잡가의 사설이 유기성을 결여하고 있다는 지적은 이미 신은경, 「창사의 유기성에 대한 텍스트 언어학적 조명—잡가의 경우」, 『고전시 다시 읽기』, 보고사, 1997에서 주목된 바 있다.

74) 이창배, 앞의 책, 191면에서는 이 점에 대해 "가사의 장단과 곡조의 난이는 상관없이 이 소리처럼 부침새가 어려운 것도 없다. 춘향이 수줍은 듯 이도령에게 제 집을 가리키는 前半은 우물물처럼 깊이 뜨는 목이 많고, 이도령의 應酬인가도 싶은 후반은 또 속목 아루성이 까다롭다"라고 했다.

의 목소리로 교체·변화되면서 낯익음을 자극한다.

잡가의 사설 엮음에 있어서 '낯익음을 자극하기' 방식은 작게는 단어와 단어, 구(절)와 구(절)의 연결에 있어서 통사론적 수준에서부터, 크게는 단락과 단락, 텍스트와 텍스트의 연결에 있어서 의미론적 수준에까지 이른다. 전자는 잡가 사설에 있어서 단어 연결 차원과 구절 연결 차원에서 흔히 볼 수 있는 통사론적 불일치나 착종 현상으로 나타나는 것으로 그 예는 생략하고, 단락차원의 예는 이미 「소춘향가」에서 보았고, 마지막 텍스트 차원의 것으로 손쉬운 예를 들면 12잡가의 「제비가」를 들 수 있다.

(가) 만첩산중 늙은 범 살찐 암캐를 물어다 놓고 에-어르고 노닌다.
광풍의 낙엽처럼 벽허(碧虛) 둥둥 떠나간다
일락서산(日落西山) 해는 뚝 떨어져 월출동령(月出東嶺)에 달이 솟네
만리장천(萬里長天)에 울고 가는 저 기러기
(나) 제비를 후리러 나간다 제비를 후리러 나간다
복희씨(伏羲氏) 맺힌 그물을 두루쳐 메고서 나간다
망탄산(芒宕山)으로 나간다
우이여- 어허어 어이고 저 제비 네 어디로 달아나노
백운(白雲)을 박차며 흑운(黑雲)을 무릅쓰고 반공중에 높이 떠
우이여- 어허어 어이고 달아를 나느냐 내집으로 훨훨 다 오너라
양류상(楊柳上)에 앉은 꾀꼬리 제비만 여겨 후린다
아하 이에이 에헤야 네 어디로 행하느냐
슬픈 소래 두견성(杜鵑聲) 슬픈 소래 두견제(杜鵑啼)
월도천심야삼경(月到天心夜三更)에 그 어느 낭군이 날 찾아오리
(다) 울림비조(鬱林飛鳥) 뭇새들은 농춘화답(弄春和答)에 짝을 지어 쌍거쌍래 날아든다
말 잘하는 앵무새 춤잘 추는 학 두루미 문채(紋彩) 좋은 공작
공기 적다 공기 뚜루루루루룩 숙궁 접동 스르라니 호반새 날아든다

(라) 기러기 훨훨 방울새 떨렁 다 날아들고 제비만 다 어디로 달아나노

여기서 (가)의 "만첩산중 늙은 범 살찐 암캐를 물어다 놓고"로 시작하는 서두 부분은 판소리 「춘향가」에서 낯익은 사설의 텍스트인데[75] 여기에다 (나)의 "제비 후리러 나간다~ "로 시작하는 부분과 (라) 부분이 판소리 더늠 「홍보가」중의 「제비가」 텍스트에서 낯익은 사설이 아무런 의미론적 연관 없이 연결되어 있고, 이어서 (다)의 "울림비조 뭇새들은~"으로 시작되는 남도의 「새타령」과 상호 텍스트성을 갖는 부분을 유기적인 관련 없이 덧붙이고 있어 낯익은 텍스트들을 낯설게 연결하여 자극을 주는 수법을 활용하고 있다.[76] 또한 악곡면에서도 처음에 6박의 도드리 장단으로 나가다가 (나)부분에서 세마치 장단으로 변화하여 자극을 주고 남도 「새타령」을 많이 빌어 비약적인 가락과 멋진 새김새로 불러 재치 있게 꾸민 멋진소리라 한다.[77]

텍스트차원의 예로서 같은 12잡가인 「달거리」를 보면 그 정도가 앞에 인용한 잡가 「제비가」보다도 심한데 해당 작품을 인용하면 다음과 같다.

(가) 네가 나를 볼양이면 심양강 건너와서 연화분(蓮花盆)에 심었던 화초 삼색도화(三色桃花) 피었더라
이 신구 저 신구 잠자리 내 신구 일조 낭군이 네가 내 건곤이지
아무리 하여도 네가 내건곤이지

---

75) 김진영 김현주 역주, 『장자백 창본 춘향가』, 박이정, 1996, 86면의 사설 참조.

76) 특히 (가) 부분의 제 3행은 12가사 계열의 「녕스(咏詞)라」와 서도 입창의 「뒷산타령」, 서도 민요의 「수심가」 등 여러 텍스트에 보이는 낯익은 사설이다.

77) 이창배, 앞의 책, 190면.

(나) 정월이라 십오일에 망월(望月)하는 소년들아 망월도 하려니와 부모 봉양 생각세라
이 신구 저 신구 잠자리 내 신구 일조 낭군이 네가 내 건곤이지
아무리 하여도 네가 내건곤이지
이월이라 한식날에 천추절(千秋節)이 적막이로다 개자추(介子推)의 넋이로구나
면산(綿山)에 봄이 드니 불탄 풀 속잎이 난다
이 신구 저 신구 잠자리 내 신구 일조 낭군이 네가 내 건곤이지
아무리 하여도 네가 내건곤이지
삼월이라 삼짇날에 강남서 나온 제비 왔노라 현신(現身)한다
이 신구 저 신구 잠자리 내 신구 일조 낭군이 네가 내 건곤이지
아무리 하여도 네가 내건곤이지

(다) 적수단신(赤手單身) 이내 몸이 나래 돋친 학(鶴)이나 되면 훨훨 수루루룩 가련마는
나아하에 지루에 에도 산이로구나
안 올림벙거지에 진사상모(眞絲象毛)를 덤벅 달고 만석당혜(唐鞋)를 좌르르 끌며 춘향아 부르는 소래 사람의 간장이 다 녹는다
나아하에 지루에 에도 산이로구나

(라) 경상도 태백산은 상주 낙동강이 둘러 있고 전라도 지리산은 두치강이 둘러 있고 충청도 계룡산은 공주 금강이 다 둘렀다
나아하에 지루에 에도 산이로구나

(마) 좋구나 매화로다 어야 더야 어허야 에- 디여라 사랑도 매화로다
인간 이별 만사중에 독수공방이 상사난(相思難)이란다
좋구나 매화로다 어야 더야 어허야 에- 디여라 사랑도 매화로다
안방 건너방 가루다지 국화 새김의 완자문이란다
좋구나 매화로다 어야 더야 어허야 에- 디여라 사랑도 매화로다
어저께 밤에도 나가자고 그저께 밤에는 구경가고 무슴 염치로 삼승(三升) 버선에 볼 받아 달람나
좋구나 매화로다 어야 더야 어허야 에- 디여라 사랑도 매화로다
나무로 치면은 행자목 돌로 쳐도 장군석 음양을 좇아 마주섰고 좌

> 청룡 우백호 한가운데는 신동(神童)이 거북의 잔등이 한 나비로다
> 좋구나 매화로다 어야 더야 어허야 에- 디여라 사랑도 매화로다
> 나 돌아감네 에헤 나 돌아감네 떨떨거리고 나 돌아가노라
> 좋구나 매화로다 어야 더야 어허야 에- 두견이 울어라 사랑도 매화로다

이 작품에서 (나)부분은 기록성 담론인 「사친가」, 「관등가」 등 가사 계열 텍스트에서 정형화된 선행담론을 끌어온 것이고, (다)부분은 「춘향가」에서, (라)부분은 「향산록」 계열이나 「산타령」 또는 「산념불」 등에서, 그리고 마지막 (마)부분은 경기민요 「매화타령」 텍스트를 선행담론으로 끌어와 의미론적 긴밀성이나 인과성을 초월하여 느닷없이 엮어 짜놓은 것이다.[78] 이러한 여러 낯익은 텍스트들의 조합이 단위 정서의 '자극'효과를 가져오고 이것들의 집합적 정서의 연쇄가 작품 전체의 통합적 정서—이것은 도시 대중의 통속적 정서, 곧 사랑, 이별, 취락 등이기 마련임—를 실현하는 것으로 구조화 된 것이어서 기록성 텍스트나 순수 구비성 작품군과는 거리를 갖는다고 할 수 있다. 그렇다고 기왕에 유행되고 있는 선행담론을 무조건 끌어와 재편하는 것으로 잡가의 텍스트가 저절로 이루어지는 것은 물론 아니고 새로운 잡가 텍스트에 걸맞게 세부 사설을 보다 '자극을 줄 수 있는 방향'[79]

78) 텍스트 결합 수준에서 이와 같은 낯익음을 자극하기는 사설의 측면에서 그치는 것이 아니라 늦추고 죄는 변화 있는 장단에 의해 음악적으로 뒷받침됨으로써 자극 효과를 더욱 상승시키는데 이는 잡가에서 흔히 볼 수 있는 현상이다. 즉 이 작품의 경우 처음에는 흐느청거리는 가볍고도 빠른 속도로 진행하다가 (다)부분에서 6박 긴잡가의 원장단으로 변화하고 끝의 (마)부분에 가서는 다시 바꾸어 멋진 굿거리로 여물린다고 한다. 음악적인 면에 대하여는 이창배, 앞의 책, 209면 참조.

79) 여기서 자극을 줄 수 있는 방향이란 잡가가 도시 대중의 통속성을 지향하는 장르이므로 그에 걸맞게 관능성, 감상성, 해학성, 환상성 등을 더욱 조장하는 방향으로 텍스트가 실현됨을 의미한다.

으로 실현시킴을 의미하나 그 구체적 양상은 여기서는 논외로 한다. 그러므로 앞에서 살펴본 「제비가」나 「달거리」의 경우도 여러 선행 담론의 텍스트에서 이끌어 오긴 했으나 이들 원천의 텍스트가 각기 독립성을 갖는 것이 아니라 하나의 단일 텍스트라는 새로운 질서로 재편되는 것이기 때문에 실제로는 그것들이 새로운 작품에서 단락 차원의 연결관계로 변환됨은 말할 것도 없다.

잡가에서 기록성과 구비성이 관련을 맺는 양상은 몇 가지로 체계화가 가능할 듯하다. 주로 그 담당층에 있어서 가곡, 가사, 시조 등 상층의 고급음악 장르와 관련을 맺었던 좌창계열의 잡가는 구비성에 기반을 두면서도 기록성 담화전승에서 축적된 표현구들(한문고사, 한시, 한문숙어를 포함하는 문어적 표현)에 보다 친연성을 가지는 사설 특성의 경향을 보일 것이고, 민요, 타령, 무가 등 하층의 민속음악 장르와 관련을 맺었던 입창계열의 잡가는 기록성 담화전승을 끌어오는데는 상대적으로 익숙하지 못했을 것이므로 그것과는 소원한 사설 특성을 보일 것이다. 그러나 이러한 차이는 1910~1920년대로 넘어오면서 두 계열이 본격적으로 동일한 유흥장의 레파토리로 공존하게 되면서는 그러한 차별성이 훨씬 완화되어 서로 넘나든 것으로 보인다.

잡가가 기록성 담화 전승을 활용하는 경우의 사설 특성은 기록성 담론 본래의 통사론적, 의미론적 범위의 '정확성'은 상당부분 상실하는 것으로 실현된다는 점이다. 잡가가 고정된 텍스트 없이 구비 전승되어 연행되는 장르이므로 의미론적 혹은 통사론적 정확성과는 거리가 있다는 점[80]은 당연한 것이지만, 기록성 담화의 언어표현에서 생명이라 할 의미론적 정확성에 대한 무관심은 이미 지적한 바와 같이 잡가에서의 사설 엮음 방식이 기록성 담화처럼 '단위 의미의 유기적

---

80) 이를 테면 「소춘향가」의 첫 시작인 (가)단락만 해도 오른손과 왼손의 순서가 뒤바뀌어 나타난다든가, 왼손을 오인손으로 하는 등 제각기 다르게 실현되며, 이와 같은 예는 부지기수다.

조직'으로가 아니라 '단위 정서의 연쇄적 조직'으로 이뤄지기 때문이다. 잡가에서 기록성 담화의 활용은 단어나 구절, 문장이나 단락 등의 여러 층위에서 실현되지 못하고 대체로 문장이나 구절 차원의 수준에서 머물고 마는데(대개의 경우 한시구, 한자성어, 한문고사 등으로 된 공식구적 표현으로 실현됨), 이 경우 단위 의미로서가 아니라 단위 정서로서 실현화된다. 그것도 '도시인의 판에 박은 정서'를 드러내기 위해서 말이다.

앞에 인용한 「소춘향가」에서도 여러 대목에서 기록성 담화가 공식구적 표현의 한자성어로 실현되고 있는데 그 가운데 (나)에서 '노방(路傍)에 시매고후과(時賣故候瓜)요 ……'를 '노방에 시매오후과'라 하여 정확성을 상실하고 있다. 만약 이 부분이 의미 차원에서 이루어진 것이라면 이런 오류가 있어서는 안될 것이다. 이런 현상은 잡가 「새타령」에서 '…… 낙하는 여고목 제비하고 추수공장 따오기 ……'라고 한 데서 유명한 공식구 표현인 왕발의 「등왕각서」에 보이는 '落霞與孤鶩齊飛, 秋水共長天一色'이라는 한시 편구(片句)가 원래의 의미와 상관 없이 제비(齊飛)가 새이름의 '제비'로 되고 여기에 천일색(天一色)의 의미와는 상관없이 '따오기'로 호응시킴으로써 단위 정서의 상관물로 활용되고 있음에서도 확인할 수 있다.

잡가에서의 작가적 창작 역량은 「새타령」에서 보이는 정도의 재치를 포함한 구비성 역량과 관계되는 범위를 크게 벗어나지 않는다. 이는 기본적으로 잡가의 제시형식이 구비성 공연물이기 때문임은 말할 것도 없다. 그래서 쓰기문화의 본령이라 할 개인적 작가성을 갖는 창작물로서의 잡가는 거의 실현되지 않고 있다. 다만 최정식이 작사·작곡했다는 「풍등가」와 같은 작품이 있으나[81] 이는 극히 드문 예외적 현상이고 또 그 사설도 쓰기문화의 기록성 담화라기에는 의미론적

81) 이창배, 앞의 책, 213면 참조.

유기성이나 정확성을 그다지 확보하지 못하고 있으며, 표현에 있어서도 공식구적 표현을 활용하는 범위를 크게 벗어나고 있지 않다.

잡가의 창작 역량은 대체로 낯익음을 자극하기라는 원리내에서 이루어지기 마련이다. 하나의 예를 들면 「맹꽁이타령」처럼 기존의 유행하는 사설시조 작품을 바탕으로 하여 그 사설을 한층더 대중 취향에 맞게 확장함으로써[82] 낯익음을 자극하는 수준이고, 마지막 종결을 "도리도리 짝짜꿍 곤지곤지 쥐암쥐암 길나라비 훨훨 ……"로 맺음으로써('길나라비 훨훨'은 「난봉가」에도 보이는 낯익은 사설임) 정서의 자극을 강화하는 역량을 보이는 수준이다. 잡가의 이러한 창작 지향으로 볼 때 근대시 혹은 자유시의 단초를 잡가에서 찾으려는 시도[83]는 무리이다. 율격의 자유로운 일탈이라는 것도 의미론적 참신성이나 개성을 드러내는 필연적인 것이 아니라 판에 박힌 낯익은 정서를 자극하는 수준에서 실현된 것이기 때문이다. 「유산가」 등에 보이는 의성어·의태어의 창조적 활용도 낯익음을 자극하기의 범위내에 있는 것이어서 기록성 담론과는 질이 다른 차원이다.

도시 대중의 통속적 욕망을 물욕, 애욕, 문화욕의 셋으로 정리한다면,[84] 잡가는 이러한 도시 대중의 판에 박은 낯익은 정서를 자극하는 방향으로 주제화됨은 당연하다. 이를 잡가에 나타난 구비성 및 기록

---

82) 잡가 「맹꽁이타령」의 선행 텍스트로 보이는 사설시조 작품(심재완, 『역대시조전서』의 작품번호 2546번)과 비교해 보면 초장은 2행을 3행으로, 중장은 6행을 31행으로, 종장은 5행을 14행으로 각각 확장함. 이에 대하여는 이노형, 「잡가의 유형과 그 담당층에 관한 연구」, 132면 참조.

83) 오세영, 「자유시 형성에 있어서 사설시조와 잡가」, 『한국문화』 14집, 서울대 한국문화연구소, 1993과 유철균, 「1920년대 민요조 서정시 연구」, 서울대 석사학위논문, 1993에서 이런 시도를 했으나 기록성 창작 담론을 원칙으로 하는 근대시 혹은 자유시의 단초를 구비성 홍행 담론을 특징으로 하는 잡가에서 구하는 것 자체가 무리이다.

84) 박애경, 「조선후기 시조의 통속화 과정과 양상 연구」, 앞의 논문, 28면.

성의 담론과 관련지운다면, 물욕이나 애욕 같은 형이하학적 욕망은 주로 구비성 담론의 공식구적 표현으로 실현되고, 문화욕이라 할 형이상학적 욕망은 주로 한시구나 한자성어, 한문고사와 같은 기록성 담론의 유행구적 표현으로 실현되는 것으로 보인다. 그러나 그 문화욕이라는 것도 심오한 관념이나 넓은 지적 통찰에의 욕망을 충족하기 위함이라기보다는 형이하학적 욕구의 지평에서의 관심에 그칠 뿐이라는 점에서 순수한 기록성 담론과는 차별성을 갖는다.

4) 맺는 말

장르 성향이나 담화 방식에 있어서 다잡성과 착종 현상을 보이는 잡가의 정체성을 제대로 온당하게 규명하기 위해서는 잡가의 컨텍스트를 이루는 생성 기반과 텍스트의 진술을 구체화하는 담론 특성에 대해 세심하게 고려해야 가능할 것이다. 본고에서는 이 점을 특히 유의한 결과 다음과 같은 결과를 얻을 수 있었다.

1) 잡가의 생성 기반은 음악 문화에 있어서 아/속의 2분체계, 즉 상층의 고급음악과 하층의 민속음악(기층의 민중음악)이 양립하여 존재하던 임병 양란이전의 중세적 질서가 확고하던 시대의 산물이 아니라, 17, 18세기이래로 여항 혹은 시정을 중심으로 상업도시로의 발달과 함께 새로이 부상하기 시작한 대중음악이라는 새로운 음악문화를 바탕으로 산출된 것이다.
2) 잡가는 이처럼 상층이나 하층의 어느 쪽에도 소속되지 않는 제3의 문화로서의 독자성을 갖는 3분체계 시대의 대중문화의 산물이기 때문에 그것을 판소리, 타령, 민요 등과 함께 민속악의 하나로 간주하는, 그리하여 단순히 상층의 고급음악 장르와 대립되는 서민계층의 음악으로 이해 하는 종래의 이해 태도는 지양되어야 한다. 따라서 잡가에서 민속문화의 건강한 민중의식

이나 순박한 공동체의식을 찾아내려 하는 것은 무리이다. 또한 그와 반대로 고급문화의 창조성이나 개성, 혹은 독창성을 기대하는 것도 옳지 않다.

3) 잡가가 뿌리를 두고 있는 대중문화는 그 문화의 주체(담당층 혹은 향유층)가 상층도 하층도 그렇다고 중간층(중인, 아전, 서리 등이 중심이며 종래에는 흔히 이들이 여항의 시정문화를 주도해온 담당층으로 과장되게 이해되어 왔음)도 아닌 도시의 대중이므로 특정의 신분계층에 국한하지 않는, 그리하여 그것들을 망라하는 불특정 다수(위로는 대원군 같은 왕실의 인물에서부터 아래로 광대, 창우, 기생같은 천인에 이르기까지 이들이 한데 어울려 상호작용하면서 도시의 대중문화 기류를 형성해감)로 보아야 한다. 따라서 대중문화는 상층문화나 하층문화의 어느 한 쪽에 이끌리지 않고 여러 층위의 다양한 문화의 흐름을 적극적으로 흡수하여 생성된다. 단, 아무리 대중문화(혹은 여항, 시정문화) 장르라 하더라도 그것의 장르 발생적 뿌리가 상층 혹은 하층 문화에 두어져 있다면 그 뿌리문화의 성향을 강하게 가지면서 각 단계에 상응하는 변화를 보일 것이다.

4) 조선 후기에 부상하기 시작한 여항의 시정문화는 그 기반이 되는 상업도시의 발달 규모(이에 따라 도시를 여항→시정→도시의 3단계로 나눌 수 있고 이를 기반으로 한 문화도 여항문화→시정문화→대중문화로 상응한 변화를 거쳐온 것으로 파악하는 것이 조선 후기 시정문화의 변동을 성찰하는데 유용한 것으로 판단됨)와 문화의 성숙 과정에 따라 3단계로 구분이 가능하다. (1) 17세기에서 18세기 중반까지, (2) 18세기 후반에서 19세기 중반까지, (3) 19세기 후반에서 20세기 초반까지가 그것이다(물론 이 세 시기의 시대 구분은 절대적인 것이 아니며 시정문화에 속하는 각 장르의 특수성에 따라 그 구체적 시기는

유동적이겠지만 대체로 위의 시기 구분에 준하여 다소 빠르거나 늦을 수 있을 것임). 그런데 위의 3단계를 조선 후기에 있어서 여항 시정의 시가사의 변모와 관련짓는다면 (1)의 시기를 여항가요기, (2)의 시기를 시정가요기, (3)의 시기를 대중가요기로 명명하여 각각 특성화 할 수 있으며, 가곡, 가사, 시조, 판소리, 타령 등의 가요도 개별 장르의 특수성에 따라 구체적 시기는 다소 늦거나 빠른 융통성을 갖겠지만 대체로 이러한 3단계의 변화 과정에 따라 악곡과 노랫말의 성격이 변모하고 레파토리도 다양한 변화를 겪었을 것으로 추정된다. 잡가는 이러한 시가들의 다양한 변화를 바탕으로 (2)의 시기에 와서 등장하고 (3)의 시기에 꽃피우게 되며, 그런 만큼 조선 후기의 전통시가 장르 가운데 도시문화의 대중적 취향을 가장 강하게 반영하는 특수성을 보인다.

5) 잡가는 도시 대중의 대규모 청중 앞에서(혹은 기방에 드나드는 시정의 한량들에게) 흥행에 성공할 수 있는 음악적 전문성과 세련성을 갖추어야 하고 대중의 취향에 영합하여 호기심을 끝없이 자극해야 하므로 고급문화가 지향하는 지나친 엄숙성이나 진지성, 하층문화가 지향하는 지나친 순수성이나 소박성을 함께 극복할 수 있는 잡가꾼의 등장에 의해서 장르가 생성되었다.

6) 잡가는 그 담당층인 잡가꾼의 성향에 따라 사계축 소리꾼과 그 계승자들, 그리고 이들과 어울린 삼패기생들이 특히 잘 불렀던 좌창계열 잡가 ―12잡가(긴잡가), 휘모리잡가, 서도잡가 등― 와, 유랑예인집단의 장마당 소리를 경·서도 및 남도 선소리로 발전시킨 선소리패들의 입창계열 잡가의 두 가지로 크게 나눌 수 있다.

7) 잡가는 흥행의 목적으로 잡가꾼에 의해 공연된 음악이므로 연행 주체는 한 사람의 작가로서 자신의 삶과 세계에 대한 생각

이나 느낌을 표현하기 위해 작품을 창작하기보다는 수요자의 취향과 욕구에 걸맞는 표현구들을 선행 텍스트에서 가져와 활용하여 재구성함으로써 작품을 실현화했기 때문에 창작적 개성에 입각한 작가성이나 작품성을 고유하게 갖지 않는 특성을 보인다.

8) 잡가는 도시 대중을 상대로 한 흥행 예술이므로 '낯익음을 자극하기'라는 담론 특성을 가지며, 이는 '낯익음을 함께 하기'라는 순수 구비성 담론과도, '낯익음을 낯설게 하기'라는 기록성 담론과도 변별되는 특유의 것이다.

9) 잡가의 사설 엮음의 원리에 있어서 '낯익음을 자극하기' 방식은 작게는 단어와 단어, 구절과 구절을 연결하는 통사론적 수준에서부터, 크게는 단락과 단락, 텍스트와 텍스트를 연결하는 의미론적 수준에까지 다양하게 일어난다.

10) 잡가에서 구비성과 기록성이 관련을 맺는 양상은 좌창계열의 경우 구비성에 기반을 두면서도 기록성 담화전승에서 축적된 표현구들(한문고사, 한시구, 한자성어를 포함하는 문어적 표현)에 보다 친연성을 가지는 사설 특성을 보이며, 입창계열의 경우 기록성 담화 전승의 표현구 보다는 구비성 담화 방식에 상대적으로 훨씬 익숙함을 보이는 사설 특성을 갖는다.

논의를 잡가에 집중하면서도 구비성과 기록성의 관련양상에 대한 검토가 충실하게 이루어지지 못한 점은 이 글이 갖는 한계이다. 후에 기회가 있다면 좀더 세밀한 천착을 하기로 하고 여기서는 미흡한데로 잡가의 담론 특성이나 장르의 생성기반을 어느 정도 큰 틀을 가지고 밝혔다는 선에서 자위하고, 아울러 이 방면에 조그마한 보탬이 되기를 희망하면서 이 글을 맺는다.

제3부 구비문학과 학문자세 탐색

Ⅰ. 구비문학의 민족미학적 정체성

1. 접근 시각

우리의 구비문학에 나타난 민족미학이 무엇인가를 탐색해내는 작업이 본고의 과제이다. 그러나 여기에는 몇 가지 난점이 도사리고 있다. 그 하나는 과연 우리에게 우리만이 갖는 민족 고유의 미학이라는 것이 존재하는 것인지의 문제이고, 다른 하나는 바야흐로 세계는 정치적으로나 경제적으로, 나아가 문화적 영역으로까지 탈국적화, 국제화되어 가는 이른바 글로벌화 추세로 가고 있는데, 이런 시점에서 웬 뚱딴지같이 시대에 역행하는 민족미학을 찾느냐는 연구의 의의와 관련된 것이다.

먼저, 우리 한민족만이 갖고 있는 고유의 특색 있는 민족미학이라는 것이 과연 존재하는가? 이에 대한 답은 간단하다고 볼 수 있다. 우리 한민족이 다른 민족과 명백히 변별되는 고유의 문화를 5천년 넘게 역사적 전통으로 지속시켜 왔기 때문에 그러한 고유문화를 일구어 온 독특한 민족미학이 존재하지 않았을 리 없다고 판단해도 좋을 것이기 때문이다. 더욱이 우리민족은 세계의 어느 민족과도 다른 고유의 언어를 갖고 있어서 그 언어를 터전으로 일구어 낸 민족문화는 고유의 민족미학이 낳은 산물이라 아니 할 수 없는 것이다. 언어는 단지 의사를 표현하는 수단에 그치는 것이 아니라 언어를 통해 사유하고 인식하는 까닭에 어떤 언어에 의한 인식논리(세계인식)나 그것의 체계화인 사상은 곧바로 미의식으로 직결되는 것이다. 따라서 고유한 언어를 가진 민족은 그 민족 특유의 세계인식과 사유구조에 바탕한 독특한 민족미학을 가질 수밖에 없는 것이다.

다음으로 5천 년의 독특한 문화를 일구어 온 저력을 바탕으로 우리의 고유한 민족미학이 설령 존재한다 하더라도 탈민족, 탈국적, 탈국가주의를 지향하는 세계화 시대에 민족미학을 찾는 작업이 과연 어떤 의의를 가질지에 대한 회의론에 관해서다. 과연 21세기는 정보와 자본이 국적을 초월하여 서로 얽히고 공유하는 관계로 나아가고 있어서 그러한 의문이 당연히 제기될 수 있다. 아니, 회의론 정도가 아니라 세계화 시대에 민족 운운하고 찾는 것은 시대착오적인 국수주의나 쇄국주의라는 이름으로 매도당하기까지 한다. 그렇지만 정작 세계화라는 이름도 그 이면을 살펴보면 각 민족간의 호혜 평등적인 정보나 자본 혹은 문화의 공유화가 아니라 팍스-아메리카나라는 이름의 미국 중심 서구문명의 일방적 독주에 의한 경제 정보 문화의 독점화나 획일화가 일어나는 것이 그 실상이어서 자기 것을 모두 버리고 서구 일방의 세계화 추세에 적극 동참하는 것은 곧 자기의 정체성 상실로 이어지고 그것은 곧 자기 존립 기반마저 상실하는 결과로 이어지는 불행을 맞게되는 것이다. 정보나 자본의 무한 경쟁에서 자기 정체성을 상실하는 것은 자기 파멸을 야기할 뿐인 것이다. 인터넷의 세계에서 자기의 고유한 ID를 갖고 있지 못하다면 아예 로그-인 자체가 불가능하듯이 자기 문화의 정체성(identity)을 갖지 못하거나 고수하지 못하는 민족은 결국은 세계화라는 거대한 조류에 휩쓸려 살아남지 못하는 운명을 맞게 된다는 것이다.[1] 따라서 민족미학을 찾아내는 일은 자기 정체성을 확립하고 견지하기 위한 중요한 작업이며 세계화의 물결이 거세면 거셀수록 자기 존립을 위한 보루로서 더욱 더 절실히

1) 잘 알려진 바와 같이 만주족이 청나라를 세워 중국 천하를 지배하는 강대국이 되었지만 문화적 자기 정체성을 확보하지 못하고 선진화된 漢族문화를 일방적으로 추수하려다가 자기 파멸로 가버린 역사적 사례가 그것을 생생하게 증명해준다.

요구되는 의의를 갖는다 할 것이다.

우리의 고유한 민족미학이 존재하고 또 그것을 규명해내는 작업이 문화의 자기정체성 확립을 위해 그토록 중요한 의의를 갖는다면 마지막으로 남는 문제는 그 민족미학이라는 것을 어떻게 규명해야 할 것인가의 방법론의 문제가 대두된다.

민족미학에 대한 규명 작업은 주지하는 바와 같이 일제시대부터 주로 미술사학자들에 의해 고미술자료에 나타나는 한국적 아름다움의 고유한 특색이 무엇인지를 천착하려는 데서 출발하여 국문학 및 다른 예술의 영역으로 확대되어 왔다. 이러한 과정에서 한국미의 실체를 '선(線)의 미(美)' '비애(悲哀)의 미(美)' '멋' '무기교의 기교' '소박주의' '자연주의(자연성)' '자유분방함' '은근과 끈기' '애처럼과 가냘픔' '두어라와 노새' '질서 변형의 멋' '한풀이와 신명풀이' '교훈과 풍자' 등으로 논자에 따라 다양하게 규정해 왔던 것이다.[2] 한국적 미의식의 탐색에 있어서 논자에 따라 이렇게 상당한 편차를 보일 수밖에 없었던 가장 큰 원인은 그 대상 자료의 시대성(역사적 변화)과 사회성(사회계층 분화)에 달렸다고 생각된다. 즉 어느 시대, 어떤 사회를 기반으로 한 자료를 선택하느냐에 따라 편차를 보인 것이라 하겠다. 이럴 경우 문제는 대상자료가 한국적 미의식을 초역사적으로 대표할 만한 것이냐가 관건이 될 것이다.

또한 민족미학을 이와 같이 어떤 특정의 것으로 한정하게 되면 주관적 판단에 따른 편협성을 벗어나기가 쉽지 않으므로 이러한 문제를 극복하기 위하여는 비교미학적인 방법을 통하여 세계적 보편미학 속에서 한국적인 미학의 특수성을 찾아내는 것이 어느 정도 객관성을 유지할 수 있는 방법이 아닐까 생각된다. 필자는 일찍이 미적 범주론

2) 이에 대한 상론은 성기옥, 「국문학과 민족미학—한국인의 미의식에 관한 민족미학적 논의의 연구사적 검토」, 한국고전문학회 2000 하계학술발표회, 『국문학과 문화(III)—민족문화로서의 국문학』 발표문 별쇄 참조.

으로서의 일반미학적 접근을 통해 국문학의 미적 현상을 분석하여 체계화한 적이 있었다.[3] 그러나 그러한 방법은 서구 중심의 미적 범주론을 세계적 보편성으로 전제하고 그러한 범주 틀에 국문학의 자료들을 무조건 꿰어 맞춘 결과 한국의 경우 어떤 미적 현상을 보이는가를 탐색하는데 그침으로써 한국 고유의 미의식적 특성이 무엇인지를 발견해내는 작업으로 나아가지는 못했다.

그런 점을 반성하면서 본고에서는 서구의 미적 범주론의 개념 틀을 보편적인 것으로 받아들이지 않고 그들 미의식의 특수성으로 받아들여 그것과 대응되는 우리의 미의식의 특수성은 어떠하며 어떤 차이를 보이는가에 초점을 맞춤으로서 민족미학의 특수성을 미적범주 유형의 측면에서 상호 비교하여 살피는 방법을 취하고자 한다.

2. 비극의식의 대비를 통해 본 민족미학적 특성

인간의 삶과 운명은 비극적이면서 동시에 희극적인 것의 양면에 걸쳐 있다. 그래서 문학 작품에서도 동서고금을 막론하고 인간의 비극적인 면과 희극적인 면을 각각 장르를 달리하여 독립적으로 추구하기도 하고 혹은 같은 작품 내에서 이 두 가지 유형을 공존케 함으로써 문학적 감동을 다양하게 불러일으키기도 한다. 그런데 이 비극미와 희극미를 구현하거나 결합시키는 방식은 동서 미학의 차이로 말미암아 커다란 편폭을 보인다.

우선 비극적인 것의 구현 방식을 보면 동서의 미학적 편차는 심각한 것으로 나타난다. 이는 비극미에 대한 의식의 차이를 말하는 것으로 그만큼 문화적 성격의 차이가 큰 데에 기인한다. 즉 서구문화는 격렬한 투쟁을 통해 발전해온 문화로, 고대 그리스부터 해양문화와

---

3) 졸고, 「한국고전시가의 미의식 체계론」, 서울대 박사학위논문, 1980.

상업문화적 성격을 갖고 있었고 개성과 자유를 숭상했으며 모험심과 개척력이 풍부했고 비판정신과 회의적 태도, 부정의 용기를 갖고 있었다. 그들은 참이면 참, 거짓이면 거짓이지 그 사이에 망설임은 끼어들 수 없었다. 그들의 문화는 강성(强性)으로 충만했으며, 지나치게 강한 것은 쉽게 부러지는 것이어서 서구문화의 발전사는 끊임없는 소멸과 신생의 역사였다. 문화의 중심도 그리스로부터 로마 영국 불란서 독일 미국 등으로 끊임없이 이동했고, 학설도 끊임없이 서로를 부정하며 발전했다. 서구문화는 긍정·부정·부정의 부정을 통해 이룩된 것이며, 이러한 서구문화의 성격이 그들의 비극의식의 형태를 규정했다. 그래서 서구의 비극은 강한 행동력과 영웅적인 투쟁이 강조되었고 그 결말은 쌍방의 멸망이었다.[4)]

이와 달리 중국문화는 소농경제와 통일된 농업사회를 기초로 하는 문화여서 서구처럼 진취형 문화가 아니라 정치적 이상으로는 안정을, 철학적 이상으로는 중화(中和)를 추구하는 보존형 문화에 해당한다. 따라서 이런 보존형 문화가 보존되도록 하기 위해 중국의 비극의식은 유연하며 내면적이고 정감적이게 되었고 여기서 비가(悲歌)가 나왔다[5)]고 한다. 세부적인 차이는 있겠지만 이런 중국문화의 특성은 동양문화의 일반적 특성으로 보아도 될 것이다.

그런데 '부정의 부정' 방식으로 진행되는 변혁적 서구문화는 고통

---

4) 서구문화의 이러한 특징과 비극의식에 대해서는 장파(유중하 등 번역), 『동양과 서양, 그리고 미학』, 푸른숲, 1999, 165면에 서술된 것을 수용한 것임. 그러나 서구문화의 뿌리를 고대 그리스의 헤레니즘에만 둔다면 문제가 있다. 기독교문화의 원류가 되는 헤브라이즘이라는 사막문화가 또하나의 원류가 되기 때문이다. 이 두 뿌리가 사도 바울에 와서 하나로 통합되어 서구문화의 중심축을 이룸은 널리 알려진 바다. 여하튼 헤브라이즘 역시 척박한 사막 땅에서 살아남기 위해서는 끊임없는 현실 개조와 부정적 변혁을 통해서 발전을 모색해야 하기는 마찬가지이므로 장파의 견해는 여전히 유효하다.

5) 장파, 앞의 책, 166면 참조.

과 실패·파멸을 감수하더라도—그래서 처절한 비극이 됨—진상을 밝히고 진정한 삶을 찾는 즉 진리를 추구하는 길로 나아가지만,[6] 중국문화는 비극적 곤경에 처해서도 진리의 추구가 아니라 예(禮)를 수호하고 예를 파괴하지 않으며 예의 신성성을 유지하려 노력한다는 차이를 보인다. 서구의 진리추구는 극단적 상황에서 이루어지며 주인공의 자아 부정과 자아 초월을 통해서만 도달할 수 있지만 중국의 비극적 주인공은 절대로 자아를 부정하지 않으며 예에의 확고한 믿음만 있으면 목숨을 걸고 지키며, 예의 원칙에 부합하지 않는 것을 부정할 따름이다.[7]

동서의 비극의식에 대한 미학적 차이를 드러내는 방법으로 장파처럼 비극적 작품을 직접 대비하는 방법도 있겠지만, 비극적인 것과 희극적인 것이 공존하는 작품을 통해 비극의 처리 양상을 살피는 것도 효과적인 한 방법일 수 있다고 본다. 또한 이 글에서는 동서의 미학적 차이를 드러내는데 목적이 있는 것이 아니라 우리의 구비문학 자료를 통해 민족미학의 특성을 드러내는데 목표를 두고 있으므로 거기에 적합한 자료를 선택하여 대비하는 것이 바람직하다 할 것이다.

비극적인 것과 희극적인 것이 공존하는 우리의 구비문학 자료로는 「시집살이」「진주낭군」 같은 민요—길삼노동요—가 대표적이라 할 수 있다. 이에 대하여는 조동일의 선행 연구[8]가 있어 참고가 된다.

---

6) 모든 것을 다 잃고 나서야 무엇이 운명인지를 깨닫게 되는 오이디푸스왕의 비극적 진리 추구가 그 좋은 사례라 할 것이다. 장파, 앞의 책, 197면 참조.

7) 장파, 앞의 책, 199면 참조. 예의 수호는 특히 충효와 관련하여 두드러지게 나타난다.

8) 조동일은 이 작품들을 서사민요라 하여 서사장르로 보았으나 필자의 생각으로는 민요는 기본적으로 서정장르이며 따라서 서사민요는 존재하지 않는 것으로 본다. 기록문학의 모태가 되는 구비문학의 기층장르에 서정은 민요가 서사는 민담이 초역사적으로 존재해 왔던 것이다. 이에 대하여는 후일 稿를 달리하여 상론할 예정이다.

이에 따르면 길삼노동요에서 비애와 골계가 공존하는 양상은 작품의 구조나 내용은 비애를 지니고 이를 나타내는 문체는 골계스러운 경우가 많은데, 이는 대상(내용)과 관점(문체)의 갈등이며, 대상의 비애를 골계의 관점으로 나타냄으로써 골계가 비애를 차단하는 것으로 보았다. 그리고 이러한 골계에 의한 차단 효과는 1) 슬픈 생활을 하면서도 슬픔에만 빠져들지 않는 감정의 여유를 나타내주며, 2) 비판적 거리를 가짐으로써 서사적인 객관성을 확보하게 하고, 3) 슬픔을 우습게 나타냄으로서 역설이 성립하고 역설은 슬픔의 의미를 더욱 강하게 하여 적극적 항거가 되게 하며, 감정이입을 차단함으로써 비판적 리얼리즘의 길을 열게 되고 비판적 주제의 성립을 가능하게 한다고 했다.[9)]

조동일의 이러한 견해는 민요에 보이는 비극과 희극미의 결합 양상을 내용과 문체의 갈등 관계로 파악함으로써 서구미학과 동일한 것으로 간주하고 있는데 이는 문제가 있는 것으로 보인다. 즉 서구 희비극의 경우는 비극적인 것과 희극적인 것이 내용과 문체의 갈등과 대립관계로 나타나 비극으로 인한 감정이입에 빠져들지 않고 비판적 리얼리즘이 가능하지만,[10)] 우리의 길삼노동요의 경우는 1)의 경우는 타당하다 하겠으나 2)와 3)의 경우는 맞지 않는 것으로 생각된다.

이를테면 「시집살이」의 경우를 보면 시어머니를 "시금시금 시어마님", "쪼바리겉은 시어마니", "위씨겉은 시어마님"이라 하고, 시댁식구를 "할림새 시누부", "콩꼬타리 시아재비"라 하고, 시집살이가 너무 힘들어 중이 되어 가려고 머리를 깎으면서 "팔월이라 원두밭에 돌수백이 되었구나"라 함으로써 비극적 상황에서 골계적 표현을 보이고 있는데, 과연 이 정도의 표현에서 2) 서사적 객관성을 보인다거나 3) 적

---

9) 조동일, 『서사민요연구』, 계명대출판부, 1970, 117~123면 참조.

10) 서구쪽의 이러한 특징에 대하여는 곧이어 Shakespeare의 희비극인 「Troilus and Cressida」를 다루는 자리에서 상론한다.

극적 항거 혹은 비판적 리얼리즘을 읽어낼 수 있을까. 더구나 시어머니나 시댁식구에 대한 골계적 표현을 그들의 '권위나 위엄을 뒤집고 비하시키는 공격적인 의도를 지닌 풍자'[11]로까지 볼 수 있을까.

「시집살이」 노래는

(1) 시집살이를 살 수 없었다.
(2) 중이 되어 갔다.
(3) 친정으로 동냥갔다.
(4) 시집에 돌아가 (죽은) 남편과 만나 같이 살았다.

라는 네 개의 단락으로 이루어져 있다. 이를 두고 조동일은 (1)의 고난을 벗어나기 위해 (2)를 택했으므로 (2)에 의해 (1)이 부정되고, 중이 되어가도 세상을 완전히 잊을 수 없기에 친정으로 감으로써 (3)에 의해 (2)가 부정되고, 친정으로 간다고 문제가 해결될 수 없기에 다시 시집으로 옴으로써 (4)에 의해 (3)이 부정된다. 그리고 (4)는 (1)을 부정했다가 다시 부정하고 이루어진 것이므로 (1)의 부정의 부정이 된다고 보았다.[12] 이처럼 부정의 논리로 보는 것은 서구의 서사미학이나 비극미에 해당되는 것임은 장파의 설명에서 이미 살핀 바다.

그러나 「시집살이」노래를 부정의 논리로 설명해서는 곤란하다. 그것은 동양적 미학과는 거리가 멀기 때문이다. 시집살이의 고난을 벗어나려 중이 되고, 친정에 가 동냥하고, 다시 시집으로 와 남편과 사는 것은 닥친 현실을 부정하고 개조하기 위해서가 아니라 그러한 현실을 부정하지 않고 화해를 모색해나가는 과정으로 보아야 우리 정서에 맞는 해석이다. 현실을 직시하고 정면으로 부정하면서 그 해결책을 모색하는 과정으로 서술되었다면 서사적 객관성이나 비판적 리얼리즘이 살아났을 텐데, 그 반대로 현실의 부정적 요소와 맞서지 않고

11) 조동일, 앞의 책, 121면.

12) 조동일, 같은 책, 65면.

화해를 모색하다보니 중이 되어 나간다든가, 친정에 동냥을 간다든가, 죽은 남편을 만나 다시 산다는 다분히 충동적이고 주관적이며 비현실적인 방향으로 가지 않을 수 없는 것이다. 이처럼 부정적 현실이나 대상과의 끝없는 화해를 모색하는 작품에서 골계스런 표현이 보인다 하여 그 성격을 풍자로 보는 것은 실상에 맞지 않을 것이다. 그것은 비극적 현실을 딛고 넘어서려는 여유이며, 이러한 여유가 비판이나 대결을 피하고 화해의 미학을 추구하는 원동력이 되는 것이다.

그런데 서구 문학의 경우도 우리의 민요처럼 비극적인 것이 주조를 이루는 작품이라 하더라도 '희극적 위안(comic relief)'이라는 장치가 있어 비극적인 것과 희극적인 것이 공존하는 양상을 보이며 표면적으로는 우리의 민요처럼 비극적인 것을 완화하는 것으로 이해될 수 있다. 그러나 희극적 위안이란 장치는 위안의 효과를 가져오는 것이 아니라 오히려 비극적 고통을 심화시키는 것이어서 우리의 민요와는 정반대의 기능을 하는 점이 다르다. 이러한 차이는 서구의 비극이 철저한 부정과 대립을 통한 진리 추구에 목적이 있음에 반해, 우리의 민요는 예(禮)의 수호와 관련되는 면이 있기 때문이다. 시집살이 노래의 주인공이 남편이나 시가에 대해 철저한 부정으로 나아가지 않고 비판적인 냉정함이나 풍자의 시선, 혹은 현실적 삶의 리얼리즘적 분석의 태도를 견지하지 않음은 동양문화의 추구정신인 예의 수호와 관련됨에 있는 것이다. 극단적 곤경과 비극적 삶에 처해서도 남편과 시가에 대한 예를 버리지 않는 데서 그 점은 잘 드러난다. 작품 곳곳에 보이는 희극적 표현이나 문체도 진정코 냉소적인 풍자나 비판을 위한 것이 아니라 그러한 상황이나 사건을 화해적으로 포용하려는 여유에 기반하는 것이다. 현실을 비판하고 개조하는데 목적이 있었다면 새 남편을 구할 일이지 죽은 남편을 다시 만나 살아가지는 않을 것이다.

그러나 민요의 경우는 우리 민족미학을 대표하는 면도 있으나 비극적인 것을 희극적인 것으로 처리하는 방식이 너무 단순화되어 있어서 양자의 상호작용을 통한 미학적 특성을 드러내기에는 너무 평면적이라 할 것이다. 거기다 민요는 기층문화를 바탕으로 하고 있어 민족의 보편미학을 담고 있긴 하지만 한편으로는 하층문화 일방으로 경사된 미학을 반영하는 면도 있어 상층문화와의 폭넓은 통합으로 나아간 것이라 할 수 없으므로 민족미학을 담는데는 한계가 있다 할 것이다. 그런 면에서 우리의 구비문학 자료 가운데 판소리가 민족미학의 폭넓은 특성을 드러내는 데는 보다 적절하다고 생각한다. 민요에 비하면 판소리 자료는 비록 역사적 각인이 너무 뚜렷하다는 문제를 안고 있음에도 불구하고 그러한 시대적 각인을 초월한다면 상층문화와 하층문화가 교묘히 만나 접점을 이루는 지점에서 성립된 것이어서 오히려 민족 통합의 미학을 발견해 내기에 적절한 자료가 될 수 있기 때문이다. 그리고 이러한 민족미학의 통합적 자료 가운데 판소리로 불려지거나 독서물화해서 전하는 「심청가」만큼 비극과 희극이 공존하는 자료도 찾아보기 어려우므로 이 작품과 서구의 대응 작품을 대비하면 보다 선명하게 민족미학의 특성이 드러나리라 생각된다.

잘 알다시피 「심청가」의 내용은 비극이 중심을 이룬다. 심봉사의 안맹으로 인한 처절한 가난과 고난의 삶도 그렇지만 그의 눈을 뜨게 하기 위해 공양미 삼백석에 제물이 되어 인당수에 몸을 던져 죽음을 맞아야 하는 심청의 운명은 비극의 극치라 아니할 수 없다. 그러나 이러한 곤경과 비극적 운명이 작품의 전부가 아니라 그와 상반되는 미적 범주인 희극미가 작품의 곳곳에 드러난다. 특히 뺑덕어미의 등장과 함께 그려진 심봉사의 모습은 희극적인 전형을 보여주기까지 한다.

이와 대비할 서구 자료로는 Shakespeare의 문제극인 「Troilus and Cressida」[13]를 택한다. 이 작품도 중심 소재는 비극적인 것이

13) 이 작품의 희비극성과 서구 희비극에 관한 이론적 논의는 윤화영, 「'Troilus and Cressida'의 희비극성」, 한국연극학회 편, 『한국연극학』 2집, 새문사, 1985에 힘입은 바 큼을 밝힌다. 그러나 이 작품을 대하는 시각은 윤화영이

어서 Dryden은 비극으로 개작하여 상연한 바 있다. 또 작품에 일관하는 플롯이 모두 사랑의 배반과 환멸 그에 따른 가치의 혼란과 불행한 운명, 처참한 전쟁, 기사도의 이상이 무너진 세계 등을 보여주고 있으며, 특히 Achilles에 의한 Hector의 살해와 Troy의 멸망은 비극적인 영역의 극치를 보여준다. 그러나 이러한 비극적인 소재와 플롯에도 불구하고 이 작품의 시작은 연애사건과 윗트, 웃음 등이 주를 이루는 낭만적 희극으로 시작하며, 비극적 상황이나 사건을 '풍자적 시각'이나 '희극적 왜곡'을 통해 보여줌으로써 비극적인 것과 희극적인 것이 무리없이 자연스럽게 공존하고 있다. 그래서 이런 부류의 작품들을 희비극이라 하는데, 특히 세익스피어의 이 작품은 위로는 희랍의 희비극의 전통에 닿아 있으면서도 버나드 쇼오나 입센, 베케트의 부조리극과, 핀터(Pinter)의 희비극 등 현대 희비극의 공통항을 그대로 보여주고 있어서 서구 희비극의 전형적 작품으로 선택하는데 적절한 자료라 할 수 있다.

그런데 서구의 희비극 작품인 「Troilus and Cressida」와 우리의 희비극 작품이라 할 「심청가」는 비극적인 것과 희극적인 것을 공존케 하는 동인과 방식이 사뭇 다름을 알 수 있다. 이는 비극과 희극에 대한 동서문화권의 미의식과 그 바탕이 되는 세계인식이 다른 데에 근본적인 원인이 있다고 봐야 할 것이다.

우선 서구의 희비극에서는 희극적 요소가 대개 순수 희극에서 기대할 수 없는 '진지함'이 있어서 희비극의 주제가 되는 보편적 인간에 대해 심각하면서도 유효한 어떤 판단을 제시하는 것이 특징이 된다[14]고

주로 희비극으로서의 장르적 논의에 초점을 맞추고 있음에 비해, 필자는 미학적 입장에 바탕을 두기 때문에 논의의 초점은 사뭇 다르다고 할 수 있다.

14) A. P. Rossitor, *The Problem Plays in Shakespeare : Modern Ess Criticism*, ed. L. F. Dean, London, Oxford Univ. Press, 1957, pp 270~271.

한다. 이는 서구문화의 중심 기조가 진리추구에 궁극 목적을 두기 때문이라 할 수 있으며, 또한 인간 경험과 실존의 본질 자체를 희비극적인 것으로 파악하고 그것을 미화하거나 호도함이 없이 비판적 리얼리즘의 태도에 입각하여 표현하려는 인식과 닿아 있다. 이런 인식이 문학에서 희비극을 낳았으며 이는 「Troilus and Cressida」에도 그대로 나타난다.

이러한 인식 태도를 세부적으로 검토하면 1) 인간의 완전한 존엄성을 거부하거나 믿지 않으려는 태도, 2) 인간의 결점에 대한 희극적이거나, 조소적이거나, 풍자적인 강조, 3) 모든 인간사에는 또 다른 이면이 있다고 주장하는 경향. 그리고 심각성, 존엄성, 고귀함 등의 이면은 바로 희극적인 것이라는 생각, 4) 인간의 삶에서 일어나는 불행, 실망, 분개, 비통 등의 감정을 표현함에 있어 이러한 감정을 전도시켜 이들의 원인을 웃음이나 조소꺼리로서 표현하려는 경향, 5) 전통적으로 우스운 주제가 사실은 심각하다는 것, 혹은 그에 대한 상투적 반응이 인간의 결점이나 사악함에 대해 가져야 마땅한 고통을 간과하고 있다는 사실, 혹은 이런 상투적 반응이 동정심이나 통찰력 결핍에 의한 것이며, 이것을 작가가 깨닫게 해주려는 태도[15]로 정리할 수 있다.

이와 같은 다섯 가지 인식 태도는 「Troilus and Cressida」의 뚜렷한 특징으로 드러난다. 이 극의 첫시작이 연애 사건과 웃음, 위트가 주를 이루지만 1막이 끝나기도 전에 희랍진영에서 트로이를 아직 함락시키지 못하고 있는 원인에 대해 장황한 토론이 벌어짐으로써 금방 희극적 분위기를 벗어나고, 그 뒤에 2막에서 광란한 Cressida의 예언적 모습, 3막에서 Troilus와 Cressida가 사랑을 성취하지만 사랑의 밤이 지나자마자 Cressida는 희랍군 진영으로 끌려가게 되고,

15) Rossitor, pp. 270~271.(윤화영, 앞의 논문, 240~241면에 정리된 것을 재인용)

5막에서 그녀는 그를 배신하고 Diomedes와 사랑의 약속을 나누고 이에 따른 환멸과 복수를 위한 전쟁에서 두 번의 접전을 벌이지만 그는 끝내 Diomedes를 죽이지 못하고 그 뒤 이어지는 싸움에서도 복수를 할 수 있을지 그렇지 못할지 미지수인 채로 극은 끝나버린다. Troilus를 쉽게 배반한 Cressida의 운명도 Diomedes와 행복한 결혼에 이를지 불행한 운명이 될지 미지수다.

이러한 플롯 전개 외에도 광대인 Thersites에 의해 이 극의 주제를 이루는 사랑과 전쟁, 그리고 모든 유명한 왕과 장군들이 신랄한 비판과 조롱의 대상이 되고 있다는 점, Troilus도 영웅이 아니라 반영웅으로 부각되어 있다는 점 등이 인물의 왜소화를 통한 가치의 파괴로 나타난다. 결국 이 작품은 주제로 보나 플롯으로 보나 인물로 보나 인간의 존엄성을 거부하고, 인간의 결점을 강조하며, 인간사의 이면을 들추어냄으로써 인간의 가치·중요성에 회의를 던져주는 데 이러한 것이 모두 비극적 사건이나 상황에 대해 희극적 왜곡이나 풍자적 시각을 통해 드러나고 있는 것이다.

이에 반해 「심청가」에서 비극과 희극의 공존 양상은 사뭇 다르게 나타난다. 우선 주인공 심청은 서구의 비극에서 볼 수 있는 영웅으로서의 비장함이나 서구의 희비극에서 볼 수 있는 희극적 왜곡에 의한 반영웅의 모습 그 어느 것으로도 형상화되어 있지 않다. 주인공 심청의 일생이 서구 서사문학에 두루 나타나는 '영웅의 일생' 구조와 유사함을 보인다 하여 심청을 영웅으로 보고 나아가 그녀의 행위를 비장한 것으로 보는 견해[16]는 작품을 심층적으로 이해하는 데에는 큰 의미를 갖지 못한다.

우선 심청이 그 부모가 명산 대찰에 빌어서 잉태되었고 천상선녀의 하강으로 태어났다 하여 영웅의 일생 구조에 보이는 고귀한 혈통으로

16) 조동일, 「심청전에 나타난 비장과 골계」, 『계명논총』 7집, 계명대, 1970 참조.

보는 것은 표면적 이해에 그친 결과라 생각된다. 뒤에서 상론하겠지만 심청의 이러한 출생은 영웅적 모습과 상관하는 것으로 이해하기보다 인심과 천심을 하나로 보고자 하는 동양적 사유구조에 기반을 가진, 그리하여 주인공의 마음을 하늘의 마음과 통하는 인물로 설정하기 위한 서사장치로 이해해야 더 깊은 의미에 도달할 수 있다. 또한 심청이 "십오셰의 당ᄒᆞ더니 얼골리 츄월ᄒᆞ고 효행이 태기ᄒᆞ고 동정이 안혼ᄒᆞ야 인사가 비범ᄒᆞ니 천생녀질이라"라는 구절과 "장래 귀이 될 사ᄅᆞᆷ이라"를 근거로 영웅의 일생구조에 도식을 맞춰 어려서부터 비범하고 장차 크게 될 기상을 보인 것으로 이해하여 심청의 탁월함과 비범한 영웅의 형상으로 이해하는 것[17]은 문제가 있는 것으로 보인다. 심청이 탁월한 능력을 가지고 고난을 극복해나가는 비범한 영웅의 모습을 보이는 장면은 실제로 찾아보기 어려우며 인당수에서 죽음의 공포 앞에 선 심청의 모습은 비장한 영웅의 모습과는 오히려 반대로 그려져 있기 때문이다.

그러나 심청이 영웅의 모습과는 반대로 형상화되었다 하여 서구의 희비극에서처럼 인간의 결점을 드러내려 하거나 모든 인간사에는 이면이 있음을 보여줌으로써 반영웅을 형상화하고자 한 것도 아님은 심청이 단 한 번도 풍자적 시각이나 희극적 왜곡으로 조소나 비판의 대상이 되도록 그려져 있지 않음에서 명백히 드러난다. 심청은 그렇다치고 문제는 심봉사의 경우다. 심봉사는 양반의 후예로 행실이 청렴하다고 하고 "지조가 강개하니 사ᄅᆞᆷ마다 군자라 층ᄒᆞ더라"라고 소개해 놓고서는 실제로 그의 행위는 점잖거나 군자연한 인물로 그려지기보다 점잖지 못하고 오히려 비속한 인물로 그려져 있어 어찌보면 서구 희비극의 인물 형상화와 통하는 면이 있어 보인다. 특히 뺑덕어미의 등장이후 그의 비속한 모습은 인간사의 이면을 들추어내는 희극적

17) 조동일, 앞의 논문, 2면.

왜곡으로 비쳐지기도 한다. 여기에 더하여 뺑덕어미의 등장은 전반부의 심청의 고난과 죽음에 이르는 비극적 과정을 완전히 뒤집어 버리는 희극적 효과를 가져오고 있다.

그렇지만 뺑덕어미의 등장 이후 더욱 두드러지는 심봉사의 비속하고 골계스런 행위나 모습은 그의 인간적 결점을 들추어내서 측면으로 비판하거나 조롱하자는 것이 아니라는 점에서 풍자적 시각이나 희극적 왜곡과는 거리를 가진다. 뺑덕어미의 일탈적인 행위와 모습도 마찬가지다. 여기서 유의할 점은 심봉사와 뺑덕어미의 이러한 희극적인 형상이 그 자체로 파악되어서는 안 되며, 비극적인 것의 절정이라 할 심청의 죽음 다음에 온다는 전체적 맥락에서 이해되어야 한다는 것이다. 뺑덕어미와 어울리기 직전의 심봉사가 처한 상황은 비극의 극치다. 아내도 잃고, 유일하게 의지하고 지내던 효성스런 딸마저 자신의 실수로 죽음으로 내몰고 매일 통곡으로 살아가는 삶이기 때문이다. 이런 숨막히는 상황은 비극의 극단이기에 뺑덕어미와 어울리게 함으로써 비극의 고통을 완화시킬 수 있었던 것이다. 즉 비극과 희극의 조화에 의한 '화합적 화해(和諧)의 미학'[18]을 추구함으로써 처절한 비극에서 벗어날 수 있는 것이다. 이는 파멸이라는 철저한 비극을 통

18) 「심청가」에 보이는 비참한 상황에서 유발하는 웃음(비극미와 골계미의 동시적 교직)의 의미를 웃음을 통해 비참한 현실을 초극하려는 시도로 보고, "슬픔을 딛고 일어서는 웃음은 골계에 그치지 않을 것이며 고통을 이겨낸 웃음은 아마도 숭고미에 다다를 수도 있을 것이다"라고 하여 숭고미의 구현 가능성을 조심스럽게 내비친 견해(최진형, 「판소리의 사설구성 원리와 장르실현」, 성균관대 박사학위논문, 2000, 34면)가 있어 주목된다. 이는 「심청가」를 비장미와 골계미의 대립적 공존으로 보는 견해보다는 진전된 해석이어서 의의를 갖지만 과연 이 작품의 골계미가 비참한 현실을 딛고 넘어서는 숭고에 이르렀을까는 다소 의문이 든다. 여기서의 골계미는 다만 비극을 극복했다기보다 비극 쪽으로 극단적으로 몰아가 파멸에까지는 이르지 않도록 하는 '화합적 화해'의 미학으로 보는 것이 순리일 것이다.

해 진실을 추구하거나, 비극적인 것을 희극적 왜곡을 통해 인간 실존의 본질에 다가가려는 서구의 희비극의 미학과는 판이하게 다른 점이다. 희극을 통해 인간과 세계에 대한 비관적 비젼을 보여주는 서구의 희비극은 비극적인 것과 희극적인 것이 부조화를 이루는 까닭에 희극적인 요소로 인해 비극적인 주제가 완화되기도 하지만 그보다는 더욱 고통스럽고 통렬하게 만드는 경우가 흔하기 때문이다.

다음으로 주목되는 것은 「Troilus and Cressida」에서 Thersites의 존재와 판소리 「춘향가」에서 방자의 존재가 갖는 미학의 차이다. Thersites나 방자 모두 작품의 중심인물은 아니면서도 가장 강한 인상을 남기는 인물로 설정되어 있고 거침없는 말을 함부로 해도 되는 것이 허용되어 있는 공통성을 보인다. 그러나 그 역할이나 미적 효과는 동서 문화의 차이로 인해 현격한 낙차를 보인다. 먼저 Thersites를 보면 작품에 등장하는 모든 왕과 장군들이 모두 그의 신랄한 비판과 조롱의 대상이 되고 있다. 단적인 예를 들면 Thersites가 Troilus에 대해 "천박하고 노망 들린 트로이의 어린 바보"라고 조롱함으로써 진실의 희극적 왜곡을 가하는데, 이는 Ulysses가 소개하는 Troilus의 평판과 비교해 볼 때 그 반대임을 알 수 있다.[19] 이렇게 함으로써 Thersites는 신랄하고 악의에 찬 어조로 혹은 진실을 왜곡함으로써 '희극적 저하'의 효과를 가져온다. 그리고 이러한 비판과 왜곡은 인간의 경험이나 실존의 본질 자체를 희비극적인 것으로 파악하고 인간의 본질을 미화하거나 호도함이 없이 비판적 리얼리즘에 의해 '부정을 통한 진리추구'라는 목적에 관련되는 것이다.

이에 비해 방자는 겉으로 보면 그의 상전인 이도령에 대한 조롱이나 모욕이 Thersites보다도 한층 신랄한 것으로 보인다. 아랫것으로서 예속관계에 있는 방자가 상전인 이도령의 위신을 추락시키는 장면

---

19) 이에 대하여는 윤화영, 앞의 논문, 250~251면 참조.

하나를 예로 들어본다.

> …… 방자 곁에 섰다, "도령님 이게 웬일이오. 호랑이를 보셨소. 遮日鬼神을 보시니까." 도령님이 손 헤치여, "예야 큰일 났다. 기침도 크게 마라." 손들어 가리키며, "저기 저것이 무엇이냐.""梁 吏房네 당나귀요." "그 곁에 또 보아라." "버드나무요." "이녀석 네 어미 씹이다." "**①우리 압시 좆이요.**" "그 좆 갖다 개씹에 박아라." "**②아서, 말씀 그리 마오. 우리 오늘 하는 문답 초라니 판 똑 되었소. 양반 광대 영락없고 神主다툼하듯 하오.**"(童唱 신재효 판소리 사설집)

그네 타는 춘향의 아리따운 자태에 넋이 나가 안달하는 이도령이 능청을 떨며 딴전을 피우는 방자에게 말려들어 양반의 위신 따위는 여지없이 추락하고 그로 인해(특히 강조 표시된 ①에 주목할 것) 이도령의 언행은 너무도 비속하여 희극적 저하의 효과를 가져오는 것처럼 보인다. 그러나 강조 표시된 ②에 보이듯이 방자가 일방적으로 이도령의 인간적 결점에 대해 조롱하거나 비판함으로써 야기되는 희극적 왜곡, 혹은 풍자적 비판이 아니라 이도령과 서로 맞장구를 치는 화해로운 관계에서 이루어진다는 점에서 Thersites가 Troilus에 대해 일방적으로 조롱하는 관계와는 판이하게 다름을 알 수 있다. 더욱이 이도령이 앞장서서 입에 담는 극단적인 상스러운 말은 자신의 위신을 스스로 추락시키는 바보로 만듦으로써 희극적 왜곡에 의한 비판적 리얼리즘 정신을 드러내고자 한 것은 아니다. 다시 말하면 이도령의 인격적 결함을 들추어내어 비판하거나 풍자하기 위함이 아니라 춘향에 혹한 이도령의 조급한 마음을 극단적으로 드러내어 작중인물과 창자, 관중 모두가 함께 즐겨보자는 텍스트 실현으로 보아야 할 것이다.

3. 하늘마음의 여유에 의한 일탈과 화합적 화해의 미학

불안정적이고 척박한 사막(헤브라이즘)과 거대한 두려움의 대상인 해양(헬레니즘)을 배경으로 자연에 대한 대립과 도전을 특징으로 성장해온 서구문화권과 달리 삶의 대부분을 하늘에 의지하며 살아가는 농경사회의 특징을 가진 중국을 비롯한 동양문화권은 우주와 만물 전체의 화해를 중시하며 우주적 정체(整體)를 이상으로 하는 화해관을 가진 것으로 파악된다.

장파는 중국적 화해관의 특징을

1) 모든 존재를 포용하는 화해관
2) 시간을 공간화한 화해관
3) 대립하지만 서로 겨루지 않는 화해관

의 세 가지로 정리한 바 있는데[20] 이는 기본적으로 동양의 농경문화권에 속하는 우리에게도 그대로 일치한다.

1)의 경우를 보면, 모든 것을 포용하고 천차만별의 사물을 결합해야 우주의 정체적 화해가 실현된다는 것으로 "화해가 충만해야 만물이 생겨난다(和實生萬物)"는 정신에 기반한다. 이를테면 음악에서 오음(五音)의 배합에 의한 화해, 우주 만물에서 오행(五行)의 화해 등 상이한 요소의 배합관계, 상보관계, 상생관계(질적으로 상이한 요소와 대립적이고 배척적인 것의 화해방식인 相反相生까지를 포함함)가 화해의 구체적 방식이다.[21] 온갖 사물의 화해가 충만한 모습은 「수

---

20) 장파, 앞의 책, 128면.

21) 장파, 앞의 책, 129~131면. 여기서 장파는 상이한 요소간의 화해를 相成이라 하고, 대립되는 요소간의 화해를 相濟라 하는데 이 두 가지의 화해가

궁가」에서 별주부가 토끼 간을 구하려고 용궁을 벗어나 뭍으로 올라와 세상 경계를 바라보는 장면에 잘 드러나 있다. 이른 바 「고고천변」으로 불려지는 대목으로 그 가운데 일부를 보면 이렇다.

> 물은 풍풍 깊고 만산은 우루루루루 국화는 점점 낙화는 동동 장송은 낙낙 느러진 잡목 펑퍼진 떡갈 다래몽등 칡넝쿨 머루다래 어름넌출 능수버들 범난기 오미자 치자 감대추 갖은 과목 얼그러 지고 뒤틀어져서 구비칭칭 감겼다. 어선은 돌아들고 백구는 紛飛 갈매기 해오리 목포리 원앙새 강상 두루미 수많은 떼꿩이 …… 치어다 보니 만학천봉이요 내려굽어보니 백사지 …….
> (박초월 창본 「수궁가」)

이처럼 삼라만상이 어우러져 화해의 미를 보여주고 있는데 이는 대상의 사실적 묘사나 리얼리티와는 거리가 있다. 어찌 보면 야단스러우리 만치 온갖 사물의 형상을 줏어 섬기는 것은 중국문화에서 화해미의 근간을 이루는 '문(文)의 수식성(修飾性)'[22]과 관련을 맺어 발달한 것으로 볼 수도 있으나 문의 수식성의 전통보다 훨씬 더 야단스러움은 한국의 독특한 민족미학이라 할 수 있다. 이러한 야단스러움의 극단화는 우리 민족 특유의 '여유에 바탕한 일탈'로 규정할 수 있는데 이런 여유는 인간의 마음이 곧 하늘 마음(天心)이며 하늘같은 사람이라는 단군시대부터 오늘날에 이르기까지 지속되어 온 우리 민

서구문화에서도 나타나지만 그 방식이 대립-충돌-투쟁이라는 부정의 방식이어서 대립하되 서로 겨루지 않는 중국문화의 화해와는 차이를 보인다고 지적한다.(142~143면 참조) 필자는 앞에서 동양적 방식을 '화합적 화해'라 명명한 바 있는데, 이와 대척적인 서구적 방식은 '부정적 화해'라 칭하여 구분코자 한다.

22) 文에서 飾은 꾸밈으로 다양성이 통일된 和의 사상을 바탕으로 하는데 한가지 사물로는 무늬(文)을 이룰 수 없으므로 꾸밈이 일어나는 것이다.(장파, 앞의 책, 282면)

족 특유의 사유 원리와 상관되는 것으로 보인다. 즉, 상고시대의 단군신화를 비롯하여 삼한을 거쳐 삼국시대에 이르는 제천의식에 보이는 하늘 숭배가 그러한 사유에 기반하고, 신라시대의 풍월도 정신에 보이는 인천함열(人天咸悅)을 거쳐 고려의 선풍(仙風), 근세의 동학에 보이는 인내천(人乃天 : 하늘이 곧 사람이다)에 이르기까지 한국인의 사유구조에 일관되게 흐르는 중심 사유와 관련된다는 것이다.

하늘과 인간을 하나로 보는 것은 같은 문화권인 중국철학에서도 천인합일(天人合一)이라는 근본관념으로 나타나지만 중국의 경우는 맹자와 순자라는 양대 거봉을 거치면서 하늘과 인간의 관계를 상당히 다르게 보는 두 갈래로 갈라지게 되었다. 즉 맹자 쪽이 하늘에 의지하여 인간사회의 안정과 질서를 추구하는 전통적인 낙관론에 바탕을 둔다면, 순자 쪽은 인간은 하늘과 인간의 분계를 알아서 하늘의 일에 관여함이 없이 인간의 일에 충실해야 한다는 천인분리사상에 기반을 두고 있다. 그리하여 전자는 육체보다 정신적 삶을 중시하고, 지엽말단의 세부보다는 근본을 중시하는 원리주의 혹은 근본주의와 통하며, 반공리주의(反功利主義)[23] · 이상주의를 지향하는 유심론적이고 종교 지향적이라면, 후자는 정신보다는 육체적 삶을 중시하고, 근본이나 원리보다는 세부나 결과 혹은 행동을 중시하며, 공리주의 · 현실주의를 지향하는 유물론적이고 과학 지향적이라는 차이점을 보인

23) 『孟子疾書』에서 맹자는 양혜왕에게 "이익을 앞세우지 말라"고 강조한다. 이러한 반공리주의가 경세치용이나 이용후생을 강조하는 우리의 실학자의 경우는 어떻게 받아들일까가 궁금하다. 이에 대해 李瀷은 맹자가 이익 자체를 거부한 것이 아니라 도덕성과의 조화를 꾀하자는 데 그 의도가 있다고 주장함으로써 타협점을 찾은 바 있다. 연암의 소설 「허생전」에서 장사꾼으로 나선 주인공 허생이 매점매석으로 번 돈이 道에 어긋난다고 거금을 바다 속에 던져버리는 행위가 이익의 주장과 상통하는 행위이며 유학에서 실사구시를 추구하는 실학 역시도 정신적인 수양의 도에서 벗어나는 것은 아니었음을 알 수 있다.

다.[24] 여기서 특히 순자의 맹자에 대한 반대 지향이 주목되는데 이는 그가 전국시대말기 사회의 극심한 혼란기에 쿠데타에 의한 왕권쟁탈전과 이웃나라끼리의 침략전쟁이 끊임없이 계속되는 상황에서 그러한 사회현실을 직시하고 그 해결방법을 모색하기 위한 방책으로 나타나게 된 것이라 한다.[25] 따라서 맹자사상이 안정과 평화를 정신적으로 보존하는데 적절한 사상이라면, 순자사상은 혼란과 고난의 현실을 합리적으로 풀어나가는데 적절한 사상이라 할 수 있다.

여기서 우리는 한·중·일 삼국에 있어서 두 사상의 전개 양상을 대비해 보면 참으로 흥미로운 점이 발견된다. 즉 거대한 대륙인 중국의 경우 때로는 여러 국가로의 분열과 그에 따른 패권이나 왕권쟁탈을 위한 엄청난 전쟁에 오래 동안 시달리기도 하고, 때로는 그 반대로 통일된 패권국가의 출현으로 안정과 평화의 시대를 누리기도 함으로써 양대 사상이 역사적으로 공존해 내려온 데 비해, 한국의 경우는 일찍이 통일 국가를 만들어 비교적 전쟁이 드물고 가난하지만 소농경제로 하늘에 의지하며 평화롭고 안정된 삶을 살아온 까닭에 자국에 고유하게 내려오던 하늘사상과 상통하는 맹자 사상은 접맥이 잘 되어 받아들이고 순자 사상은 정착시키지 못했던 것이다.[26] 이에 반해 일본의 경

24) 맹자와 순자의 사상 경향에 대하여는 풍우란(정인재 역), 『중국철학사』, 형설출판사, 1989 참조.

25) 장대년(김백희 역), 『중국철학사대강』, 까치, 1998 참조.

26) 한국의 역사를 끝임없는 內憂外患의 역사로 보는 경우가 흔하고, 나아가 우리 역사를 만신창이가 된 늙은 창부에 비유한 역사서(함석헌, 『뜻으로 본 한국 역사』, 제일출판사, 1993)까지 있으나, 이는 일제가 그들의 식민통치를 합리화하기 위해 일본 식민사관 학자들에 의해 고의적으로 과장·왜곡·날조된 것을 비판 없이 그대로 편승한 결과다. 세계사에서 한국만큼 왕조가 오래 지속될 정도로 평화를 유지한 나라는 없지 않은가. 잘 알다시피 신라가 천년 역사를 자랑하고, 그 뒤를 이은 고려와 조선이 각각 오백년의 역사를 지탱해 온 것이 우리 역사의 실상이다. 그토록 긴 왕조를 유지해오는 동안 내전은 왕조 교체기를 중심으로 손에 꼽을 정도였으며, 북

우는 막부(幕府) 혹은 '번(藩)'이라는 무사집단을 중심으로 하는 지방 분권체제로 인해 빈번한 내전을 겪으며 전쟁의 소용돌이 속에 살아왔으며 지진과 기후 등 환경의 불안정으로 이를 타개하기 위해 반공리적이고 천인합일의 정신적 삶을 중시하는 맹자보다 자연을 이용하여 인간생활에 활용함으로써 육체적 삶과 물질적 조건을 충족하려는 과학정신의 원동력이 되는 천인분리의 공리주의를 지향하는 순자 사상을 육화해 받아들이고 맹자 사상은 끝내 소화불량으로 그치게 된다.[27]

앞서 인용한 「고고천변」 대목에서 인간 세계의 삼라만상이 어우러져 있음을 보는데, 이는 온갖 사물을 두루 사랑하는 것을 찬성하지 않고, 사물을 이용하고, 주재하고, 제어할 것을 주장한 순자 사상[28]과는 정반대의 세계인식에 기초함은 말할 것도 없다. 세상만물을 두루 포용하는 이러한 마음이 바로 하늘마음인 것이다. 우리 유학사상의 거봉을 이루었던 퇴계가 수양방법으로 그토록 강조한 '경(敬)' 역시 인격의 수양을 통해 모든 잡생각을 버리고 욕심이 없어지면 본심으로 돌아가게 되고 본심은 곧 천심(天心)이므로 하늘같은 사람이 되어 만물을 모두 끌어안게 된다는 논리와 통한다. 이와 같이 욕심이

방족과 왜구에 의한 외침이 다소 빈번했으나 왕조가 무너질 만큼 심각한 전쟁은 거의 없었다.

27) 한국과 일본의 이러한 상반되는 모습은 지정학적 상반성을 그대로 반영한 것으로 종교나 사상을 수용하는 방식에서 더욱 극명하게 드러난다. 즉 하늘 사상을 중심으로 정신적 삶을 중시하는 한국은 불교의 경우도 종교 신앙 쪽으로 극단화하는 경향을 보이고, 유학사상도 퇴계와 율곡 등에서 보듯이 정신적 수양 쪽으로 극단화하며, 기독교도 그 과학정신보다는 종교신앙 쪽으로 극단화해서 받아들인다. 그에 반해 일본은 불교도 종교 신앙으로서보다는 장례의례의 실용적 공리적 필요로서 받아들이고, 유학사상도 퇴계를 수용하려 했으나 끝내 소화불량이 되어 포기하고, 기독교도 그 신앙이나 종교성은 거부하고 蘭學을 비롯한 과학정신을 적극 받아들이는 데서 잘 드러난다.

28) 장대년, 앞의 책, 49면 참조.

없어지고 하늘마음이 되면 어떠한 궁벽한 상황에서도 여유를 갖게 되고 모든 것이 풍성해지는 것이다.

그런데 만물을 포용하는 '여유의 정도'가 중국의 경우보다 우리가 훨씬 극단화되어 나타나는 점이 차이를 보인다. 이는 한국이 맹자 사상을 받아들이더라도 퇴계에서 보듯이 훨씬더 정신적으로 극단화해서 받아들이고, 불교나 서구 기독교를 받아들이더라도 교리를 합리적으로 따져서 받아들이기 보다 신앙적 종교적으로만 극단화해서 받아들이는 사실에서도 확인된다. 이러한 정신적 여유는 판소리의 경우에도 미학적 바탕이 되어 곳곳에 나타나기 마련인 것이다. 하나의 예를 더 들면 곽씨부인이 남편 심봉사를 모시기 위해 바느질 품을 파는 장면을 묘사하는 데서도 실제로는 바느질품의 일감 얻기가 쉽지 않았을 터인데도 그 가지 수가 풍성하기 짝이 없는 여유를 보인다.

> 삯바느질 관대도복 行衣 창의 직령이며, 섭수 쾌자 중치막과 남녀의 복 잔 누비질 꺾음질과 외올뜨기 꽤담이며, 고두누비 솔올리기 망건 꾸미 갓끈 접기, 배자 토수 보선 행전 포대 허리띠 다님 줌치 쌈지 약랑에 필낭 휘황 볼지 복건 풍차이며, 천의 周衣 갖인 금침 베게모에 쌍원왕 수도 놓고, 오색 모사 각대 흉배 학 그리기 궁초단 서주 선주 낙릉 갑사 운문 토주 갑주 분주 표주 명주 생초 통경 조포 북포 황저포 춘포 문포 제추리며, 삼베 백저 극상세목 삯을 받고 맡아 짜기 …….
>
> (정권진 창본)

이러한 여유는 옹색함에서 벗어나는 일탈의 미학이자 그 일탈마저도 끌어안는 화합적 화해의 미학을 기저로 함은 물론이다. 그리고 이러한 여유는 아무리 다급한 상황이나 죽을 지경에 이른 비극적인 상황에서도 그대로 적용되어 비참의 심각성에 동화되어 빠져들게 하지 않는 마음을 보여준다. 심봉사가 심청을 기다리다 더 이상 참지 못하고 찾아 나섰다가 개천에 빠져 허우적대는 비참의 극에 달한 상황에서도 그러한 여유로운 모습이 잘 드러난다.

> 이리더듬 저리더듬 더듬더듬 나가다가 길건너 개천에 미친 듯이 풍. 어푸 사람 살리오. 나오랴면 미끌어져 풍빠져 들어가고 아이고 도화동 심학규 죽네. 정신은 말끔헌디 숨도 못 쉬고 아픈데 없이 잘 죽는구나.
> (정권진 창본)

「심청가」에서 하늘마음을 가진 대표적 인물은 주인공 심청이다. 그녀는 아버지 심봉사를 위해서 어떠한 고난도 달게 받으며 모든 것을 포용한다. 심지어 죽음까지도 불사하며 아버지를 구완하는 일에 자신의 모든 것을 희생한다. 그래서 이러한 그녀의 지극한 효성을 가리켜 선인(船人)들은 "출천대효(出天大孝)로다"라고 했다. 즉 그녀의 효성은 하늘이 낸 것으로 하늘같은 사람이기에 가능한 것이다. 그래서 그녀의 출생을 하늘의 선녀가 지상으로 내려온 이른바 적강구조(謫降構造)로 설정하고 있는 것이다. 하늘에서 내려온 존재이므로 그녀는 하늘마음을 가질 수 있었으며 그녀의 효성은 출천지대효가 될 수 있는 것이다. 또한 하늘같은 사람으로 효도를 다했으므로 그녀의 죽음은 죽음으로 끝나지 않고 하늘로부터 보상을 받게 되는 것이다. 즉, 심청이 죽자 옥황상제의 명으로 용왕이 구출하고, 천상에 가 있는 모친과도 상봉하게 되고, 인당수에 천화(天花)〔작품에서는 降仙花로 불림〕와 시녀에 싸여 다시 세상에 나올 수 있었고 황후가 될 수 있었던 것이다. 이러한 초현실적 설정을 가리켜 문제 해결에 어떠한 단서도 될 수 없는 '관용적이고 장식적인 설정'에 불과하다고 보는 견해[29]는 심청의 '효'의 성격을 바르게 파악한 것이라 하기 어렵다.

이와 관련하여 심청의 적강구조적 출생을 일러 영웅의 일생구조에 나타나는 '고귀한 출생'의 단서로만 이해하거나 관용적 혹은 장식적

29) 조동일, 「심청전에 나타난 비장과 골계」, 앞의 책, 9면.

설정에 불과한 것으로 보는 것도 작품의 심층적 의미와는 거리를 갖게 된다. 더욱이 그녀의 지극한 효도를 유교윤리에 입각한 이념적 요청으로 보고 작품의 표면적 주제에 해당하는 보수적 관념론으로 보는 것[30]은 인간의 마음과 하늘의 마음을 연속관계로 파악하는 한국적 인식논리에 기반한 민족미학을 염두에 두지 않은 결과라 할 수 있다. 심청의 효는 유교윤리의 이념화된 경직된 효가 아니라 작품 속에서 분명히 하고 있듯이 이념을 넘어선 출천지대효 즉 하늘같은 마음을 가진 사람의 효로 규정될 성질의 것이다.

또한 심청의 적강구조가 "소녀는 서왕모 딸일러니 반도진상가는 길에 옥진비자 잠간만나 수어수작을 허옵다가 시(時)가 조금 늦인고로 상제께 득죄하여 인간에 내치시매 ……" 라고 되어 있어 심청의 이러한 출생과 그에 따른 고난과 희생의 의미를 인간의 원초적 불행을 극복하기 위한 속죄의식의 문학적 전개로 보는 견해[31]도 문제가 아닐 수 없다. 인간은 태어날 때부터 원죄를 지녔다는 이러한 기독교적 사유는 유(有)와 무(無), 실체와 허공을 대립시키는 서구문화에서 가장 쉽게 생겨나는 버림받음과 죄의식에 해당하는데, 이러한 원죄의 상황에서 인간의 자기 초월은 속죄의식과 하느님에로의 귀의로 나타나게 된다.[32]

그러나 심청의 적강구조적 출생과 고난 및 희생의 의미는 이러한

---

30) 조동일, 앞의 논문, 17~18면.

31) 정하영, 「속죄의식의 문학적 전개—「심청전」을 중심으로」, 서울대 석사학위논문, 1974 참조. 여기에 덧붙여 윤이상의 오페라 「심청」의 작사를 맡았던 하랄드 쿤츠(안인길 번역, 「심청, 구원의 실현자」, 『문학사상』 13호, 1973년 10월호)도 심청의 희생이 신화에 원형을 둔 종교적 차원의 구원관(신에게 모든 것을 바치고 죽음으로써 새로운 생명을 얻게 되리라는 기독교적 구원관)으로 이해하고 있는데 이 역시 서구 사유구조에서 본 관점으로 「심청가」의 실상과는 거리가 있다.

32) 장파, 앞의 책, 218~219면.

서구문화권의 사유와는 거리가 멀다. 우선 서구 기독교적 사유는 하느님이 주재하는 천상의 세계와 인간의 원죄에 대한 하느님의 징계로 질병과 고통 속에 살아가야 하는 인간의 세계는 서로 대립되는 세계로서 속세의 인간은 고난에 대한 끝없는 인내를 통해 전능하신 하느님을 느끼고 죄악에서 벗어나 자신의 더러움을 씻고 자신의 유한성을 부정하며 나아가 자신의 나약함을 떨쳐내어 위대한 창조주에게 귀의함으로써 정화되는 것이다. 이에 반해 「심청가」에서 인간세계는 하늘세계와 대립되는 세계도 아니며 그녀의 고난과 희생이 천상세계에서의 원죄나 속죄의식과 무관하다는 것은 그녀의 희생에 대한 보상이 하늘 세계로의 귀의로 나타나지 않고 지상세계의 황후로 되고 현세에서 심봉사의 개안이 이루어지는 서사구조에 극명하게 드러난다.

천상과 속세를 대립적 구조로 보지 않는 이러한 서사구조는 화해를 대립물의 투쟁으로 보는 서구와는 반대지향인 '대립하되 서로 겨루지 않는' 중국적 화해관과 통하는 것이다. 이는 서구의 화해가 부정→전진이라는 시간적인 변화의 과정을 중시하는 것이라면 중국이나 우리의 화해는 보존과 안정을 지향하는 공간적 화해의 지속성을 중시함으로 해서 시간을 공간화한 화해관을 보이고, 시간적 변화나 그 변화의 구체적 과정보다는 시간 속에 놓여 있는 공간적 상황이 관심의 대상이 되는 까닭이다. 이를테면 「심청가」에서 곽씨부인이 죽자 그 후 심청의 나이가 15세가 될 때까지 고난의 삶이 어떠했는지에 대한 시간적 변화의 과정은 관심이 없고 다만 그 나이가 되어 심청의 용모와 품행이 어떠한지에 대한 관심만이 표명되어 있음에서[33] 그러한 사정이 잘 드러나 있다.

그와 같은 측면은 「춘향가」에서도 마찬가지다. 이도령이 춘향과 이별 후 한양에 올라간지 불과 얼마 되지 않아—그 기간은 서술구조

33) 해당대목을 보면 "심청 나이 그렁저렁 십오세 되어가니 얼굴은 國色이요, 효행이 출천이라. 이런 소문이 원근에 낭자하니 ……" 라고 되어 있다.

의 논리로 따진다면 변사또가 부임하여 곧바로 기생점고를 하고 춘향에게 수청을 들지 않는다고 태장을 가해 그로 인해 춘향이 초죽음이 되어 옥에 갇혀 한 해 겨울을 나는 동안에 불과함[34]—과거에 장원급제하여 곧바로 암행어사가 되어 내려온다는 설정에서 더욱 잘 드러난다. 임금으로부터 암행어사로 제수 받으려면 급제한 후 상당한 세월이 흘러 승진을 거듭한 연후에야 가능함[35]에도 불구하고 그러한 시

---

34) 이도령의 암행어사 제수가 춘향과 이별한지 불과 한 해의 간격밖에 되지 않음은 춘향의 옥중 서찰을 가지고 방자가 한양으로 올라가다가 도중에 암행어사로 내려오는 이도령을 만나는 자리에서 춘향이 쓴 서찰 속에 "겨우 정신을 수습하여 두어줄 글을 올리오니 깊이 하감하옵소서. **작춘(昨春)이후로 手澤을 뵈옵지 못하오니**, 멀리 바라는 마음 갈수록 새로우며, 君子계실 때는 술 마시고 글 지을 제 ……"(김여란 창본)라고 적음으로써 이도령을 만나보지 못한지가 지난 봄이후라 하고 있음에서도 확인된다.

35) 김여란 창본에는 이도령이 급제한 후 "부모님 전에 영화 뵈고 벼슬이 차차 올라갈제 成均으로 文官하고 홍문관 正字 박사 初入仕 주서한림 옥당으로 교리수찬 堂堂名士로 물망이 자자하더니, 하로는 우에서 부르거늘 ……" 라고 하여 세월이 흐르고 여러 벼슬을 거친 것으로 묘사해 놓았다. 그러나 그러한 벼슬도 시간 속의 구체적 과정으로서의 이도령의 변화된 모습을 그려 보인 것이라기보다 벼슬아치로서의 그의 탁월한 모습을 보여주기 위한 것이어서 역시 시간의 공간화 현상을 보인다. 이런 것을 시간적인 것으로 이해하면 앞서 주 34)에서 인용한 옥중서찰에서의 시간과 모순 혹은 당착되고 마는데 이런 모순·당착 현상을 일러 불통일성(장덕순, 「작중인물을 통하여 본 춘향전」, 『진단학보』 12호, 1963), 불합리에 의한 발랄성(최진원, 「춘향전의 합리성과 불합리성」, 『국문학과 자연』, 성균관대출판부, 1977), 부분의 독자성(조동일, 「홍부전의 양면성」, 『계명논총』 5집, 계명대, 1969), 장면극대화의 현상(김대행, 「판소리사설의 구조적 특성」, 『한국시가구조연구』, 삼영사, 1976), 상황적 의미·정서의 확대 강화(김흥규, 「판소리의 서사적 구조」, 『고전문학을 찾아서』, 문학과지성사, 1976), 다원적 질서의 허용(최진형, 앞의 논문, 36면)이라는 판소리의 특징으로 이해한 바 있다. 그러나 시간적 국면으로 보는 것은 판소리의 서사가 갖는 서술성에 초점을 맞춘 것이어서 세계인식과 관련된 미학적 이해에는 한계가 있다. 즉 시간의 공간화라는 국면으로 이해하는 것이 미학적 이해에는 더욱 적절하리라 본다.

간적 변화의 과정에는 관심이 없는 것이다. 오직 관심은 이도령의 과거시험 장면과 장원급제한 늠름한 모습이 중요하고 어사 출도하여 춘향을 구출하는 상황이 중요한 것이다. 즉 시간적 변화의 과정은 중요하지 않고 시간을 공간화한 화해적 상황이 중요한 것이다.

대립하되 서로 겨루지 않는 화해관이 가장 잘 드러나 있는 우리의 구비문학으로는 탈춤을 들 수 있다. 그럼에도 우리는 그동안 탈춤에서의 희극적 갈등을 너무 서구이론의 틀에 맞추어 살핀 결과 동양적 화해관과는 거리를 갖는 해석에 경도된 혐의를 떨칠 수 없다. 주지하다시피 서구의 연극 이론은 그 기원이 굿(제의)에 있고 굿은 '싸움'을 중요한 원리로 하며 이것이 연극에서 극적 갈등의 구조로 발전된 것으로 본다.[36] 이러한 서구이론의 영향으로 인해 우리의 탈춤에서도 싸움 형태의 굿의 흔적을 발견하고 오광대 등에서 발견되는 겨울과 여름의 싸움 형태의 굿은 극중인물이 대결하는 방식으로 더욱 뚜렷하게 전승되고 이것이 파계승에 대한 풍자, 양반에 대한 풍자, 처첩 사이의 갈등이라는 탈춤의 주제로 나타나게 되었다[37]고 본다.

이러한 탈춤의 주제 가운데 양반에 대한 풍자가 기존 논자들에 특히 주목되어 왔는데 그 대표적인 예를 들면 "풍자의 양상이 농촌탈춤에서는 양반의 실수를 들어 양반을 풍자하는 데 그치고 양반과 맞서는 민중의 전형은 뚜렷한 성장의 자취를 보여주지 않는데, 도시탈춤에 두루 등장하는 말뚝이는 양반의 하인이면서도 양반을 풍자하는 주체이며, 말뚝이와의 대결에서 양반은 돌이킬 수 없는 패배에 이른다"는 견해[38]를 보인다. 과연 말뚝이와 양반의 대결 양상이 어느 일방의 승리와 패배라는 싸움의 논리로 이해해야 할지는 우선 다음 대목을 살펴보기로 하자.

36) L. R. Farnell, *The Cults of Greek States*, Oxford, 1909.
37) 조동일, 『탈춤의 역사와 원리』, 홍성사, 1979, 60면, 185면 등 참조.
38) 조동일, 위의 책, 94면.

말뚝이 : (중앙쯤에 나와서) 쉬이. (음악과 춤 멈춘다) 양반 나오신다아! 양반이라고 하니까 노론 소론 호조 병조 옥당을 다 지내고 삼정승 육판서를 다 지낸 퇴로재상으로 계신 양반인 줄 아지 마시요. 개잘량이라는 양자에 개다리소반이라는 반자 쓰는 양반이 나오신단 말이요.

양반들 : 야아, 이놈 뭐야아!

말뚝이 : 아, 이 양반들 어찌 듣는지 모르갔소. 노론 소론 호조 병조 옥당을 다 지내고 삼정승 육판 서를 다 지내고 퇴로재상으로 계신 이생원네 삼형제분이 나오신다고 그리하였소.

양반들 : (합창) 이생원이라네. **(굿거리 장단으로 모두 춤을 춘다 ……)**

말뚝이 : 쉬이 (반주 그친다) 여보, 구경하시는 양반들 …… 연변죽을 사다가 이리저리 맞추어 가지고 저 재령 나무리거이 낚시 걸듯 죽 걸어놓고 잡수시오.

양반들 : 뭐야아!

말뚝이 : 아, 이 양반들 어찌 듣소. 양반 나오시는데 담배와 헌화를 금하라고 그리하였소.

양반들 : (합창) 헌화를 금하였다네. **(굿거리 장단으로 모두 춤을 춘다)**

(「봉산탈춤」 제6과장)

탈춤 작품 가운데서도 양반에 대한 풍자가 가장 신랄한 것으로 알려진 「봉산탈춤」의 한 대목이다. 과연 작품의 극적 갈등이나 대화에만 초점을 맞춘다면 말뚝이가 상전을 욕보이고 반발하는 신랄한 풍자로 볼만하다. 그런데 작품의 전개는 순전히 이러한 극적 갈등의 대화로만 전개되는 것이 아니라 그러한 갈등을 해소하고 화해로 매듭을 짓는 춤대목(밑줄부분)이 그에 못지 않은 중요한 비중을 차지한다는 것이다. 이러한 탈춤의 구조에 대해서 기존의 견해에서는 말뚝이의 양반에 대한 풍자에만 초점을 맞추다보니

"말뚝이의 반발이 모두 외면적 복종 속에 가리워져서 양반들에게는 정확히 인식되지 못한 채 춤대목으로 넘어간다. 그러나 춤대목에서 말

> 뚝이와 양반들이 같이 어울려 흥겹게 춤을 춤으로써, 말뚝이의 반발은 관중만 알고 양반은 모르기에 오히려 더욱 날카롭고 효과적으로 된다. 다시 말하면 춤대목에 의해 갈등이 해소된 듯한 인상이 오히려 갈등을 더욱 날카롭게 하는 반어적 작용을 한다."[39]

라고 하면서 춤대목이 극적 긴장을 증대하는 구실을 하는 경향이 짙고 이것이 탈춤으로 하여금 '비판적 희극'일 수 있게 하는 이유의 하나가 된다고 했다.

그러나 상전에 대한 말뚝이의 반발이나 모욕을 과연 관중만 알고 양반은 모르는 것일까? 아니면 알면서도 짐짓 모르는 체 넘어가 함께 어우러져 춤을 춤으로써 양반층과 민중층이 대립하면서도 서로 충돌하지 않고 상반상성(相反相成)하도록 대립국면의 화해를 도모하는 것일까? 말뚝이의 모욕을 관중은 아는데 양반은 모른다는 논리는 온당한 것인가? 그게 사실이라면 양반은 관중보다 못한 수준이하의 군상이 된다. 과연 그런가? 이 경우 양반은 그러한 모욕을 모르는 바보여서가 아니라 탈춤이라는 대동놀이—상층이나 하층이나 모든 계층을 초월하여 어우러지는 놀이—속에서의 행위이므로 심각하게 받아들이지 않고 화해를 위해 허용함으로써 가능한 것으로 보아야 온당할 것이다. 따라서 말뚝이의 양반에 대한 반발이나 비판은 '허용된 모욕'이기에 풍자가 아니라 '익살'로 보아야 한다. 익살이기에 탈춤이 농촌이나 도시, 상층민이나 하층민이 함께 즐길 수 있었던 것이다.[40] 그

39) 조동일, 『탈춤의 역사와 원리』, 126면.

40) 이를테면 「하회별신굿놀이」 같은 농촌탈춤이 선조 때 명재상 柳成龍을 배출시킨 豊山 柳氏 동족부락이라는 양반촌에서 공연되어 왔던 것이고, 「봉산탈춤」을 비롯한 황해도 일대의 도시에서 공연되던 해서탈춤같은 도시탈춤은 지방관장까지도 관객이 되어 해주 감영에서 탈춤경연대회를 주최할 정도(李杜鉉, 『한국가면극』, 문화재관리국, 1969, 278면)로 양반층의 묵인이나 참여 속에 이루어졌던 것이다.

렇지 않고 이것을 풍자에 해당하는 측면공격이나 비판으로 받아들였다면 공연이 허용되거나 존립할 수 없었을 것이다. 하층민의 양반층에 대한 모욕이나 비판은 엄중한 처벌의 대상이기 때문이다.41)

한편 양반의 지배하에 있으면서도 양반을 모욕하는 탈춤이 공연될 수 있었던 근거로는 "이런 (공연)기회에 상민의 울적한 심정을 중화시킴으로써 지배체제를 효용있게 유지하는데 보탬으로 삼았을 것"42) 이라는 관점에서 이해하기도 한다. 그러나 이것을 서구 중세의 feast of fools의 공연처럼 농민들이 평소에 억눌려 지내던 기분을 발산하고 지배층을 야유하는 정도의 '비판적 희극'쯤으로 이해하는 것은 문제가 있다고 본다. 필자의 생각으로는 갈등을 화해의 춤으로 마무리한다는 탈춤의 구조로 볼 때, 풍자가 아니라 익살을 통해 비판을 넘어서 대립적 요소 사이의 배척과 충돌을 화해로 전화시키는 '화해적 희극'으로 이해해야 하며 이것이 바로 동양미학 나아가 민족미학의 특성과 상관하는 것이라 판단된다. 서구희극에 보이는 풍자는 약자가 강자의 부정적 요소를 비판하거나 측면 공격하는 것이어서 화해에 이를 수 없으나 탈춤의 익살은 허용된 모욕이므로 그 이면에 신랄한 비판적 요소가 있다하더라도 결국은 화해에 이를 수 있어 그 미학적 바탕이 다른 것이다.

4. 맺는 말

지금까지 필자는 우리의 구비문학 자료에 나타난 민족미학의 특성이 어떠한지를 주로 미적 범주 유형의 구현 양상의 측면에서 동서문학의 비교미학적 대비를 통해 살피고자 했다. 이를 위해 우선 비극의

41) 상민이나 천민이 양반이나 상전을 능욕했을 경우의 엄혹한 처벌 조항은 『大明律』(刑律)이나 『秋官志』 등에 잘 드러나 있다.

42) 예용해, 『인간문화재』, 어문각, 1963, 111면.

식의 미학적 차이에 주목했는데, 이 방면에 업적을 보인 장파는 동서 문학의 비극작품을 직접적으로 대비하는 방식을 취했으나 필자는 비극적인 것과 희극적인 것이 공존하는 자료의 대비를 통해 규명하고자 했다. 그 결과를 간단히 정리하면 다음과 같다.

서구의 경우 비극과 희극이 공존하는 희비극에서는 비극적 상황이나 사건을 풍자적 시각이나 희극적 왜곡을 통해 보여주는데, 그 목표는 진리추구에 있으며 그 정신은 비판적 리얼리즘에 두는 까닭에 인간 경험과 실존의 본질 자체를 미화하거나 호도함이 없이 인간사의 이면을 들추어내는 특징을 보인다. 그리하여 희극적 위안이라는 장치도 위안의 효과로서보다는 오히려 비극적 고통을 심화시키는 경우가 흔하다.

이에 비해 우리의 민요나 판소리의 경우는 극단적 곤경과 비극적 삶에 처해서도 그러한 상황이나 대상에 대해 비판적 냉정함이나 풍자의 시선, 혹은 현실적 삶의 개조를 위한 리얼리즘적 분석의 태도로 나아가지 않고, 오히려 그러한 고난의 비극적 삶이나 대상을 포용하려는 여유를 통해 희극적 전환이 필요했으며 이는 기본적으로 예의 수호에 바탕을 두는 화합적 화해의 미학을 추구하는 것으로 보았다. 그리고 이러한 화합적 화해의 미학은 인간의 마음이 하늘의 마음에 닿는 여유에 의한 일탈로서 가능함을 규명했다. 그리고 탈춤에 있어서도 이러한 화합적 화해의 미학이 작용함으로 해서 서구처럼 비판적 희극으로 나아가지 않고, 풍자가 아니라 익살을 통해 비판을 넘어서 대립적 요소 사이의 배척과 충돌을 화해로 전화시키는 화해적 희극으로 나아감을 밝혔다.

이렇게 해서 본고에서는 구비문학의 자료 가운데 서정 자료로는 「시집살이」 노래를 중심으로 살피고, 서사 자료로는 「심청가」 등 판소리를 택했으며, 극 자료로는 「봉산탈춤」을 중심으로 살펴 가능한 구비문학의 3대 장르를 고루 다루고자 배려했다. 여기서 규명된 민족미학적 특질은 비단 구비문학의 그것에 제한되는 것은 아닐 것이지만, 자료의 범위를 확대하여 여타의 문학 장르나 예술장르로 확대하여 검증될 때 보다 확실성을 얻게 될 것임은 말할 것도 없다. 이는 후일 기회가 닿기를 기대한다.

타원형의 삶은 계란을 하나 먹는데도 민족마다 문화의 차이로 인해 먹는 방식이 다르다고 한다. 이를테면 독일인은 계란의 뭉툭한 쪽을 먼저 먹어 들어간다고 하며, 이스라엘인은 그 반대쪽인 뾰족하게 좁은 부분부터 야금야금 먹어 들어간다고 한다. 이에 비해 한국인은 제멋대로 아무 쪽으로나 먹어 들어간다는 것이다. 이러한 차이는 독일인의 탐욕적 공격적 도전적 성향을 보여주고, 유태인의 계산적 전략적 경영관리적인 성향을 보여주는 것으로 이해된다. 이에 비해 한국인은 일탈적이고 다양하며 불통일성의 경향을 보여준다고 말할 수 있을 것이다. 그러고 보면 우리시가의 율격미학도 자수율적 요소와 음량율적 요소 어느 쪽으로도 일방적으로 규정하기 어려운 자유로운 성향을 보이고, 사물놀이에서도 꽹과리와 장고 등의 어우러짐이 무질서 속의 질서를 추구하는 자유로움을 보여주는 성향을 읽어낼 수 있다. 이러한 자유로움이 하늘마음과 통하는 여유로운 일탈의 모습이 아닐까 한다.

Ⅱ. 국문학도의 학문적 정체성 찾기

1. 도남 정신의 계승

필자가 대학에서 국문학을 연구하고 강의한답시고 신성한 대학 강단을 욕되게 한지도 어언 20여 년의 세월이 흘렀다. 이 적지 않은 기간 동안 국문학 연구를 위해 과연 무엇을 해왔던가를 돌이켜 보니 이렇다할 변변한 성과물 하나 제대로 찾아보기 어려운 낯부끄러운 자화상만 보일 뿐이어서 허탈감마저 밀려온다. 물론 이렇게 된 데에는 무엇보다 자신의 우둔함과 용렬함의 탓이 가장 큰 것이지만 그와 함께 국문학도로서의 나아갈 방향에 대한 확고한 인식의 부족과 사명감에 대한 불철저가 적지 않게 작용하지 않았나 생각하게 된다(그럼에도 불구하고 이토록 부족한 나에게 국문학계에서 가장 뜻깊고 전통 있는 도남국문학상을 받게 하는 영예를 안겨주신 것은 나의 보잘 것 없는 성과물에 대한 평가라기보다는 앞으로 제대로 똑바로 하라는 격려와 채찍의 의미로 받아들이고자 한다). 필자가 수행해 왔던 그동안의 연구가 어떤 확고한 미래에의 전망이나 인식의 토대 위에서 체계적으로 이루어진 것이 아니라 그때그때 필요에 따라 우발적으로, 특별한 사명감도 없이 그저 형편 닿는 대로 이뤄진 것이 대부분이기 때문이다. 그런 점에서 도남선생을 다시 생각하게 한다.

잘 아시다시피 도남선생은 국문학 연구의 초창기에 황무지를 개간하는 선구자 혹은 개척자로서 국문학의 거의 모든 영역에 걸쳐 빛나는 업적을 내셨다. 그러나 우리가 도남선생을 위대하게 생각하는 것은 단지 선구자적 업적을 내셨다는 그 자체에 있는 것이 아니라 국문학 연구에의 확고한 이념과 투철한 사명감으로 일구어낸 것이라는 점에서 두고두고 우리 후학들에게 정신적 원천으로 작용한다는 데 있는 것이다.

도남선생의 학문적 정신은 한마디로 '민족주의'였음은 우리가 익히 알고 있다. 도남선생이 실증주의나 문예미학 쪽으로 일방적으로 경사된 학문은 "목적 없는 문자의 희롱이요, 사관(史觀) 없는 학문의 도락(道樂)"이라 규정하고, 항시 민족의 현실문제를 떠나서는 학문이 있을 수 없음을 천명하면서 '생어민족(生於民族), 사어민족(死於民族)'을 좌우명으로 삼았다든지, 자신의 저서를 출간할 때, "나는 민족독립운동의 일환으로서 국문학을 연구하여 왔고, 해방 후에는 뜻하지 않은 민족 분열이 되매 하루도 민족의 통일을 잊어 본 적이 없었다"라고 한 서문(序文)에서 그러한 정신이 명백히 드러나 있다. 그의 학문적 업적은 그러므로 단순한 학문적 성과물이 아니라 민족주의의 실천적 결과물이었던 것이다. 물론 도남선생의 민족주의가 다분히 감성적 민족주의의 성향을 띠고 있어서 보다 탄탄한 이론적 토대와 학문적 엄밀성을 바탕으로 해야한다는 과제가 남아 있기는 하다. 그럼에도 불구하고 도남선생이 추구한 민족주의가 우리 국문학도가 나아갈 길이며 정신적 태도나 학문적 사명감이 되어야 한다고 보는 것은 우리가 처한 현실이 그것을 요청하기 때문임은 말할 것도 없다. 그것은 우리가 당면한 이 시대의 현실이 국어의 위기 시대라는 사실과 맞물려 있기도 하다.

2. 국어 위기 시대를 맞아

요즈음 우리는 인문학의 위기 시대라는 말을 많이 한다. 세상이 온통 실용 학문쪽으로만 휩쓸리고 학문 중의 학문이고 모든 학문의 기반이 되는 인문학은 관심이나 지원 면에서 엄청나게 소외되는 현상을 보이고 있으니 그런 위기를 실감하는 것은 당연한 것이다. 그러나 우리의 경우는 인문학의 위기도 위기려니와 그보다 더한 위기에 처해 있으니 그것은 다름 아닌 국어의 위기 시대를 맞고 있다는 것이다. 국어가 그토록 심각한 위기 시대를 맞았다니 무슨 소리냐고 의아해 할 수도 있을 것이다.

그러나 우리 주변을 돌아보면 '국어 죽이기' 현상이 곳곳에서 일어나고 있다. 거리 곳곳의 경양식 집이나 오락실, 유흥 주점, 커피 집, 호텔, 극장 등등의 이름들을 살펴보면 서양식 이름들로 넘쳐나 있다. 영화 광고를 보면 외국 영화는 물론 한국 영화마저도 영어식 제목으로 얼굴을 내밀고 있다. 우리의 청소년들이 그토록 열광하는 가수의 이름도 핑클, 샤크라, G.O.D, S.E.S, 싸이 등이고, 그들이 부르는 노래 제목이나 노래 가사에도 영어가 원어 그대로 끼어 들고 있다. 어디 그뿐인가? 각종 국가시험이나 입사시험에서도 국어나 국사는 완전히 추방되는 반면, 영어는 토익이니 토플이니 하는 것이 몇 백점 이상이라야 된다면서 점점 더 강화되고 있다. 그보다 더욱 심각한 것은 공교육 환경이 열악하다는 명분 아래 영어권으로의 조기 유학 붐이 일고, 국민학교 저학년 영어 의무교육도 모자라 유치원에다 3~4세 어린아이까지도 조기 영어교육 열풍이 불어 한국어도 제대로 구사할 줄 모르는 철부지에게 영어 과외비로 월 백여 만원씩 쏟아 붓는 가정이 생겨나도 사교육비 과다지출이라는 제동도 걸리지 않고 있다. 가장 근본적인 국어 죽이기는 주변의 이런 현상들보다 영어 공용어론이 사회의 한 켠에서 가끔씩 얼굴을 내밀고 있다는 것이다. 말하자면 전국민을 영어로 말할 줄 아는 나라로 만들자는 것이다.

결국, 전국민이 국어는 뒷전이고 영어를 다 잘할 줄 알면 국제화 세계화가 저절로 이루어지고 문화적으로 혹은 경제적으로 선진대열에 합류할 수 있다는 논리이다. 과연 그럴까? 그 답은 전혀 아니라는데 문제가 있다. 그것은 전 국민이 영어를 잘하는 방글라데시, 필리핀, 인도같은 나라가 아직도 문화적 후진이고 경제적으로 빈곤국가에서 헤어 나오지 못하고 있다는 엄연한 사실이 증명해주고 있으며, 전국민이 영어를 잘하지 못해도 선진 대열에 있는 일본이 경제적·문화적 강국으로 여전히 자리를 굳건히 하고 있다는 점에서 더욱 그러하다. 정작 일본은 영어가 필요한 직종에 종사하는 극히 일부의 사람만이 영어를 뛰어나게 잘하는 것으로 충분히 국제경쟁력을 살려나가고 있다는 것이다. 어쩌면 자기 언어를 뒷전으로 하고 영어를 전국민이 잘하게되는 시대가 오면 자기문화의 정체성을 상실한 나머지 문화적으로나 경제적으로 방글라데시처럼 최빈곤 국가로 전락할지도 모르며, 더 나아가서 선진문화에 완전히 동화하고자 자기 언어와 문화를 버렸던 만주족처럼 완전히 멸망해버릴지도 모른다. 그것이 엄연한 역사적 교훈이다.

그렇다면 국어가 위기에 처하는 시대는 곧바로 국가가 위기에 처하는 것으로 직결된다는 논리가 성립한다. 왜 그럴까? 영어 공용어론자들은 한낱 언어가 갖는 기능을 사람과 사람사이의 의사나 감정을 소통하는 **도구** 정도로 인식하기 때문에 국제적으로 통용되는 영어를 전국민이 구사할 줄 알아야 그만큼 국제경쟁에서 유리하다는 논리를 갖고 있다. 그러나 언어는 그들이 생각하는 것처럼 단순한 도구가 아니다. 왜냐하면 언어는 사고와 직결되고 불가분의 관계를 갖기 때문이다. 언어와 사고는 공통의 기원을 가지며 평행적인 발달 과정을 밟는다. 즉 언어는 사고이고, 사고는 언어이므로 언어의 발달은 사고의 발달을 가져오며, 사고의 발달은 국가의 발전(특히 문화 강국)을 가져온다는 것이다.

국어의 중요성은 이래서 아무리 강조해도 지나치지 않는다. 우리가 국어로 말함은 그것을 단순히 의사 표현의 도구로 사용하는 것이 아니라 그것을 가지고 **생각**을 한다는 데 중요성이 있다. 만약 한국인이 영어를 가지고 말한다면 생각의 뿌리를 잃게 되어 깊이도 체계도 없는 생각이 될 가능성이 많고 사고의 혼란만 초래하게 될 것이다. 한국인은 자국어로 5천년의 역사를 살아왔으므로 국어를 가지고 생각하기로 운명지워진 민족이다. 그러므로 국어를 버리는 일은 자기 나라를 버리는 일이다. 만주족이 자국어를 버리는 순간부터 그들은 그들 나라를 버린 결과로 가지 않을 수 없었다는 역사적 사실이 여기서 설명이 된다. 일제가 강압적으로 우리의 국어를 말살하려 시도했던 식민지 정책도 단순히 우리의 표현도구를 없애려 했던 것이 아니라 우리만의 독특한 생각 곧 정신의 뿌리를 없애려 했던 것이다.

언어와, 그 언어의 신앙적 형태인 종교는 그래서 정서와 정신을 사로잡는 것이다. 언어와 종교는 가장 효과적인 이데올로기 통제방식이 되는 것도 이 때문이다. 일제가 우리의 고유언어와 고유종교를 그토록 말살하고 파괴하려 했던 이유가 여기서 선명히 밝혀진다. 그런데 일제는 그것을 우리에게 강압적으로 요구했으므로 거기에 반발할 수 있었지만 지금은 우리 스스로 국어 죽이기를 아무런 의식 없이 행하고 있어 별 저항 없이 날로 확산되고 있는 추세이다. 국어의 위기가 국가의 위기로 연결된다는 자각을 전혀 하지 않고 있다는 반증이다. 그것도 지식인에서부터 일반인에 이르기까지 전국민의 절대다수가 거기에 편승한다는 것이다. 문제의 심각성이 여기에 있다.

내가 담당하는 고전시가론 강의의 율격론 시간에 즐겨 드는 일화가 하나 있다. 이건 생생한 실화이기에 더욱 흥미를 자극한다. 서울의 모대학 영문학 교수가 미국의 어떤 대학에 객원교수로 가서 8년째 지내던 어느 날이었다. 그는 같은 대학에 친교를 맺고 지내던 미국인 교수의 생일 초대를 받아 그 집을 방문했다. 축하 케익을 자르기 전에 그 주인공이 자기의 생일을 축하해 주는 기도를 해달라는 부탁과 함께 당신은 한국인이니 특별히 한국말로 하는 게 의미 있겠다고 했다는 것이다. 그런데 한국인 교수는 미국에 온 이후로 단 한번도 한국말을 해본 적이 없어 막상 기도를 하려니 단 한마디도 떠오르지 않더라는 것이다. 그렇다고 한국말을 할 줄 모른다고 하면 체면이 말이 아니므로 몹시 당황하고 난감해 하다가 갑자기 떠오르는 것이 소월의 시 「진달래꽃」이어서 눈을 감고 기도 자세를 취한 다음, "나 보기가 역겨워 가실 때에는 말 없이 고이 보내 드리우리다. 영변 약산 진달래꽃 아름 따다 가실 길에 …… 죽어도 아니 눈물 흘리오리다. 아-멘"이라고 해서 위기를 넘겼다고 한다. 그 미국인은 한국말을 모르니 3음보격의 한국적 전통 율조가 잔잔한 파동을 타며 애잔하게 발화되는 소월시를 듣고는 너무도 감격하고 기뻐하면서 한국말이 그렇게 아름다운 줄을 몰랐다고 하여 오히려 칭찬까지 받게 되었다고 한다.

이처럼 최고의 지식인마저도 외국생활을 오래 하게 되면 국어를 잊지 않으려는 노력을 거의 하지 않음으로 해서 국어를 상실하는 경우가 이 정도인데, 하물며 외국에 영주하는 해외동포들이나 그 자녀들이 국어를 전혀 모르고 지내는 경우는 일러 무엇하겠는가? 자국어를 어떠한 경우에도 잊지 않고 후세대에까지 맥을 이어감으로써 그들의 민족혼을 굳건히 지켜나가는 유태인이나 중국인들과 비교할 때 참으로 대조되고 부끄러우며 절망적이지 않을 수 없다. 해외에 오래 머문다고 한국어를 버리고 살면 그것은 한국인으로서의 생각이나 정서를 버리는 것이고 나아가 한국을 버리고 사는 것이 된다는 것을 지식인마저 전혀 자각하지 않고 있다는 것이 가장 큰 문제가 아닐 수 없다. 앞에 예로든 영문학 교수도 한국어를 잊고 산 동안은 한국의 혼(정신)을 빼놓고 산 것에 하나도 다를 바 없다. 국어는 이처럼 안팎으로 위기의 시대에 놓여 있는 것이다.

3. 국문학도의 나아갈 길

— 민족주의적 학문 정신

국어가 정서와 정신의 뿌리일진대 국어의 꽃(미적 표현물)인 국문학은 국어와 운명을 같이함은 말할 것도 없을 것이다. 뿌리가 시들면 꽃을 피울 수가 없는 것이니까. 그러므로 국어의 위기는 국문학의 위기를 의미하므로, 이러한 위기 시대를 맞아 국문학도가 나아가야 할 길은 자명하게 드러난다 하겠다. 우리국어의 지킴이가 되어야 하고 국어의 보고인 국문학에 면면히 흐르는 민족적 정서와 미학을 일구어 내어야 하는 것이다. 이는 한마디로 국문학도가 **민족주의**의 학문정신을 굳건히 해야 하는 시대적 사명감을 가져야 한다는 것에 다름 아니다.

민족주의라면 이른바 국제화 세계화 시대에 무슨 시대착오적인 헛소릴 하느냐고 알레르기 반응을 일으키는 경우가 대부분인 실정에 놓여 있다. 국어 죽이기를 아무런 의식없이 우리 스스로 자행하는 사실과 서로 통하는 분위기이다. 바로 그러한 분위기이기 때문에 민족주의가 오히려 더욱 절실히 요청되는 현실이라는 것이다. 민족주의라면 뭐 대단한 국수주의나 대원군의 쇄국주의 같은 폐쇄주의쯤으로 여기며 색안경을 끼고 보는 경우도 흔하다. 그러나 민족주의란 대단한 것도 경계해야 할 대상도 더구나 폐쇄주의도 아니다. 우리와 직접 관련되는 국문학으로 말한다면 국문학을 다름 아닌 '한국인**으로서**' 바라보고 이해하는 것이 국문학에서의 민족주의인 것이다. 즉 국문학을 바라보는 시각이 다른 나라의 문학 보듯이 해서는 안 된다는 지극히 평범한 명제인 것이다. 이런 말이라면 우리의 문학을 서구의 이론 틀로써 바라보거나 서구적 잣대로 재단해서는 안 된다는 말로 수없이 들어온 터이고 익히 알고 있는 바이기도 하다.

그러나 익히 알고 있는 것과 실천적으로 드러내는 것과는 별개의 사안이다. 필자를 포함한 대부분의 국문학도가 바라보는 기존의 시각은 '~으로서 바라보기(seeing as)'보다는 '~을 바라보기(seeing that)' 쪽으로 경사되는 측면이 많았다. 학문하는 자세는 철저히 객관적 엄밀성에 입각해야 한다는 명분이 거기에 작용하고 있기는 하다. 학문이 진리의 탐구이고 진리는 진실에 입각한 것이라 할 때 그건 맞는 말이다. 그러나 인문과학에서의 진리나 진실은 자연과학과는 층위가 다른 것이어서 딱히 진실을 말한다고 단정할 수 있는 근거가 참으로 모호하다는 데 문제가 있다. 전적으로 사실에 입각해야 할 역사서술에 있어서조차 어떠한 역사서술도 '진실의 기록'은 없으며 '선택과 태도'가 있을 뿐이라는 게 역사학계에서 공인되고 있는데, 하물며 문학 쪽에서 객관적 엄밀성으로 문학 텍스트를 바라보고 이해한다는 가정은 사실상 불가능하다 해야 할 것이다.

도남선생이 '목적 없는 문자의 희롱'으로 혹은 '사관(史觀) 없는 학문의 도락(道樂)'이라 질타한 것은 국문학을 국문학으로서 바라보지 않고 우리와 전혀 상관없는 객관물로서, 학문을 하기 위한 학문쯤으로 대한다는 무정견한 태도에 대한 지적이라 생각된다. 그런데 역사서술에서조차 객관적 진실의 기록이 사실상 불가능하고 선택과 태도만 있을 뿐이라고 앞서 말했듯이, 자신은 객관적 엄밀성을 가지고 국문학을 바라본다고 할지 모르나 문학 텍스트를 바라보는 순간 거기에는 이미 자기 자신이 의식했든 아니든 일정한 선택이나 태도가 결정되지 않을 수 없는 것이기도 하다. 그렇다면 이런 태도는 문자의 희롱이나 학문의 도락으로 끝나는 게 아니라 자기 정체성이 전혀 없는, 그리하여 타율적 혹은 종속적 시각으로 국문학을 바라보는 결과를 가져온다고 할 수 있는 것이다.

국문학은 그저 문학이 아니다. 우리의 문학이다. 그러므로 국문학으로서 바라보아야지 문학(단순히 세계문학의 한 범주)으로 바라봐서는 안된다. 여기에 국문학에서의 민족주의가 자연스럽게 게재된다. 국문학을 바라보는 자체가 이미 선택과 태도를 전제로 하는 것이라면 우리 문학을 우리 시각으로 바라보는 민족주의는 필연적으로 선택되고 지녀야 할 태도이기 때문이다. 더구나 국문학의 기반인 국어가 무너지는 위기를 맞은 시대에 국문학도가 나아가야 할 방향은 선택의 여지가 없이 민족주의 하나일 뿐이다.

그럼 민족주의란, 특히 국문학에서의 민족주의란 무엇인가? 방금 말한 대로 국문학을 국문학으로서 바라보자는 것이다. 그러면 국문학이란 무엇인가? 도남선생은 "우리 **민족의 생활**의 표현이며 기록"이라고 평범하게 정의했다. 이것이 바로 도남선생의 민족주의적 이념의 출발점이며 기본 명제였던 것이다. 국문학에는 우리 민족의 삶이 표현되어 있기 때문에 다른 나라와는 세계상을 바라보는 시각이 다르고 미의식의 패러다임이 다를 수밖에 없다. 그러므로 국문학도가 나아가야 할 길은 서구와도 다르고 중국이나 일본과도 다른 우리 민족의 독특한 삶의 표현으로서 국문학의 **정체성**과 고유의 미의식(**민족미학**)을 탐구하고 정립해내는 일이다. 이점은 누구나 알고 있는 평범한 명제임에도 새삼스레 이 자리를 빌어 강조하는 것은 아직까지도 그것이 **가슴**으로 느끼는 수준에 머물러 있기 때문이며, 이제부터는 본격적으로 반드시 냉철한 머리로 실천되어야 한다는 절체절명의 것이라는 사실을 환기하기 위해서이다. 가슴으로 느끼기는 쉬워도 **머리**로 실천하기는 참으로 어렵다는 것은 학문을 해본 사람이면 누구나 경험해 보았을 것이다.

결론적으로 국문학의 정체성을 확립하고 민족미학을 정립하는 일이 우리 국문학도의 나아가야 할 방향이고 과제임을 다시금 천명하고자 한다. 그것은 도남 정신의 현재적 실천임에 다름 아니다. 그러나 말은 쉬워도 그보다 더 어려운 과제는 없다고 본다. 그만큼 지고지난한 과제이기에 오히려 보람을 느낄 것이고, 현재의 상황이 국어의 위기, 즉 정체성의 위기 시대이기 때문에 더욱 절실히 요구되는 사안이기도 하다. 국문학도라면 누구나 이러한 난제에 사명감과 책임의식을 가지고 과감히 도전하는 자세로 학문 탐구의 길에 나서야 할 것이다.

찾아보기

가

마

바

사

아

타

하